KB086513

7·9급 공무원 시험대비 최신판

박문각
공무원

기 본 서

합격까지 함께
행정학 만점 기본서 #2

필수 단원별 기출문제 450제

상세한 해설 수록

최욱진 편저

동영상강의 www.pmg.co.kr

최욱진
행정학

AII 단원별
기출문제집

박문각

이 책의 **머리말**

✬ 나의 소중한 시간을 아껴주는 강의, 최욱진 행정학

I. 들어가는 글

안녕하세요. 공무원 시험을 준비하는 수험생들에게 행정학을 전하고 있는 최욱진입니다. 기출문제를 정복하는 것은 여러분의 단기합격을 위해 꼭 필요한 조건 중 하나입니다. 이는 모든 수험생이 공감하는 부분이지요. 지금 여러분은 기출문제를 제대로 공부하고 있는지요? 기출문제를 잘 공부하는 방법은 아래와 같습니다.

❶ 중요하지 않은 기출문제에 집착하지 말자.

기출문제의 종류는 크게 두 가지가 있습니다. '중요한 문제와 그렇지 않은 문제'이지요. 수험생이 흔히 범하는 오류 중 하나는 중요하지 않은 기출문제에 집착하는 것입니다. 중요하지 않은 문제는 모두에게 낯설고 어려운 주제이거나, 중요한 지식을 바탕으로 해결할 수 있는 경우가 대다수입니다. 전자는 상대평가이므로 틀려도 괜찮은 것이고, 후자는 풀 수 있는 문제이므로 합격에 악영향을 미치지 않습니다. 그러니 기출문제 수업을 수강하면서 제가 경중을 가려드리는 것을 바탕으로 공부하시길 바랍니다.

❷ 총론부터 기타 제도 및 법령까지 전체를 여러 번 회독하자.

공무원 행정학 시험은 총론부터 기타 제도 및 법령까지 중요한 부분을 중심으로 고르게 출제됩니다. 따라서 행정학의 특정 부분을 자세히 공부하는 사람보다 중요한 내용을 중심으로 전체를 여러 번 공부하는 수험생이 합격할 공산이 큽니다. 최욱진 행정학은 이와 같은 방향성을 토대로 다음의 커리큘럼을 제시하고 있습니다.

■ 최욱진 행정학 커리큘럼 체계

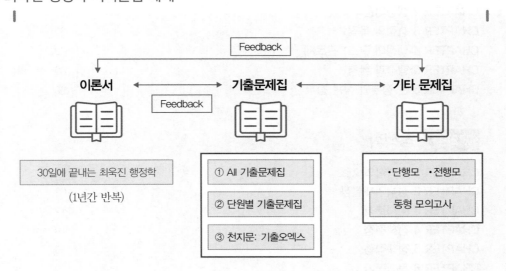

위의 커리큘럼 체계를 보세요. 여러분은 이론수업과 기출문제 풀이 수업만 수강해도 최소 행정학을 5회 반복하게 되는바 시험에 붙을 수 있는 경쟁자가 될 수 있습니다. 행정학 점수가 나오지 않는 이유는 간단합니다. 기출문제를 제대로 공부하지 않았기 때문이지요. 현장에서의 경험을 토대로 말씀드리자면, 재수가 아니라 N수 하는 분들도 중요한 기출문제를 잘 풀지 못하는 경우가 많습니다. 총론부터 기타 제도 및 법령까지 중요한 부분을 중심으로 계속 반복하세요. 여러분을 합격으로 안내하는 지름길이 될 것입니다.

Ⅱ. 마치는 글

다반향초(茶半香初)라는 말이 있습니다. 이는 차가 반이나 줄었으나 그 향은 처음과 같다는 뜻입니다. 힘든 수험생활이지만 초심을 잃지 않고 그 향을 이어간다면 어느새 합격의 문에 도달해 있을 거라 생각합니다. 그 과정에서 저 또한 처음의 마음을 잊지 않고 여러분과 함께하겠습니다. 아무쪼록 저의 교재와 커리큘럼이 여러분의 소중한 시간을 아끼는 데 도움이 될 수 있기를, 여러분의 목표를 이루는 데 일조할 수 있기를 진심으로 소망하면서 짧은 글을 마치겠습니다. 궁금한 사항이 있을 때 언제든지 저의 블로그나 유튜브 채널에 문의주세요.

감사합니다.

Mr. Ku, 최욱진 드림

CONTENTS

이 책의 **차례**

최욱진 행정학

PART

01

행정학총론

CHAPTER **01** 행정과 행정학

Section 01 행정과 행정학에 대하여

01 회독 ☐☐☐
2009. 서울 9

다음 중 행정에 대한 개념으로 올바르지 않은 것은?

① 넓은 의미의 행정은 협동적 인간 노력의 형태로서 정부 조직을 포함하는 대규모 조직에서 보편적으로 나타난다.
② 최근 행정의 개념에는 공공문제의 해결을 위해 정부 외의 공·사조직 간의 연결 네트워크, 즉 거버넌스(governance)를 강조하는 경향이 있다.
③ 좁은 의미의 행정은 행정부 조직이 행하는 공공목적의 달성을 위한 제반 노력을 의미한다.
④ 행정은 정치과정과는 분리된 정부의 활동으로 공공서비스의 생산 및 공급, 분배에 관련된 모든 활동을 의미한다.
⑤ 행정과 경영은 비교적 유사한 활동이라고 할 수 있으나 그 목적하는 바가 다르다.

02 회독 ☐☐☐
2004. 충북 9

다음 중 행정의 개념과 가장 거리가 먼 것은?

① 광의로는 고도의 합리성을 수반하는 협동적 인간 노력의 한 형태이다.
② 행정은 정치과정의 일부이지만 정치에 비하여 과학적 성격이 강하다.
③ 공익이라는 목적 달성을 위한 공공문제의 해결 및 공공서비스의 생산과 관련된 제반 활동으로서 사적 이익의 추구를 목적으로 한다.
④ 협의로는 국가목적을 실현하기 위한 사람과 물자를 관리하는 정부의 제반 활동이다.

정답 및 해설

행정은 정치과정과 연계된(국회 및 국민의 간섭) 정부의 활동으로 공공서비스의 생산 및 공급, 분배에 관련된 모든 활동을 의미함

① 넓은 의미의 행정은 모든 협력행위로서 정부조직을 포함하는 대규모 조직에서 보편적으로 나타남
② 최근 행정의 개념(협의로서 행정)에는 공공문제의 해결을 위해 정부 외의 공·사조직 간의 연결 네트워크 즉, 거버넌스(governance)를 강조하는 경향이 있음
③ 좁은 의미의 행정은 공익을 위해 행정부 조직이 행하는 활동을 의미함
⑤ 행정과 경영은 비교적 유사한 활동이라고 할 수 있으나 그 목적하는 바가 다름 → 행정은 공익, 경영은 사익을 추구함

정답 ④

정답 및 해설

행정은 기본적으로 공익을 목적으로 함

① 광의로서 행정은 고도의 합리성을 수반하는 협동행위임
② 행정은 효율적인 관리 및 집행이 중요한 까닭에 국가의 방향성을 제시하는 입법부에 비해 과학적인 지식을 바탕으로 함
④ 협의로서 행정은 공익을 실현하기 위한 사람과 물자를 관리하는 정부의 제반 활동임

정답 ③

03 회독 □□□　　　　　　　　　　2011. 경정승진

행정학의 보편성과 특수성에 대한 설명 중 틀린 것은?

① 다른 나라의 제도를 도입하려고 하는 것은 행정이론의 보편성 때문이다.
② 성공적인 벤치마킹을 위해서는 제도의 보편성과 특수성을 동시에 고려해야 한다.
③ 행정현상은 그 국가의 정치체계의 맥락 속에서 나타난다는 것은 보편성을 지적한 것이다.
④ 행정학의 일반이론을 구축하려는 것은 행정이론의 보편성을 믿기 때문이다.

정답 및 해설

특정 국가의 정치적인 맥락은 그 나라의 독특한 특징을 의미하기 때문에 행정의 특수성을 의미함

① 우리나라의 환경을 고려하지 않고 다른 나라의 제도를 도입하려고 하는 것은 행정이론의 보편성 때문임
② 성공적인 벤치마킹을 위해서는 제도의 보편성(일반성)과 특수성(해당 국가의 독특한 성격)을 동시에 고려해야 함
④ 행정학의 일반적·보편적 이론을 구축하려는 것은 행정이론의 보편성을 믿기 때문임

정답 ③

04 회독 □□□　　　　　　　　　　2014. 지방 9

로위(Lowi)의 정책분류와 그 특징을 연결한 것 중 옳지 않은 것은?

① 배분정책 : 재화와 서비스를 사회의 특정 부분에 배분하는 정책으로 수혜자와 비용부담자 간 갈등이 발생한다.
② 규제정책 : 특정 개인이나 집단에 대한 선택의 자유를 제한하는 유형의 정책으로 정책불응자에게는 강제력을 행사한다.
③ 재분배정책 : 고소득층으로부터 저소득층으로의 소득 이전을 목적으로 하기 때문에 계급대립적 성격을 지닌다.
④ 구성정책 : 정부기관의 신설과 선거구 조정 등과 같이 정부 기구의 구성 및 조정과 관련된 정책이다.

정답 및 해설

배분정책의 비용부담자는 일반 국민이기 때문에 수혜자와 부담자 간의 갈등이 발생하지 않음 → 즉, 다수가 비용을 고르게 부담할 경우 집단행동의 딜레마(나 대신에 누가 하겠지)가 발생하여 정책에 대한 저항현상이 나타나지 않음

② 규제정책 : 특정 개인이나 집단에 대한 선택의 자유를 제한하는 유형의 정책으로 정책불응자에게는 법률을 기초로 강제력을 행사함
③ 재분배정책 : 고소득층으로부터 저소득층으로의 소득 이전을 목적으로 하기 때문에 부자와 빈자 간 계급대립적 성격을 지님
④ 구성정책 : 정부기관의 신설과 선거구 조정 등과 같이 공식적인 제도를 수정하거나 신설하는 정책임

정답 ①

05 회독 ☐☐☐

2014. 사회복지 9

'국·공립학교를 통한 교육서비스의 제공'은 로위(Lowi)의 정책 유형 중 어느 정책에 해당하는가?

① 배분정책　　② 규제정책
③ 재분배정책　　④ 구성정책

정답 및 해설

도로·다리·항만·공항 등 사회간접자본을 구축하는 정책, 국·공립학교를 통한 교육서비스의 제공, 주택자금의 대출, 국고보조금, 택지분양, 국립공원의 설정, 국유지 불하(매입)정책 등은 특정한 지역이나 집단에게 편익을 제공하는 배분정책의 예시임

② 규제정책 : 특정인의 자유를 제한하는 정책 등(환경오염 규제, 공공건물 금연규제 등)
③ 재분배정책 : 부의 이전과 관련된 정책 등(누진세, 사회보장 정책 등)
④ 구성정책 : 공식적인 제도를 수정하거나 신설하는 정책 등 (정부기관의 신설 혹은 선거구 조정 등)

정답 ①

06 회독 ☐☐☐

2016. 교행 9

다음의 분류에 해당하는 재화에 대한 정부의 역할로 적절하지 않은 것은?

구분	배제성	비배제성
경합성	가	나
비경합성	다	라

① (가) 재화는 시장에 맡겨 두고 정부가 간섭을 하지 않아야 한다.
② (나) 재화에 대해 정부는 무분별한 사용을 막는 규칙을 설정한다.
③ (다) 재화의 상당 부분을 정부가 공급하는 이유는 자연독점에 의한 시장실패에 대응해야 하기 때문이다.
④ (라) 재화는 무임승차 문제를 야기하기 때문에 원칙적으로 정부가 직접 공급해야 한다.

정답 및 해설

'가'는 민간재임 → 이는 일반적으로 시장에서 공급하지만, 가치재와 같은 재화는 형평성 차원에서 정부가 공급할 수 있음

■ 가치재(merit goods) : 국민이라면 마땅히 누려야 할 기초적인 재화·서비스
㉠ 정부는 어떤 특정한 재화·서비스에 대하여 그 이용을 개인의 자유로운 선택에 맡기는 것을 바람직하지 않다고 판단하여 이용을 조장하거나 강제하는 경우가 있음
㉡ 의무교육 실시, 의료, 학교의 급식에 대한 보조, 염가주택의 공적인 공급, 문화행사 등을 들 수 있는데, 이러한 재화 혹은 서비스를 가치재라고 함
㉢ 가치재는 공공재가 아니며, 국가가 일부 공급하는 경우가 있지만, 원칙적으로 민간이 공급하는 민간재임

② 공유재에 대해 정부는 공유지의 비극을 방지하기 위해 무분별한 사용을 막는 규칙을 설정함
③ 요금재의 상당 부분을 정부가 공급하는 이유는 자연독점에 의한 시장실패에 대응해야 하기 때문임
④ 공공재는 무임승차 문제를 야기하기 때문에 원칙적으로 정부가 직접 공급해야 함

정답 ①

07 회독 □□□ 　　　　2016. 국회 9

다음 중 공유재의 비극(The Tragedy of the Commons)에 대한 설명으로 옳지 않은 것은?

① 공유재는 소비의 경합성과 비배제성을 갖는 재화이다.
② 공유재의 비극은 비용의 집중과 편익의 분산관계로 인해 발생한다.
③ 사적 이익의 극대화가 공공이익의 손실을 가져올 수 있다.
④ 공유재에서는 양심적인 행위자에게 손실이 발생할 수 있다.
⑤ 공유재의 보존을 위한 정부규제의 필요성 및 근거로 작용한다.

08 회독 □□□ 　　　　2014. 국회 9

다음 설명 중 가장 옳지 않은 것은?

① 지대추구이론에 의하면 정부의 허가나 정책에 의해 만들어진 배타적 이익은 지대에 해당한다.
② X비효율성은 독점으로 인해 자원을 효율적으로 사용할 유인이 없기 때문에 발생하는 비효율 또는 자원낭비를 지칭한다.
③ 공유재의 비극은, 소비에서 타인을 배제할 수 있지만 소비의 경합성은 없는 재화의 과소비와 고갈을 의미한다.
④ 공공선택론은 비시장적 의사결정에 대한 경제학적 연구를 의미한다.
⑤ 공공선택론은 방법론적 개인주의를 기본 전제로 한다.

정답 및 해설

공유재의 비극은 편익의 집중과 비용의 분산관계로 인해 발생함

① 공유재는 소비의 경합성(나의 소비가 타인의 소비에 영향)과 비배제성(공짜)을 갖는 재화임
③ 공유재에 대한 사적 이익의 극대화는 공공이익의 손실을 가져올 수 있음
④ 공유재에서는 공유지의 비극으로 인해 양심적인 행위자에게 손실이 발생할 수 있음
⑤ 공유재의 비극은 공유재의 보존을 위한 정부규제의 필요성 및 근거로 작용함

정답 ②

정답 및 해설

공유재의 비극은, 소비에서 타인을 배제할 수 없지만, 소비의 경합성은 있는 재화의 과소비와 고갈을 의미함

① 지대추구이론에 의하면 정부의 허가나 정책에 의해 만들어진 배타적 이익, 즉 특혜는 지대에 해당함
② X비효율성은 독점으로 인해 자원을 효율적으로 사용할 유인이 없기 때문에 발생하는 낭비현상을 지칭함
④ 공공선택론은 비시장적(행정부, 의회, 시민사회 등) 의사결정에 대한 경제학적 연구를 의미함
⑤ 공공선택론은 인간에 대한 분석을 기초로 분권화를 주장하는바 방법론적 개인주의를 기본 전제로 함

정답 ③

09 회독 ☐☐☐   2008. 서울 9

공공서비스의 성과지표와 예시로 바르게 연결된 것은?

> 가. 지역 간 균형발전
> 나. 포장된 도로의 비율
> 다. 도로포장을 위해 이용된 중장비의 규모
> 라. 차량의 통행속도 증가율

구분	가	나	다	라
①	영향	투입	산출	결과
②	결과	영향	투입	산출
③	결과	산출	영향	투입
④	영향	산출	투입	결과
⑤	산출	투입	결과	영향

① ㄱ, ㄴ, ㄷ   ② ㄱ, ㄹ, ㅁ
③ ㄴ, ㄷ, ㄹ   ④ ㄷ, ㄹ, ㅁ

10 회독 ☐☐☐   2010. 국가 7

공유재적 성격을 가지는 공공서비스의 특성에 대한 설명으로 옳은 것끼리 짝지어진 것은?

> ㄱ. 인간은 합리적이고 이기적인 개인이라고 전제한다.
> ㄴ. 소비의 배제는 불가능하지만, 경합성은 있는 공유재에 대한 정부의 실패를 설명해 준다.
> ㄷ. 공유재는 비용회피와 과잉소비의 문제가 발생하지 않는다.
> ㄹ. 사적 극대화가 공적 극대화를 파괴하여 구성원 모두가 공멸하게 된다.
> ㅁ. 1968년에 Hardin의 논문에서 '공유지의 비극(tragedy of commons)'으로 설명되었다.

① ㄱ, ㄴ, ㄷ   ② ㄱ, ㄹ, ㅁ
③ ㄴ, ㄷ, ㄹ   ④ ㄷ, ㄹ, ㅁ

정답 및 해설

영향지표로 갈수록 포괄적이고 추상적이며 투입지표로 갈수록 구체적인 개념임

정답 ④

정답 및 해설

- ㄱ. (○) 공유지의 비극을 설명한 하딘에 따르면 인간은 합리적이고 이기적인 개인임
- ㄹ. (○) 공유지의 비극은 사적 극대화가 공적 극대화를 파괴하여 구성원 모두가 공멸하게 되는 현상임
- ㅁ. (○) 1968년에 Hardin은 주인이 없는 재화, 즉 공유재에서 '공유지의 비극(tragedy of commons)'이 발생할 수 있음을 주장함
- ㄴ. (✕) 공유지의 비극은 시장실패를 설명해주는 이론모형 중 하나임 → 공유재에 대한 정부의 개입이 없다면 공유지의 비극이 발생한다는 것
- ㄷ. (✕) 공유재는 비용회피(비배제성)와 과잉소비의 문제가 발생함

정답 ②

11 회독 ☐☐☐　　　　　　　　　　　2008. 경남 9

생산은 정부에서 하되 수단은 민간의 시장요소를 도입하는 것은?

① 일반행정　　　　　　② 책임경영
③ 민간위탁　　　　　　④ 민영화

12 회독 ☐☐☐　　　　　　　　　　　2012. 지방 9

민간위탁 방식에 대한 설명으로 옳지 않은 것은?

① 자조활동(Self-help) 방식은 서비스의 생산과 관련된 현금 지출에 대해서만 보상받고 직접적인 보수는 받지 않으면서 공익을 위해 봉사하는 사람들을 활용하는 것이다.
② 보조금 방식은 민간조직 혹은 개인이 제공한 서비스 활동에 대해 정부가 재정 또는 현물을 지원하는 것이다.
③ 바우처 방식은 공공서비스의 생산을 민간부문에 위탁하면서 시민들의 구입 부담을 완화시키기 위해 금전적인 가치가 있는 쿠폰을 제공하는 것이다.
④ 면허방식은 민간조직에게 일정한 구역 내에서 공공서비스를 제공하는 권리를 인정하는 것이다.

정답 및 해설
아래의 표 참고

■ 공공서비스 공급 방식의 유형

구분		생산의 주체	
		공공부문	민간부문
생산수단	권력	일반행정	민간위탁
	시장	책임경영	민영화

정답 ②

정답 및 해설
① 자원봉사자 방식에 대한 내용임
■ 자조활동 : 공공서비스의 수혜자와 제공자가 같은 집단에 소속하여 이들끼리 서로 돕는 형식

② 보조금 방식 : 민간조직 혹은 개인이 제공한 서비스 활동에 대해 정부가 재정 또는 현물을 지원하는 것 → 서비스가 기술적으로 복잡하여 서비스의 목적달성이 불확실한 경우, 공공서비스에 대한 요건을 구체적으로 명시하기 곤란한 경우에 활용함
③ 바우처 방식 : 공공서비스의 생산을 민간부문에 위탁하면서 시민들의 구입 부담을 완화시키기 위해 금전적인 가치가 있는 쿠폰을 제공하는 것 → 명시적 바우처와 묵시적 바우처 방식이 있음
④ 면허방식 : 민간조직이 일정한 구역 내에서 공공서비스를 제공할 수 있는 영업권을 허가하는 방식

정답 ①

13 회독 ☐☐☐

공공서비스 민간위탁 방식에 대한 설명으로 옳지 않은 것은?

① 계약방식은 좁은 의미의 민간위탁으로 분류된다.

② 보조금 방식은 민간조직의 공공서비스 제공 활동에 대해 재정 혹은 현물을 지원하는 방식을 말한다.

③ 바우처(voucher) 방식은 시민들의 공공서비스 구입부담을 완화시키는 금전적인 가치가 있는 쿠폰을 제공하는 방식이다.

④ 자조활동(Self-help) 방식이란 공공서비스 수혜자와 제공자가 같은 집단에 소속되어 서로 돕는 형식으로 활동하는 것을 의미한다.

⑤ 규제 및 조세유인 방식은 보조금 지급과 같은 효과를 창출하지만 직접 비용이 상대적으로 많이 소요되는 방식이다.

정답 및 해설

규제 및 조세유인 방식은 민간의 공공서비스 제공에 대해 행정규제 혹은 조세혜택을 제공하는 방법임; 이는 정부의 간접적 지출이므로 보조금과 비슷한 효과를 내면서도 비용은 상대적으로 적게 드는 방식임

① 계약방식은 협의로써 민간위탁으로 분류됨
② 보조금 방식은 민간조직의 공공서비스 제공 활동에 대해 재정 혹은 현물을 지원하는 방식이며, 공공서비스에 대한 요건을 구체적으로 명시하기 곤란한 경우에 활용함
③ 바우처(voucher) 방식은 시민들의 공공서비스 구입부담을 완화시키는 금전적인 가치가 있는 쿠폰을 제공하는 방식임 → 바우처의 종류에는 명시적 바우처와 묵시적 바우처가 있음
④ 자조활동(Self-help) 방식이란 공공서비스 수혜자와 제공자가 같은 집단에 소속되어 서로 돕는 형식으로 활동하는 것임 → 예를 들어, 고령자 돌보미, 주민순찰 등이 있음

정답 ⑤

14 회독 ☐☐☐

사회간접자본(SOC)에 대한 '민간투자 유치제도'를 설명하는 다음 내용 중 가장 옳은 것은?

① BTO는 최종수요자에게 사용료를 부가하여 투자비의 회수가 어려운 시설에 적용된다.

② BTL은 민간의 투자금으로 사회간접자본을 건설하여 소유권을 민간에서 보유한 채로 민간이 사업을 운영하는 방식이다.

③ BOT는 민간이 공공시설을 건설하여 소유권을 정부에 이전한 후 민간이 사업을 운영하는 방식이다.

④ BLT는 민간의 투자자금으로 건설한 공공시설을 정부가 사업운영하며 민간에 임대료를 지급하는 방식으로, 운영 종료 시점에 정부가 소유권을 이전받게 된다.

정답 및 해설

BLT는 민간의 투자자금으로 건설한 공공시설을 정부가 직접 운영하면서 민간에게 수익 중 일부를 임대료 형태로 지급하는 방식으로, 운영 종료 시점에 정부가 소유권을 이전받게 됨

① BTO는 민간기업이 시설을 직접 운영하는바 민간기업의 위험부담이 큰 방식임 → 따라서 투자비 회수가 용이한 시설에 적용함
② BTL은 민간이 시설을 건설한 후 소유권을 정부에 이전한 채로 정부가 사업을 운영하면서 일정 수익을 민간에게 지급하는 방식임
③ BOT는 민간이 공공시설을 건설한 후 해당 시설을 민간이 직접 운영하면서 투자금을 모두 회수하면 소유권을 정부에 이전하는 방식임

정답 ④

15 회독 ☐☐☐

공공서비스 공급을 확대하는 과정에서 정부예산이 부족한 경우 활용되는 수익형 민자사업(BTO)에 대한 설명으로 옳지 않은 것은?

① BTO는 민간이 자금을 투자해 공공시설을 건설하고 소유권을 정부로 이전하지만, 그 대가로 민간사업자는 일정 기간 사용수익권을 인정받게 된다.

② BTO의 경우 민간사업자는 시설을 운영하면서 사용료 징수를 통해 투자비를 회수하는데, 주로 도로·철도 등 수익창출이 가능한 영역에 적용된다.

③ BTO의 경우 시설에 대한 수요변동 위험은 정부에서 부담하며, 정부는 사전에 약정한 수익률을 포함한 리스료를 민간사업자에게 지출한다.

④ BTO는 일반적으로 임대형 민자사업(BTL)에 비해 사업리스크와 수익률이 상대적으로 더 높고, 사업기간도 상대적으로 더 길다.

정답 및 해설

BTO의 경우 시설에 대한 수요변동 위험은 민간에서 부담하며, 민간사업자는 시설을 운영하면서 사용자로부터 사용료를 징수하여 투자비를 회수함

※ 정부가 사전에 약정한 수익률을 포함한 리스료를 민간사업자에게 지출하는 것은 BTL 혹은 BLT 방식임

①② BTO는 민간이 자금을 투자해 공공시설을 건설하고 소유권을 정부로 이전하지만, 그 대가로 민간사업자는 일정 기간 사용수익권을 인정받게 됨 → 민간이 해당 시설을 직접 운영하는바 민간에게 위험부담이 큰 방식이므로 주로 도로·철도 등 수익창출이 가능한 영역에 적용함

④ BTO는 일반적으로 임대형 민자사업(BTL)에 비해 사업리스크와 수익률이 상대적으로 더 높고, 사업기간도 상대적으로 더 긴 편임(고속도로 건설 등)

정답 ③

16 회독 ☐☐☐

정부의 기능에 대한 설명으로 옳지 않은 것은?

① 기획기능은 정책과정에서 정책결정과 계획수립을 위한 기능이다.

② 규제기능은 법령에 기초해서 국민들의 생활을 일률적으로 제한하는 기능이다.

③ 정부 기능상 정책결정 또는 정책집행 위주의 부처로 나눌 수 있다.

④ 조장 및 지원기능은 정부가 직접 사업의 주체가 되지 않고 간접적으로 지원하는 기능이다.

⑤ 중재기능은 이해관계자 간의 분쟁이 발생할 때 정부가 조정하고 합의를 이끌어내는 기능이다.

정답 및 해설

조장 및 지원기능은 정부가 직접 지원하는 기능임

①②
■ 정부의 기능

기획기능	정책과정에서 정책결정과 계획수립을 위한 기능
규제기능	국민들의 생활을 금지하거나 제한하는 기능
조장기능 (지원기능)	① 특정 분야의 산업이나 활동을 조장하거나 지원하는 기능 ② 특정 분야의 산업을 활성화하기 위해 재정 및 금융상의 지원을 하고 기술을 제공하는 등의 경우
중재 및 조정기능	① 사회 내에서 이해 당사자들 간에 분쟁이 발생했을 때 정부가 그 사이에서 이해관계를 조정하고 양측의 합의를 이끌어 내는 기능 ② 노사분규의 중재, 이익집단 간의 이해 조정, 환경분쟁에서 갈등 조정 등

③ 정부 기능상 정책결정(예 보건복지부) 또는 정책집행(소속책임운영기관) 위주의 부처로 나눌 수 있음

정답 ④

17 회독 ☐☐☐　　　　　　　　2018. 지방 7

재화를 배제성과 경합성 여부에 따라 네 가지 유형(A~D)으로 분류할 경우, 유형별 사례를 모두 바르게 짝지은 것은?

구분	배제성	비배제성
경합성	A	B
비경합성	C	D

※ 선지는 A-B-C-D의 순서임

① 구두, 해저광물, 고속도로, 등대
② 라면, 출근길 시내도로, 일기예보, 상하수도
③ 자동차, 공공낚시터, 국방, 무료 TV방송
④ 냉장고, 케이블TV, 목초지, 외교

A는 사적재(구두), B는 공유재(해저광물), C는 유료재(고속도로), D는 공공재(등대)에 해당함

② 라면(민간재), 출근길 시내도로(공유재), 일기예보(공공재), 상하수도(요금재)
③ 자동차(민간재), 공공 낚시터(공유재), 국방(공공재), 무료 TV방송(공공재)
④ 냉장고(민간재), 케이블TV(요금재), 목초지(공유재), 외교(공공재)

정답 ①

Section 02　행정학의 정체성 : 행정과 경영, 그리고 정치

01 회독 ☐☐☐　　　　　　　　2008. 국가 7

행정과 경영의 유사성에 대한 설명으로 옳지 않은 것은?

① 인적·물적 자원을 동원하며 기획, 조직화, 통제 방법, 관리기법, 사무자동화 등 제반 관리기술을 활용한다.
② 엄격한 법적인 규제를 받으므로 환경변화에 따른 조직의 대응능력이나 인력의 충원과정에서 탄력성이 떨어진다.
③ 관료제의 순기능적 측면과 아울러 역기능적인 측면도 내포하고 있다.
④ 조직 내 의사결정 과정에서 가능한 한 많은 대안 중에서 최선의 대안을 선택·결정하고자 하는 협동행위가 나타난다.

선지는 행정과 경영의 차이점에 대한 내용임 → 행정은 경영에 비해 엄격한 법적인 규제를 받으므로 환경변화에 따른 조직의 대응능력이나 인력의 충원과정에서 탄력성이 떨어짐

① 행정과 경영은 사람과 돈을 동원하며, 능률적인 관리를 위해 제반 관리기술을 활용함
③ 행정과 경영은 관료제를 기본적인 조직구조로 채택하는바 관료제의 순기능적 측면과 역기능적인 측면도 내포하고 있음
④ 행정과 경영은 모두 협동행위를 기초로 함

정답 ②

02 회독 ☐☐☐   2014. 경찰간부

행정과 경영의 공통점 및 차이에 대한 설명 중 가장 잘못된 것은?

① 행정은 정치적 성격을 갖는 반면, 경영은 정치로부터 분리되어 있어 정치적인 성격을 갖지 않는 것이 일반적이다.

② 경영은 시장실패 가능성 등의 이유로 엄격한 법적 규제를 받는 반면, 공익을 추구하는 행정은 법적 규제로부터 자유롭다.

③ 행정과 경영은 모두 관료제 조직구조의 형태를 띤다.

④ 경영은 자유로운 시장진입 가능성으로 경쟁에 노출되는 반면, 행정은 공공서비스를 제공하는 과정에서 경쟁자가 존재하지 않는 것이 일반적이다.

정답 및 해설

행정은 법치행정을 원칙으로 하는 까닭에 경영에 비해 엄격한 법적 규제를 받음

① 행정은 경영에 비해 정치권력의 개입이 많음 → 의회의 간섭, 국민의 요구 등

③ 행정과 경영은 모두 관료제를 조직구조로 채택하고 있음

④ 경영은 자유로운 시장진입 가능성으로 경쟁에 노출되는 반면, 행정은 공공서비스를 제공하는 과정에서 독점적 위치를 차지하는 것이 일반적임

정답 ②

03 회독 ☐☐☐   2008. 경남 9

정치행정이원론과 관련 없는 것은?

① 엽관주의를 극복하기 위한 이론으로 대두되었다.

② 실적주의 확립 필요성에서 등장하였다.

③ 형평성을 고려한다.

④ 정당정치로부터의 행정의 독립을 강조한다.

정답 및 해설

정치행정이원론은 행정을 효율적인 관리 및 집행으로 간주하는 바 능률성(기계적인 능률성)을 강조함

①②④

정치행정이원론은 비능률적인 행정을 초래하는 엽관주의를 비판하고 실적주의를 지지하는 입장임

정답 ③

04 회독 ☐☐☐

정치행정이원론에 대한 설명으로 적절하지 않은 것은?

① 행정의 전문성과 중립성 확보의 필요성을 강조한다.
② 과학적 관리론의 영향을 받아 행정을 비정치적인 관리 현상으로 이해한다.
③ 독자적인 학문으로서의 행정학의 발전에 기여하였다.
④ 공사행정일원론의 성립에 기여하였다.
⑤ 행정에 내포되어 있는 정치적인 기능을 강조한다.

정답 및 해설

정치행정이원론은 행정의 정치적인 기능(정책결정)이 아니라 행정적 기능(효율적인 집행 및 관리)을 강조하는 입장임

① 정치행정이원론은 행정의 전문성과 정치적 중립성 확보의 필요성을 강조하였음
② 정치행정이원론은 과학적 관리론의 영향을 받아 행정을 능률적인 관리현상으로 이해함

참고 **과학적 관리론과 정치행정이원론**
㉠ 민간기업체의 경영합리화를 위해 탄생한 과학적 관리론 (1911)이 행정의 능률성 확보에 기여함
㉡ 이는 정치행정이원론(1887)과 결합하여 행정관리설 또는 기술적 행정학을 발전시키는 데 영향을 미침

③ 정치행정이원론이 등장(1887)한 이후 행정학은 독자적인 학문으로 발전하였음
④ 정치행정이원론은 행정과 경영이 유사하다는 입장임 → 공사행정일원론

정답 ⑤

05 회독 ☐☐☐

정치행정일원론에 관한 설명으로 옳지 않은 것은?

① 경제대공황, 뉴딜정책 이후 정부의 적극적 역할이 강조된 시기에 발달되었다.
② 행정에 있어서 정책 수립이라는 정치적·가치배분적 기능이 중요시된다.
③ 정치와 행정은 불가분의 관계에 있으므로 둘은 상호 배타적인 관계가 아니라 서로 협조적인 관계에 있다.
④ 디목(M.E.Dimock), 애플비(P.H.Appleby) 등에 의해 주장되었다.
⑤ 행정에 있어서 절약과 능률을 최고가치로 추구한다.

정답 및 해설

행정에 있어서 절약과 능률을 최고가치로 추구하면서 행정의 능률적인 집행을 강조하는 것은 정치행정이원론임

①② 행정부의 정치적 기능(가치배분적 기능)을 수용하는 정치행정일원론은 국가위기 시에 발전하였음
③ 사회가 복잡해질수록 정치와 행정은 불가분의 관계에 있으므로 둘은 상호 배타적인 관계가 아니라 서로 협조적인 관계에 있음
④ 정치행정일원론은 디목(M.E.Dimock), 애플비(P.H.Appleby) 등에 의해 주장되었음

정답 ⑤

06 회독 ☐☐☐
2004. 강원 9

정치행정일원론이 강조되게 된 주된 동기가 아닌 것은?

① 정치로부터의 행정의 독립
② 경제대공황의 발생
③ 시장실패의 부각
④ 뉴딜정책의 경험

07 회독 ☐☐☐
2013. 군무원 9

행정과 경영에 대한 설명으로 옳지 않은 것은?

① 관리기법, 의사결정방식이 다르다.
② 권력성, 법적용성이 다르다.
③ 공개성, 자율성이 다르다.
④ 활동주체와 목적이 다르다.

정답 및 해설

정치행정일원론은 국가 위기와 같은 상황에서 행정부가 어느 정도의 정책결정을 할 수 있다는 입장임 → 따라서 행정과 정치는 완전히 분리되는 게 아니라 상호작용하는 관계로 보았음

정답 ①

정답 및 해설

능률적인 관리를 위한 관리기법 및 의사결정방식은 행정과 경영의 유사점에 해당함

② 행정은 경영에 비해 권력성, 법적용성이 강함
③ 행정은 경영에 비해 투명성을 지향해야 하며, 법치행정에 기초하는바 자율성이 제약됨
④ 행정의 활동주체는 정부이고, 공익을 추구함

정답 ①

08 회독 □□□ 2009. 서울 7

다음 중 행정의 적극적 기능과 행정입법의 확대를 지지하는 입장은?

① 행정의 관리적 성격을 강조한다.
② 행정도 능률성을 강조한다.
③ 정치와 행정을 엄격히 구분한다.
④ 행정의 정치성·공공성을 강조한다.
⑤ 행정에서 가치판단 및 정책결정을 배제한다.

09 회독 □□□ 2016. 국가 7

행정학의 발달과정에 대한 설명으로 옳지 않은 것은?

① 1960년대 신행정학은 행정학의 실천적 성격과 적실성을 회복하기 위해 정책지향적인 행정학을 강조했다.
② 사이먼(Simon)은 인간행태에 연구의 초점을 두었고 행정이론의 과학화에 기여하였다.
③ 애플비(Appleby)는 정치는 국가의 의지를 표명하고 정책을 구현하는 것이며 행정은 이를 실천하는 것으로 정치와 행정의 차이를 명확히 구별했다.
④ 미국 행정학은 테일러(Taylor)의 과학적 관리법에 근거를 둔 조직이론으로부터 영향을 받았다.

정답 및 해설

행정의 적극적 기능과 행정입법의 확대를 지지하는 것은 정치행정일원론임 → 정치행정일원론은 국가위기를 해결하기 위해 능률성 이외의 가치를 추구함

①②③⑤
정치행정이원론에 대한 내용임

정답 ④

정답 및 해설

굿노는 정치는 국가의 의지를 표명하고 정책을 구현하는 것이며 행정은 이를 실천하는 것으로 정치와 행정의 차이를 명확히 구별했음 → 애플비는 정치행정일원론을 주장한 학자임

① 1960년대 신행정학은 행태주의를 비판하면서 행정학의 실천적 성격과 적실성을 회복하기 위해 정책지향적인 행정학을 강조했음
② 사이먼(Simon)은 논리실증주의를 활용하여 인간행태에 연구의 초점을 두었고 행정이론의 과학화에 기여하였음
④ 미국 행정학은 능률과 절약을 실현하기 위해 테일러(Taylor)의 과학적 관리법에 근거를 둔 조직이론으로부터 영향을 받았음

정답 ③

Section 03 행정학의 정체성 : David H.Rosenbloom의 접근법

01 회독 ☐☐☐ 2005. 경북 9 수정

행정학의 접근법 중 정치적 접근법에 대한 설명이 아닌 것은?

① 정치적 접근법은 행정의 능률성을 최대 가치로 한다.
② 정치적 접근법은 정치행정일원론에 기초하고 있다.
③ 법적인 접근은 행정의 절차적 적법성, 국민의 실체적 기본권 보장, 형평성 추구 등을 중시한다.
④ 정치적 접근법의 대표적 학자는 왈도(Waldo)를 들 수 있다.

정답 및 해설

①은 관리적 접근법에 해당함

■ 로젠블럼의 행정의 개념에 대한 접근

관리적 접근	① 가장 고전적인 접근법으로 행정은 본질적으로 경영(기업)과 동일하며 행정은 경영의 관리원리나 가치에 따라야 한다는 것 ② 정치행정이원론에 바탕을 둠
정치적 접근	① W.Sayre, D.Waldo 등에 의하여 주창되었으며 행정은 본질적으로 정치적 현상이라는 입장 ② 정치행정일원론에 바탕을 둠
법적 접근	행정의 절차적 적법성, 국민의 실체적 기본권 보장, 형평성 추구 등을 중시

정답 ①

CHAPTER **02** 행정이론

Section **01** 관리주의 : 행정=효율적인 관리

01 회독 ☐☐☐   2004. 국가 7

'행정의 연구'를 발표한 윌슨(W.Wilson)에 관한 내용으로 옳지 않은 것은?

① 유럽국가의 행정을 참고하기보다 미국의 독창적인 행정이론 개발을 역설하였다.
② 행정부패를 막기 위해서 그 진원지가 되는 정치로부터 행정을 격리하려는 논리를 전개하였다.
③ '팬들턴 법'의 제정에 따라 추진되기 시작한 공무원 인사제도의 개혁에 관한 이론적인 뒷받침을 시작하였다.
④ 행정의 영역이 경영의 영역과 크게 다르지 않다고 보고, 경영적 행정의 필요성을 주장하였다.

02 회독 ☐☐☐   2016. 지방 7

윌슨(Wilson)의 '행정연구(The Study of Administration, 1887)'에 대한 설명으로 옳지 않은 것은?

① 정부개혁을 통해 특정 지역 및 계층 중심의 관료 파벌을 해체하고자 했다.
② 행정과 경영의 유사성을 강조했다.
③ 정치와 행정을 분리하고자 했다.
④ 효율적인 정부 운영에 관심을 두었다.

⎧ 정답 및 해설 ⎫

윌슨은 행정의 효율성을 촉진하기 위해 유럽식 관료제를 수용함

② 윌슨이 주장한 정치행정이원론에 대한 내용임
③ 윌슨은 '펜들턴법'의 제정에 따라 성립된 실적주의를 능률적인 관리를 위한 인사행정제도로 판단하여 이를 지지하였음
④ 정치행정이원론은 공사행정일원론의 입장임

정답 ①

⎧ 정답 및 해설 ⎫

① 엽관주의의 등장배경에 해당함 → 잭슨 대통령은 동부 중심의 관료 파벌을 해체하고, 서부 개척민(잭슨 대통령 지지세력)의 임용을 촉진하기 위해 엽관주의를 도입하였음

② 정치해정이원론은 공사행정일원론의 입장임
③④ 윌슨은 능률적인 국가관리를 위해 정치와 행정을 분리하고자 했음

정답 ①

03 회독 ◯◯◯   2004. 국회 8

다음은 과학적 관리론에 관한 설명이다. 가장 타당하지 않은 것은?

① 조직 내의 인간을 경제적 유인에 의해 동기가 유발되는 타산적 존재로 가정한다.

② X이론의 인간형에 입각한 것이다.

③ 과학적 분석에 의하여 유일 최선의 방법을 발견할 수 있다고 가정한다.

④ 과학적 관리학파의 연구활동은 고전적 행정학의 기틀을 다지는 데 기여하였다.

⑤ 조직이 추구하는 가치로서 사회적 능률을 가장 중요시한다.

04 회독 ◯◯◯   2004. 입법고시

다음 중 Frederick W. Taylor의 과학적 관리법에 대한 논의로 옳지 않은 것은?

① 1911년에 쓴 'Administrative Behavior'를 통해서 과학적 관리법을 주창하였다.

② 테일러의 최대 관심사는 능률과 이윤이었고, 이를 위하여 훈련과 작업분석을 강조하였다.

③ 시간과 동작에 대한 연구를 통해 생산의 극대화를 가져올 수 있는 최선의 길이 있다고 보았다.

④ 그가 생각하는 인간은 경제적 욕구와 생리적 조건에 의하여 지배되는 존재였다.

⑤ 테일러는 W.Wilson, L.Gulick과 함께 관리주의로 논의되기도 한다.

(정답 및 해설)

테일러는 'The Principles of Scientific management(과학적 관리론, 1911)'를 통해 과학적 관리법을 주장함 → 'Administrative Behavior(행정행태론, 1945)'는 사이먼의 행태주의를 의미함

② 테일러의 최대 관심사는 능률과 이윤이었고, 이를 위하여 훈련과 작업분석(시간과 동작 연구)을 강조하였음

③ 테일러에 따르면 조직의 관리자는 시간과 동작에 대한 연구를 통해 생산의 극대화를 가져올 수 있는 최선의 길을 발견해야 함

④ 과학적 관리에서 인간은 돈을 통해 기본적인 욕구를 추구하려는 존재임

⑤ 테일러는 윌슨, 굴릭 & 어윅 등과 함께 관리주의로 논의되기도 함

정답 ①

(정답 및 해설)

과학적 관리론은 조직이 추구하는 가치로서 기계적 능률(가성비)을 중시함 → 사회적 능률을 강조하는 입장은 통치기능설임

① 과학적 관리론은 인간을 경제인으로 간주함

② 과학적 관리론에서 노동자는 관리자가 정한 방법대로 일하는 수동적인 존재(X형 인간)임

④ 테일러는 관리주의에 속하는 학자임

정답 ⑤

05 회독 ☐☐☐

POSDCORB에 대해 틀린 것은?

① 상향적 조직과정이다.
② 최고관리자의 기능에 대한 것이다.
③ Gulick이 주장한 것이다.
④ 고전적인 행정관의 대표적인 모형이다.

06 회독 ☐☐☐

미국 민주주의의 규범적 관료제 모형에 대한 설명으로 옳은 것은?

① 제퍼슨주의(Jeffersonianism)는 개인의 자유를 극대화하기 위한 행정책임을 강조하고 소박하고 단순한 정부와 분권적 참여과정을 중시한다.
② 잭슨주의(Jacksonianism)는 행정의 탈정치화를 통해 정당정치의 개입으로부터 자유로운 행정을 강조한다.
③ 매디슨주의(Madisonianism)는 국가이익의 증진을 위해 강한 행정부의 적극적 역할과 행정의 유효성을 지향한다.
④ 해밀턴주의(Hamiltonianism)는 다원적 과정을 통한 이익집단 요구의 조정과 이를 가능하게 하는 견제와 균형을 중시한다.

정답 및 해설

POSDCORB는 굴릭 & 어윅이 주장한 최고관리자가 수행할 기능을 명시하고 있는바 하향식 조직과정임

④ 굴릭과 어윅은 테일러 혹은 페이욜, 윌슨과 더불어서 관리주의(고전적인 행정관)의 대표적인 학자임

정답 ①

정답 및 해설

제퍼슨주의(Jeffersonianism)는 지방분권을 강조함

② 윌슨의 정치행정이원론에 대한 내용임 → 잭슨은 엽관주의를 주장함
③ 매디슨의 다원주의는 이익집단의 다양한 요구와 견해를 조정할 수 있는 견제와 균형을 중시함 → 선지는 해밀턴주의에 대한 내용임
④ 해밀턴의 연방주의는 국가이익의 증진을 위해 강한 행정부의 적극적 역할과 행정의 유효성을 지향함 → 선지는 매디슨주의에 대한 내용임

정답 ①

07 회독 □□□ 2014. 사복 9

행정학의 주요 이론과 그에 대한 비판이 바르게 연결되지 않은 것은?

① 공공선택론: 인간을 이기적이고 합리적인 존재로 가정한 것은 지나친 단순화이다.

② 거버넌스론: 내재화된 변수가 많고 변수 간의 유기적인 관계를 강조하기 때문에 모형화가 어렵다.

③ 신제도주의: 제도와 행위 사이의 정확한 인과관계를 설명하는 데 한계가 있다.

④ 과학적 관리론: 인간을 지나치게 사회심리적이고 감정적인 존재로 인식한다.

Section **02** 인간주의

01 회독 □□□ 2006. 선관위 9

인간관계론의 핵심인 호손실험의 결론으로 옳지 않은 것은?

① 비공식집단의 단점 극복을 위하여 권위주의적 리더십 유형을 필요로 한다.

② 비공식집단은 개인의 생산성을 제고하는 데 결정적인 역할을 한다.

③ 관리자는 기술적 능력뿐만 아니라 사회적 기술도 갖추어야 한다.

④ 조직 관리 활동에 참가함으로써 조직구성원은 사회심리적 욕구를 충족시킬 수 있다.

정답 및 해설

과학적 관리론은 인간을 합리적 경제인으로 간주하는바 돈만 주면 열심히 일하는 존재로 보고 있음; 따라서 인간주의로부터 인간의 사회심리적인 면을 고려하지 못한다는 비판을 받음

① 공공선택론은 모든 인간을 이기적인 존재로 간주하는바 단순하다는 비판을 받음

② 거버넌스론은 모형 안에 내재화된 변수가 많음 → 예를 들어, 시장에는 다양한 기업이 있으며, 시민사회 안에는 다수의 이익집단, 시민단체 등이 있음; 거버넌스론은 이러한 변수 간의 유기적인 관계를 강조하기 때문에 보편적 모형화가 어려움

③ 신제도주의는 각국의 제도적 특수성을 설명할 수 있음 → 그러나 이는 곧 정확한 인과관계를 설명할 수 없다는 것을 의미함

정답 ④

정답 및 해설

인간관계론은 비공식집단(동료애가 형성되어 있는 집단)의 활성화를 위해 민주적 리더십(구성원의 소통과 참여를 장려하는 리더십)을 필요로 함 → 권위주의적 리더십은 구성원에게 일방적인 지시와 순응을 강제하는 리더십임

② 비공식집단과 같은 비공식적 요인은 개인의 생산성을 제고하는 데 결정적인 역할을 함

③ 리더는 효율적인 관리기술뿐만 아니라 소통하는 기술도 갖추어야 함

④ 구성원은 조직 관리 활동에 참가함으로써 소속감, 자아실현 등을 충족할 수 있음

정답 ①

02 회독 □□□ 2011. 지방 7

고전적 조직이론의 기계적 조직관을 비판하고 조직 내 인간의 사회적 관계의 중요성을 주장하며 등장한 인간관계론의 궁극적인 목표로 옳은 것은?

① 조직의 성과 제고
② 조직운영의 민주화
③ 조직구성원의 자아실현
④ 조직 내부의 비공식 집단의 활성화

Section 03 행태주의(Behaviorism)

01 회독 □□□ 2017. 서울 7

행태론적 접근방법에 대한 설명으로 옳지 않은 것은?

① 행태주의는 사회과학이 행태에 공통된 관심을 갖고 있기 때문에 통합된다고 보고 있다.
② 행정의 실체는 제도나 법률이 아니라고 주장하며, 행정인의 행태에 초점을 맞춘다.
③ 논리실증주의를 강조한 사이먼 이후 행정학 분야에서 크게 발전하였다.
④ 사회적 문제의 개선에 기여할 수 있는 연구와 가치평가적인 정책연구를 지향한다.

02 회독 ☐☐☐ 2018. 국가 7

행태적 접근방법에 대한 설명으로 옳지 않은 것은?

① 집단의 고유한 특성을 인정하지 않는 방법론적 개체주의의 입장을 취한다.

② 행태의 규칙성, 상관성 및 인과성을 경험적으로 입증하고 설명할 수 있다고 본다.

③ 연구에서 가치와 사실을 구분하지 않는다.

④ 사회현상을 관찰 가능한 객관적 대상으로 보며, 인간의 주관이나 의식을 배제하고 인식론적 근거로서 논리실증주의를 신봉한다.

03 회독 ☐☐☐ 2011. 경정승진

사이먼의 주장으로 옳지 않은 것은?

① 행정현상을 의사결정과정으로 파악하였다.

② 비엔나 학파에서 시도한 사회현상의 과학적 방법론 적용에 그 뿌리를 두고 있다.

③ 인접학문과의 협동연구를 중시한다.

④ 태도, 의견, 개성 등 주관이 내포된 요소들을 행태에 포함시키지 않는다.

⑤ 집단의 고유한 특성을 인정하지 않는 방법론적 개체주의의 입장을 취한다.

정답 및 해설

행태주의를 창시한 사이먼은 과학성을 강조하는바 논리실증주의를 통해 검증할 수 있는 영역인 '사실'에 연구의 초점을 둠 → 따라서 사이먼은 행정학 연구에서 가치와 사실을 명백하게 구분하자는 입장임

① 행태주의는 구성원의 행동을 발생시키는 원인을 알면, 해당 조직의 행동을 파악할 수 있다는 입장이므로 방법론적 개체주의에 기초하고 있음

② 행태주의는 논리실증주의를 활용하여 행태의 규칙성, 상관성 및 인과성을 경험적으로 입증하고 설명할 수 있다고 봄

④ 행태주의는 사실연구에 초점을 두는바 사회현상을 관찰 가능한 객관적 대상으로 보며, 인간의 주관이나 의식을 배제하고 인식론적 근거로서 논리실증주의를 신봉함

정답 ③

정답 및 해설

행태주의에서 정의하는 행동의 범주는 넓은 까닭에 사이먼은 태도, 의견, 개성 등 주관이 내포된 요소들을 행태에 포함시킴 → 다만 이러한 개념은 연구자가 객관적으로 정의하기 힘들다는 점에서 연구자의 주관(가치)이 포함될 수도 있음; 그러나 사이먼은 심리학 등을 활용하여 이를 구체적으로 정의할 수 있다고 생각했기 때문에 행동의 범주에 포함시켰음

① 사이먼은 사람의 의사결정에 영향을 미치는 특정 원인을 찾아서 인과관계를 발견하려고 했음 → 즉, 특정한 원인에 의해 의사결정을 하게 되면 이는 곧 행동으로 이어지는바 사이먼은 의사결정을 연구의 대상으로 한 것임

② 행태주의는 비엔나 학파에서 시도한 사회현상의 과학적 방법론, 즉 논리실증주의의 적용에 그 뿌리를 두고 있음

⑤ 행태주의는 특정 개인의 의사결정에 대한 원인을 탐구한 후 개인이 속한 집단의 의사결정(행태)을 파악했다는 점에서 방법론적 개체주의 입장을 취하고 있음

정답 ④

04 회독 ☐☐☐

행정학의 방법론 중 행태주의의 특징과 가장 거리가 먼 것은?

① 사회현상도 자연과학과 마찬가지로 엄밀한 과학적 연구가 가능하다고 본다.

② 인식론적 근거로서 논리실증주의를 신봉한다.

③ 지식인은 사회문제를 해결하는 데 자신의 지식을 적극적으로 활용해야 한다.

④ 연구에서 가치와 사실을 명백히 구분하고 가치중립성을 지킨다.

정답 및 해설
③ 내용은 D.Easton의 후기행태주의(사회문제 해결 강조)의 내용임

①②④ 사이먼의 행태주의에 대한 내용임

정답 ③

05 회독 ☐☐☐

행태주의 연구방법에 대한 설명으로 가장 옳지 않은 것은?

① 행정현상 중 가치판단적인 요소의 존재를 인정하지 않았다.

② 현상과 현상 사이에 존재하는 인과관계 법칙을 규명하는 것이 연구의 목적이다.

③ 법칙 발견을 위해 인과관계에 대한 가설을 설정하고 이를 검증하여야 하는데, 설정되는 가설은 이미 확립된 기존의 이론으로부터 연역적으로 도출되어야 한다.

④ 가설검증을 위해 현상들을 경험적으로 관찰하여야 하고, 관찰할 수 없는 현상은 연구 대상에서 제외한다.

정답 및 해설
사이먼은 행정학 연구분야를 가치와 사실로 구분하고 사실에 중점을 두자고 한 것이지 가치에 대한 연구가 없다고 주장하지는 않았음

② 행태주의는 과학성을 추구하기 때문에 인과법칙의 규명을 중시함

③ 논리실증주의에 대한 내용임

④ 사이먼은 인간의 감각기관으로 관찰할 수 있는 경험적인 분야인 사실 연구를 강조함

정답 ①

06 회독 ☐☐☐   2007. 충북 9

행정학의 패러다임 중에서 정치행정신이원론을 발생시킨 행태주의에 대하여 바르게 서술한 것은?

① 1940년대 H.Simon이 주장한 것으로 '사실'과 '가치'에 대한 이분법을 시도하였다.

② 행태주의의 연구 초점은 '사실'과 '가치' 중 가치에 있다고 하였다.

③ 행태주의는 해석학을 강조한 반(反) 실증주의에서 출발하였다.

④ 행태주의는 Sayre(세이어)의 법칙에 영향을 주었고, 행정학의 기술성을 강조한 것이다.

Section 04   후기행태주의 (Post-Behaviorism)

01 회독 ☐☐☐   2008. 서울 9 수정

다음 중 후기행태주의적인 접근방법에 가까운 내용은 무엇인가?

① 배경은 1960년대 흑인에 대한 인종차별, 월남전에 대한 반전 데모 및 강제징집에 대한 저항 등 미국 사회의 혼란이라고 볼 수 있다.

② 인간을 경제적 이윤을 추구하는 합리적 존재로 가정하고, 행정의 원리들을 발견하는 데 주된 관심을 기울인다.

③ 사회과학자들은 그 사회의 급박한 문제를 연구대상으로 삼아서 사회의 개선에 기여하기보다 과학적 방법을 적용할 수 있는 것을 연구대상으로 삼아야 한다.

④ 가치평가적인 정책연구보다 가치중립적인 연구를 지향하며, 정책학의 발전과는 무관하다.

정답 및 해설

사이먼은 1945년에 행정행태론을 발표하면서 과학성을 강조했기 때문에 연구의 대상에서 가치의 영역을 배제하고 사실적인 부분에 집중할 것을 주장함

② 행태주의의 연구 초점은 '사실'과 '가치' 중 사실에 있다고 하였음

③ 행태주의는 가설을 엄밀한 실험을 통해 검증해야 한다는 실증주의에서 출발하였음

④ 과학성을 중시하는 사이먼은 광의로서 행정을 주장한 학자이므로 공사행정일원론의 관점임 → 아울러 세이어는 공사행정이원론의 입장이므로 양자는 서로 상반되는 관계임

정답 ①

정답 및 해설

후기행태주의는 미국의 격동기에 등장한 행정이론임

② 관리주의에 대한 내용임

③ 행태주의에 대한 내용임

④ 행태주의에 대한 내용임

정답 ①

02 회독 □□□

2004. 부산 9

1960년대 미국사회는 흑인폭동과 월남전에 대한 반전 데모 등으로 커다란 혼란 속에 있었지만 기존의 행정이론들이 당면한 사회문제를 해결하는 데 도움을 주지 못했는데 이를 비판하고 D.Easton에 의해 제시된 행정의 적실성과 실천성을 강조한 이론은?

① 후기행태학
② 행태학
③ 정치행정이원론
④ 생태론

정답 및 해설

문제는 후기행태주의에 대한 내용임

② 행태학 : 인간행동을 발생시키는 원인을 탐구하는 접근
③ 정치행정이원론 : 능률적인 국가관리를 위해 정치와 행정을 분리하자는 정향
④ 생태론 : 현상을 야기하는 환경적 요인을 규명하려는 접근

정답 ①

Section 05 신행정학과 현상학

01 회독 □□□

2015. 지방 7

신행정학(New Public Administration)의 특징에 해당하는 것만을 모두 고른 것은?

ㄱ. 논리실증주의에 대한 지지
ㄴ. 사회적 형평성의 추구
ㄷ. 현실 적합성의 추구
ㄹ. 참여의 강조

① ㄱ, ㄴ
② ㄴ, ㄷ
③ ㄱ, ㄴ, ㄷ
④ ㄴ, ㄷ, ㄹ

정답 및 해설

ㄴ. (○) 사회적 형평성의 추구 : 신행정학은 흑인폭동을 해결하기 위해 사회적 형평성을 강조하였음
ㄷ. (○) 현실 적합성의 추구 : 신행정학은 당면한 사회문제를 처방할 수 있는 현실 적합성을 추구함
ㄹ. (○) 참여의 강조 : 신행정학은 고객인 국민의 요구를 중시하는 행정을 강조하는바 시민참여의 확대를 주장함

ㄱ. (×) 신행정학은 후기행태주의의 영향을 받아서 행정학에 도입된 이론이기 때문에 행태주의에 대해 비판적인 입장을 견지하고 있음

정답 ④

02 회독 □□□ 2008. 국회 8

1960년대 신행정학 운동과 가장 관련이 없는 것은?

① 미노부르크(Minnowbrook) 회의
② 현실적합성
③ 고객지향주의
④ 논리실증주의
⑤ 탈관료제

---

03 회독 □□□ 2009. 국가 9

행정학의 접근방법 중 현상학적 접근방법에 관한 설명으로 옳지 않은 것은?

① 행정 현실을 이해하는 데 과학적 방법보다 해석학적 방법을 선호한다.
② 조직을 인간의 의도적인 행위에 의해 구성되는 가치함축적인 행위의 집합물로 이해한다.
③ 인간 행위의 가치는 행위 자체보다는 그 행위가 산출한 결과에 있다.
④ 조직 내외의 인간들은 자신 또는 다른 사람의 행위에 의미를 부여함으로써 조직을 설계한다.

정답 및 해설

논리실증주의는 행태주의의 인식론으로서 사실에 대한 연구를 하기 위한 연구방법임 → 신행정학은 행태주의를 비판하는 입장에 있는바 반실증주의의 입장임

① 미노부르크(Minnowbrook) 회의 : 1968년 9월 D. Waldo(왈도)를 중심으로 한 당시 미국의 젊은 행정학자들이 뉴욕주의 미노브룩(Minnowbrook)에서 개최된 학술회의에서 당면한 사회문제를 해결하지 못하는 기존의 행정학에 대하여 비판함
② 현실적합성 : 신행정학은 사회문제를 해결할 수 있는 현실적합성을 강조함
③ 고객지향주의 : 신행정학은 국민의 입장을 반영(고객중심)해서 사회문제를 해결하고자 함
⑤ 탈관료제 : 신행정학은 인간의 소통을 억제하는 관료제를 비판하는 입장임

정답 ④

정답 및 해설

현상학에 따르면 인간 행동의 가치는 행위가 산출한 결과가 아니라 행위 안에 내재한 의미에 있음 → 꽃을 주는 행동 자체가 중요한 게 아니라 그 행동 안에 내재한 의도가 행동의 본질이라는 것

① 현상학은 인간의 행동에 내재한 의미를 해석하려는 해석학적 방법을 선호함
② 현상학에서 조직은 인간의 의도적인 행위가 상호작용하는 가치함축적인 행위의 집합물임
④ 인간이 모인 조직은 인간이 부여한 상징(의미)으로 상호작용하는 곳임 → 이는 조직의 설계에 영향을 미칠 수 있음.

정답 ③

04 회독 ☐☐☐

현상학적 접근방법에 대한 설명으로 옳은 것을 모두 고른 것은?

> ㄱ. 행정현상의 본질, 인간 인식의 특성, 이론의 성격 등 사회과학 연구의 본질적 문제에 대해 실증주의와 행태주의적 연구 방법에 반대한다.
> ㄴ. 진리의 기준을 맥락의존적인 것으로 보며, 상상·해체·영역해체·타자성 등의 핵심개념을 포함하고 있다.
> ㄷ. 사회현상 또는 사회적 실재란 자연현상처럼 사람과 동떨어진 객체로 존재하는 것이 아니라, 사람들의 상호 주관적인 경험으로 이루어진다.
> ㄹ. 복잡한 미래 사회에서 정부의 방향잡기 역할이 어렵거나 불가능하기 때문에 행정의 역할은 서비스를 제공해야 하는 데 있음을 강조한다.

① ㄱ, ㄴ　　　　　② ㄱ, ㄷ
③ ㄴ, ㄹ　　　　　④ ㄷ, ㄹ

정답및해설

ㄱ. (○) 현상학은 행위를 연구대상으로 하는바 실증주의와 행태주의적 연구 방법에 반대하는 입장임
ㄷ. (○) 현상학은 구성주의적 관점을 취하고 있음 → 따라서 사회현상 또는 사회적 실재란 자연현상처럼 사람과 동떨어진 객체로 존재하는 것이 아니라, 사람들의 상호 주관적인 경험으로 이루어짐
ㄴ. (✕) 포스트모더니즘에 대한 내용임
ㄹ. (✕) 신공공서비스론에 대한 내용임

정답 ②

Section 06　공공선택론

01 회독 ☐☐☐

공공선택론(public choice theory)의 접근방법에 관한 설명으로 옳지 않은 것은?

① 방법론적 개인주의에 입각하고 있으며, 인간은 철저하게 자기 이익을 추구한다고 가정한다.
② 인간은 모든 대안들에 대하여 등급을 매길 수 있는 합리적인 존재라고 가정한다.
③ 정부 및 관료는 공공재의 소비자이고, 시민 및 이익집단은 공공재의 생산자로 가정한다.
④ 뷰캐넌(J. Buchanan)과 털럭(G. Tullock)이 대표적인 학자이다.

정답및해설

공공선택론에서 관료 혹은 정부는 공공재의 공급자이고 시민 및 이익집단은 공공재의 소비자임

① 공공선택론은 인간에 대한 면밀한 분석을 한 후에(인간은 이기적인 존재) 이를 바탕으로 행정 현상을 설명하는바 방법론적 개체주의에 입각하고 있음
② 공공선택론에서 인간은 자신의 이해관계에 따라 모든 대안에 대하여 우선순위를 매길 수 있는 합리적인 존재임
④ 뷰캐넌과 털럭과 같은 경제학자가 처음으로 만들었으며, 이를 오스트롬이 행정학에 도입하였음

정답 ③

02 회독 ☐☐☐   2015. 국회 9 수정

다음 중 공공선택론(public choice theory)에 관한 내용으로 가장 옳지 않은 것은?

① 공공선택론은 Buchanan, Niskanen 등 경제학자들이 발전시켰다.

② 공공선택론에서 분석의 단위는 개인이며, 개인은 자기 이익을 중심으로 행동하는 사람들이다.

③ 공공선택론의 사상적 연원은 정부 서비스 공급에서 시민의 선택을 존중해야 한다는 생각이다.

④ 공공선택론은 지나치게 공평한 재원의 배분만 강조한 나머지 행정의 효율성을 무시한다.

⑤ 정부 서비스 일부의 민영화 등은 공공선택론자들의 이론에 큰 영향을 받았다.

정답 및 해설

공공선택론은 분권, 경쟁을 통한 능률적인 재원의 배분만 강조한 나머지 행정의 형평성을 무시함

① 공공선택론은 뷰캐넌, 털럭, 니스카넨 등 경제학자들이 발전시켰음

② 공공선택론은 방법론적 개체주의에 기초하며, 사회 내 개인은 자기 이익을 중심으로 행동하는 이기적인 존재임

③ 공공선택론의 사상적 연원은 정부 서비스 공급에 있어서 시민의 선호를 반영해야 한다는 생각임

⑤ 정부 서비스 일부의 민영화 등은 분권과 경쟁을 선호하는 공공선택론자들의 이론에 큰 영향을 받았음

정답 ④

03 회독 ☐☐☐   2003. 부산 9

공공선택론에 대한 다음 논의 중 틀린 것은?

① 분석의 기본단위는 개인이다.

② 행정에 영향을 미치는 환경적 요인을 강조한다.

③ 오스트롬 부부가 행정학에 도입하고 이를 발전시켰다.

④ 정부는 공공재 생산자, 시민은 공공재의 소비자이다.

정답 및 해설

② 생태론에 대한 설명임

① 공공선택론은 방법론적 개체주의에 기초하는바 분석의 기본단위는 개인임

③ 공공선택론은 경제학자가 창시하고 오스트롬 부부가 행정학에 도입하였음

④ 공공선택론에서 정부는 시민의 선호를 반영해야 하는 공공재의 생산자, 시민은 공공재의 소비자임

정답 ②

04 회독 ☐☐☐

행정학의 방법론 중 공공선택이론(Public Choice Theory)의 특징과 가장 거리가 먼 내용은?

① 공공선택론은 경제학적인 분석도구를 국가이론, 투표, 규칙, 투표자 행태, 정당정치, 관료행태, 이익집단 등의 연구에 적용한다.

② 행정은 가치중립적인 것이고, 효율적인 집행을 담당하기 때문에 정치의 영역 밖에 있으며, 행정기능에 관해 모든 정부는 구조적으로 유사성을 지닌다.

③ 공공서비스를 독점적으로 공급하는 전통적인 정부관료제는 시민의 요구에 민감하게 반응을 보일 수 없는 제도적 장치이다.

④ 공공서비스를 제공할 때 시민 개개인의 선호와 선택을 존중하고, 경쟁을 통해 서비스를 생산하고 공급하게 함으로써 행정의 대응성을 높일 수 있다.

정답 및 해설

② 윌슨류 패러다임(정치행정이원론)을 설명한 내용임

① 공공선택론은 경제학적인 분석도구를 비시장영역, 즉 국가이론, 투표, 규칙, 투표자 행태, 정당정치, 관료행태, 이익집단 등의 연구에 적용함

③ 공공선택론에 따르면 공공서비스를 독점적으로 공급하는 집권적인 전통적인 정부관료제는 시민의 요구에 민감하게 반응을 보일 수 없는 제도적 장치임

④ 공공선택론에 따르면 분권적인 구조는 시민 개개인의 선호와 선택을 존중하고, 경쟁을 통해 서비스를 생산하고 공급하게 함으로써 행정의 대응성을 높일 수 있음

정답 ②

05 회독 ☐☐☐

공공선택론적 행정학 연구의 특징이 아닌 것은?

① 합리적 경제인으로서의 개인
② 방법론적 개체주의
③ 정치는 합리적 개인들간의 자발적 교환작용
④ 제도적 장치의 경시

정답 및 해설

공공선택이론은 전통적인 정부관료제 조직을 비판하면서 관할구역을 중첩시키고 권한을 분산시키는 분권적 의사결정 구조(제도)를 주장하였음

① 공공선택론에서 인간은 자신의 이익을 극대화하려는 존재, 즉 합리적 경제인에 해당함

② 공공선택론은 방법론적 개체주의를 기초로 분권적 의사결정 구조를 강조함

③ 공공선택론은 정치인도 자신의 이해관계를 중시하는 존재임 → 따라서 정치는 합리적 개인 간의 자발적 교환작용임

정답 ④

06 회독 ○○○   2017. 지방 7

다음과 같은 비판이 제기되고 있는 행정학의 접근방법은?

- 인간은 경제적 이해관계로만 움직이지 않는다.
- 정부 활동의 성과를 지나치게 시장적 가치로 환원하려는 경향이 있다.

① 생태론적 접근방법
② 현상학적 접근방법
③ 공공선택론적 접근방법
④ 체제론적 접근방법

07 회독 ○○○   2011. 지방 7

니스카넨(Niskanen)의 예산극대화모형(budget-maximization model)에 대한 설명으로 옳지 않은 것은?

① 정치가는 사회후생의 극대화를 추구한다고 가정한다.
② 정치가는 총편익과 총비용의 차이인 순편익이 최대가 되는 수준에서 공공서비스를 공급하려 한다고 본다.
③ 관료는 자신의 효용을 극대화하려는 합리적 경제인이라고 가정한다.
④ 관료는 한계편익곡선과 한계비용곡선이 교차하는 점에서 공공서비스를 공급하려 한다고 본다.

정답 및 해설

지문은 공공선택론의 한계점을 지적한 내용임

▨ 공공선택론의 한계점

ⓐ 인간은 자신의 실질적 이익에 도움이 되지 않아도 타인을 돕는 경우가 있음
ⓑ 공공선택론은 능률성을 강조하는 과정에서 형평성 등을 간과하는 면이 있음

① 생태론적 접근방법 : 현상을 야기하는 환경적 요인을 규명하려는 접근
② 현상학적 접근방법 : 인간 행동에 내재된 의미를 해석하여 인간을 이해하려는 접근
④ 체제론적 접근방법 : 생명체의 안정과 균형을 방법론적 전체주의 관점에서 설명하는 모형

정답 ③

정답 및 해설

관료의 권력은 예산인 까닭에 관료는 총편익곡선과 총비용곡선이 교차하는 점, 즉 순편익이 0이 되는 지점에서 공공서비스를 공급하려고 함

① 정치가는 재선을 위해 사회후생의 극대화(주민 순편익의 극대화)를 추구함
② 정치가는 재선을 위해 총편익과 총비용의 차이인 순편익이 최대가 되는 수준에서 공공서비스를 공급함
③ 관료는 자신의 효용을 극대화하려는 이기적인 존재임

정답 ④

08 회독 □□□ 2005. 경기 9급

공공선택론적 접근방법의 가정으로서 적절하지 않은 것은?

① 분석의 단위는 개인이다.

② 사람은 경제적, 합리적 존재로서 자기이익 추구적이다.

③ 시민은 공공재의 공급과 그 개선을 위해 자발적인 의욕을 보인다.

④ 분권적인 제도를 선호한다.

09 회독 □□□ 2012. 국회 8

행정학의 주요 접근방법에 관한 설명으로 옳지 않은 것은?

① 공공선택이론은 관할의 중첩을 타파하여 공공재 공급의 효율성을 높여야 한다고 주장한다.

② 실증주의적 접근방법은 행정연구의 과학화를 추구하는 접근방법이다.

③ 생태론적 접근방법은 정치학 및 문화인류학 등에서 발전한 것으로 이를 행정학에 도입한 학자는 가우스(Gaus)이다.

④ 행태론적 접근방법은 인간의 주관을 배제하고 규칙성을 경험적으로 입증하려 한다.

정답 및 해설

시민은 이기적인 개인이므로 공공재의 공급과 그 개선을 위해 자신의 노력을 투입하지 않음 → 단지 소비자로서 서비스에 대한 호불호만 표현함

① 공공선택론은 방법론적 개체주의를 취하는바 분석의 단위는 개인임

② 공공선택론에서 인간은 이기적인 존재임

④ 공공선택론에서 인간은 사익을 추구하는 존재이므로 공공선택론을 연구하는 학자들은 분권적인 제도를 선호함

정답 ③

정답 및 해설

공공선택이론은 분권화를 강조하기 때문에 일종의 경쟁체제인 관할의 중첩을 인정하는 관점임

② 사이먼의 행태주의는 논리실증주의 접근에 기초하여 행정연구의 과학화를 추구함

③ 생태론적 접근방법은 정치학 및 문화인류학 등에서 발전한 것으로 이를 1947년 행정학에 도입한 학자는 가우스(Gaus)임

④ 행태론적 접근방법은 인간의 주관을 배제한 사실연구에 초점을 두어 규칙성을 경험적으로 입증하려 함

정답 ①

10 회독 ☐☐☐   2018. 지방 9

공공선택이론에 대한 설명으로 옳지 않은 것은?

① 사회의 비시장적인 영역들에 대해서 경제학적 방식으로 연구한다.
② 시민들의 요구와 선호에 민감하게 부응하는 제도 마련으로 민주행정의 구현에도 의의가 있다.
③ 전통적 관료제를 비판하고 그것을 대체할 공공재 공급 방식의 도입을 강조한다.
④ 효용극대화를 추구한다는 합리적 개인에 대한 가정은 현실 적합성이 높다고 평가받는다.

Section 07   신공공관리론(New Public Management)

01 회독 ☐☐☐   2015. 국가 9

행정학의 접근방법에 대한 설명으로 옳은 것은?

① 법률적·제도론적 접근방법은 공식적 제도나 법률에 기반을 두고 있기 때문에 제도 이면에 존재하는 행정의 동태적 측면을 체계적으로 파악할 수 있다.
② 행태론적 접근방법은 후진국의 행정현상을 설명하는 데 크게 기여했으며, 행정의 보편적 이론보다는 중범위 이론의 구축에 자극을 주어 행정학의 과학화에 기여했다.
③ 합리적 선택 신제도주의는 방법론적 전체주의(holism)에, 사회학적 신제도주의는 방법론적 개체주의(individualism)에 기반을 두고 있다.
④ 신공공관리론은 기업경영의 원리와 기법을 그대로 정부에 이식하려고 한다는 비판을 받는다.

---

02 회독 □□□

신공공관리론에 대한 설명으로 옳지 않은 것은?

① 신공공관리론의 이면에는 공공선택론, 주인대리인이론, 거래비용이론 등이 자리 잡고 있다.

② 신공공관리론에서는 수익자 부담원칙의 강화, 정부부문 내 경쟁 원리 도입 등을 행정개혁의 방향으로 제시한다.

③ 관료제는 비효율적이므로 다른 수단으로 대체되어야 하며, 혁신을 통해 기업형 정부로 변화되어야 한다고 본다.

④ 신공공관리론에서는 사회적 요구에 대한 능동적 대처를 위해 구조적 통합을 통한 분절화의 축소를 지향하고 있다.

정답 및 해설

구조적 통합을 통한 분절화의 축소를 지향하는 것은 탈신공공관리론임

① 공공선택론, 주인대리인이론, 거래비용이론 등은 신공공관리론의 이론적 배경임

② 신공공관리론은 작고 능률적인 정부를 구현하기 위해 수익자 부담원칙의 강화, 정부부문 내 경쟁 원리 도입 등을 행정개혁의 방향으로 제시함

③ 신공공관리론에 따르면 시장을 활용하지 않는 관료제는 비효율적이므로 다른 수단으로 대체되어야 하며(네트워크 조직), 혁신을 통해 기업형 정부(수익을 창출하는 정부)로 변화되어야 한다고 봄

정답 ④

03 회독 □□□

행정이론에 대한 설명으로 옳지 않은 것은?

① 신행정론(신행정학)은 실증주의와 행태주의를 비판하면서 행정학의 실천성과 적실성, 가치문제를 강조하였다.

② 공공선택론은 공공부문의 비시장적 의사결정을 경제학적으로 연구하며, 전통적인 관료제를 비판하였다.

③ 신공공서비스론은 시장주의와 신관리주의를 결합한 이론으로 행정의 효과성과 능률성을 극대화하고자 하였다.

④ 뉴거버넌스론은 정부, 시장, 시민사회 간 신뢰와 협동을 강조한다.

정답 및 해설

신공공관리론은 시장주의와 신관리주의를 결합한 이론으로 행정의 효과성과 능률성을 극대화하고자 하였음 → 신공공서비스론은 정부 혹은 관료가 공론의 장을 형성하고, 국민의 참여를 유도하는 '봉사'에 초점을 두어야 함을 강조함

① 신행정론(신행정학)은 당면한 사회문제를 해결하기 위해 실증주의와 행태주의를 비판하면서 행정학의 실천성과 적실성, 가치문제를 강조하였음

② 공공선택론은 공공부문의 비시장적 의사결정을 경제학적으로 연구하며, 집권적·전통적인 관료제를 비판하였음

④ 뉴거버넌스론은 정부, 시장, 시민사회 간 협치 체계를 의미함

정답 ③

04 회독 ☐☐☐   2017. 국가 7 추가

다음과 같은 내용의 공통적인 특성을 갖는 행정이론은?

> ㄱ. 공익을 사적 이익의 총합으로 파악한다.
> ㄴ. 기업가적 목표달성을 위해 폭넓은 행정재량을 공무원에게 허용할 수 있다.
> ㄷ. 경영학의 성과관리와 경제학의 신제도주의가 혼합되어 영향을 주었다.

① 신공공관리론
② 뉴거버넌스
③ 신공공서비스론
④ 신행정론(신행정학)

05 회독 ☐☐☐   2011. 국가 7

신공공관리론(New Public Management)에 대한 설명으로 옳지 않은 것은?

① 공공서비스의 민간위탁과 민영화보다는 시민과 기업이 참여하는 공동공급을 중시한다.
② 시장주의와 신관리주의가 결합하여 전통적 관료제 패러다임의 한계를 극복하기 위한 것이다.
③ 가격메카니즘과 경쟁원리를 활용한 공공서비스의 제공을 강조한다.
④ 고객지향적인 공공서비스의 제공을 중시한다.

정답 및 해설

신공공관리론은 기업의 운영방식(성과관리 등)을 행정에 도입한 관리 패러다임으로서 공익을 사익의 총합(높은 고객만족)으로 간주함; 아울러 NPM은 이론적 배경으로 공공선택론(분권적인 제도 강조)을 위시한 주인대리인 이론(동기부여 제도 강조) 및 거래비용이론(생산방식에 관한 제도적 함의)을 활용함 → 신공공관리론의 모든 이론적 배경은 제도를 활용하여 능률적인 정부를 구현하려는 까닭에 신제도주의 경제학으로 불리기도 함

② 뉴거버넌스 : 정부, 시민사회, 시장 간의 협력체계
③ 신공공서비스론 : 정부 혹은 관료가 공론의 장을 형성하고, 국민의 참여를 유도하는 '봉사'에 초점을 두어야 함을 강조하는 관리패러다임
④ 신행정론(신행정학) : 당면한 사회문제 해결을 강조하는 1960년대 행정학 사조

정답 ①

정답 및 해설

공공서비스의 민간위탁과 민영화보다 시민과 기업이 참여하는 공동공급을 중시한 것은 '뉴거버넌스론'임 → 신공공관리론은 정부기능의 민영화와 민간위탁을 통한 작고 효율적인 정부를 추구함

② 신공공관리는 시장주의(민영화, 민간위탁 활용 등)와 신관리주의(성과관리)가 결합하여 전통적 관료제 패러다임의 한계를 극복하기 위한 것임
③ 신공공관리론은 작고 능률적인 정부를 실현하기 위해 가격메카니즘과 경쟁원리를 활용한 공공서비스의 제공을 강조함
④ 고객주의에 대한 내용임

정답 ①

06 회독 ☐☐☐
2009. 국가 7

신자유주의에 근거한 신공공관리(New Public Management)에 대한 설명으로 옳지 않은 것은?

① 법규나 규정에 의한 관리보다는 목표와 임무 중심의 관리를 강조한다.
② 예산 지출 위주의 정부 운영 방식에서 탈피하여 수입 확보를 강조한다.
③ 정부는 촉매작용자, 촉진자, 중개자 역할보다는 공급자 역할을 수행한다.
④ 사후적 대책 수립보다는 사전적 문제 예방에 주력하는 경향이 있다.

07 회독 ☐☐☐
2008. 지방 7

한국정부의 개혁에 영향을 준 신공공관리론에 관한 설명으로 옳지 않은 것은?

① 성과를 중시하고 국민의 요구에 신속하게 반응하는 고객지향적인 행정을 추구한다.
② 중앙정부의 감독과 통제의 강화를 통해 일선공무원의 행정서비스 품질을 향상시키고자 한다.
③ 경쟁원리 또는 민간경영기법의 도입과 같은 시장과 유사한 기제를 활용한다.
④ 정부기능의 민영화와 감축을 통한 작고도 효율적인 정부를 추구한다.

정답 및 해설

정부는 공급자(모든 서비스를 정부가 직접 공급)가 아니라 방향잡기 역할(민간위탁 등의 네트워크 관리)을 수행함

① 신공공관리는 법규나 규정에 의한 관리보다는 목표와 임무 중심의 성과 관리를 강조함
② 신공공관리는 기업가적 정부를 추구하는바 예산 지출 위주의 정부 운영 방식에서 탈피하여 수입 확보를 강조함
④ 신공공관리는 미래를 예측하는 예방적 관리를 지향함

정답 ③

정답 및 해설

신공공관리는 중앙정부의 감독과 통제의 완화를 통해 일선공무원의 행정서비스 품질을 향상시키고자 함

① 신공공관리는 성과관리, 고객주의 등을 추구함
③ 신공공관리는 정부의 영역에 기업의 운영방식(경쟁, 민간경영기법 도입 등)을 적용함
④ 신공공관리는 정부실패를 극복하기 위해 정부기능의 민영화와 감축을 통한 작고도 효율적인 정부를 추구함

정답 ②

08 회독 ☐☐☐   2010. 지방 9

신공공관리론(New Public Management)에 대한 설명으로 옳은 것은?

① 업무의 결과보다 과정을 중시한다.
② 정부의 역할을 방향제시보다 노젓기로 본다.
③ 권력의 집중화보다는 분권화를 지향한다.
④ 시장실패의 치유를 위한 국가의 역할을 강조한다.

[정답 및 해설]

신공공관리론은 성과책임을 제고하기 위해 분권화를 지향함

① 신공공관리론은 업무의 결과를 중시함
② 전통적 행정에 대한 내용임
④ 신공공관리는 정부실패를 막기 위하여 국가의 역할이나 개입을 가급적 줄이는 것을 중시함

[정답] ③

09 회독 ☐☐☐   2009. 국회 8 수정

거래비용이론에 관한 설명으로 옳은 것을 모두 고르면?

┌──┐
│ ㉠ 조직은 경제활동에서 재화나 용역의 거래비용을 줄이 │
│   기 위해 만들어지는 장치이다. │
│ ㉡ 대리인이론과 함께 신제도주의 경제학 이론에 해당한다. │
│ ㉢ 공공분야의 민영화, 민간위탁, 계약제 등에 응용되고 │
│   있다. │
│ ㉣ 조직은 능률성을 높일 수 있는 유일한 방안이다. │
│ ㉤ 행정의 효율성뿐만 아니라 민주성이나 형평성도 적절 │
│   히 고려한다. │
└──┘

① ㉠, ㉡, ㉢   ② ㉠, ㉡, ㉤
③ ㉠, ㉢, ㉣   ④ ㉡, ㉢, ㉤

[정답 및 해설]

㉠(○) 거래비용론에서 조직(내부생산)은 경제활동에서 재화나 용역의 거래비용을 줄이기 위해 만들어지는 장치임
㉡(○) 거래비용론은 경제학을 기초로 능률적인 제도(내부생산 혹은 외부생산)를 고민하는바 대리인이론과 함께 신제도주의 경제학 이론에 해당함
㉢(○) 거래비용론은 거래비용에 대한 연구를 통해 공공분야의 민영화, 민간위탁, 계약제 등에 응용되고 있음
㉣(✕) 거래비용의 크기에 따라 외부생산도 능률성을 높일 수 있는 방안이 될 수 있음
㉤(✕) 거래비용이론은 거래비용의 절감을 중시함 → 따라서 효율성을 중시함

[정답] ①

10 회독 ☐☐☐　　　　　2005. 경기 9 수정

탈신공공관리론(Post-NPM)에 대한 내용으로 옳지 않은 것은?

① 정부의 행정적 역량 강화, 재규제의 주장
② 재집권화, 분권화와 집권화의 조화
③ 소규모, 준자율적 조직으로 분절화
④ 분절화의 축소

Section 08　거버넌스

01 회독 ☐☐☐　　　　　2014. 국가 7

뉴거버넌스에 대한 설명으로 옳지 않은 것은?

① 참여자 간 신뢰와 협력을 강조한다.
② 정치적 과정은 중요하게 인식되지 않는다.
③ 정부만이 공공서비스를 독점적으로 생산하고 공급한다고 보지 않는다.
④ 정책과정에서 정부와 민간부문 및 비영리부문 간의 네트워크를 활용한다.

정답 및 해설

분절화는 작고 능률적인 정부를 지향하는 신공공관리에 관한 내용임 → 탈신공공관리론은 구조적 통합을 위해 분절화의 축소를 지향함

①②④
■ NPM vs Post-NPM

구분	신공공관리	탈신공공관리
정부와 시장의 관계	• 시장지향주의 • 규제완화	• 정부의 행정적 역량 강화 • 재규제
주요 행정가치	효율성 및 경제적 가치 강조	민주성, 형평성 등도 고려
정부규모와 기능	정부규모와 기능의 감축	민영화 및 민간위탁의 신중한 접근
기본 모형	탈관료제 모형	관료제와 탈관료제의 조화
조직개편의 방향	소규모의 조직으로 분절화 예 책임운영기관	• 분절화 축소 • 집권화 및 정부의 조정과 통합 증대
조직구조의 특징	분권화 강조 → 네트워크 활용, 비계층적 구조 등	재집권화 → 분권화와 집권화의 조화
인사관리의 특징	경쟁적 인사관리 → 능력 및 성과기반의 인사관리	공공에 대한 책임성을 기초로 한 인사관리

정답 ③

정답 및 해설

거버넌스는 신뢰성 및 민주성을 강조하는바 정치적인 과정(합의 및 토론 등)을 중요하게 생각함

①③④ 거버넌스는 정부, 시장, 시민사회 간 협력적 네트워크임
→ 따라서 참여자 간 신뢰와 협력이 잘 이루어질수록 거버넌스는 원활하게 작동할 수 있음

정답 ②

02 회독 ☐☐☐

행정학의 이론에 대한 설명으로 옳지 않은 것은?

① 신행정론은 적실성, 참여, 변화, 가치, 사회적 형평성 등에 기초한 행정의 독자적 주체성을 강조한다.
② 뉴거버넌스론은 계층제를 제외하고 시장과 네트워크를 조합한 방식을 활용하여 공공문제를 해결한다.
③ 신공공관리론은 공공서비스 제공에 대한 민간부문의 적극적인 역할 분담 및 정부와 민간부문의 협력적 활동을 강조한다.
④ 신공공서비스론은 신공공관리론의 오류에 대한 반작용으로 대두되었으며, 주로 민주적 시민이론, 조직적 인본주의 등에 기초하고 있다.

정답 및 해설

거버넌스는 정부, 시민사회, 시장 간의 상호협력을 강조하는 관리방식이므로 계층제(정부)를 제외하지 않음

① 신행정학은 현실의 공공문제를 해결하기 위해 시민참여 등을 인정하면서 정부의 적극적인 역할을 강조함 → 즉, 신행정학은 가치에 대한 연구를 통해 현실적합성, 처방성, 적실성 등을 중시함
③ 신공공관리론은 작고 능률적인 정부를 위해 공공서비스 제공에 대한 민간부문의 적극적인 역할 분담 및 정부와 민간부문의 협력적 활동을 강조함
④ 신공공서비스론은 NPM의 지나친 효율성 강조, 국민을 고객으로 간주하는 것 등을 비판하면서 등장한 이론임 → 신공공서비스론은 국민의 참여를 강조하는 민주적 시민이론 및 조직구성원의 인간적인 가치를 존중하는 조직적 인본주의 등에 기초하고 있음

정답 ②

---

03 회독 ☐☐☐

지방공공서비스 공급과 관련된 설명으로 옳지 않은 것은?

① 영국에서는 의무경쟁입찰제도가 최고가치 정책으로 전환되었다.
② 사바스에 따르면, 공공재는 무임승차 문제가 발생한다.
③ 니스카넨(W. Niskanen)의 예산극대화 모형에 따르면, 관료들의 행태 때문에 지방정부의 예산 규모가 사회적으로 효율적인 수준보다 더 커질 수 있다.
④ 시민공동생산 논의는 시민과 지역주민을 정규생산자로 파악하는 데에서 출발한다.

정답 및 해설

거버넌스에서 정부와 시민은 서비스를 공동으로 생산함 → 단, 시민공동생산에서 시민과 지역주민은 정규생산자가 아니라 자원봉사자의 성격이 강함; 예컨대, 화재경보기 작동, 범죄신고, 거리에서 쓰레기 줍기, 지역방범단 활동 등이 그 예라고 할 수 있음

① 영국에서는 대처 정부의 의무경쟁입찰제도가 블레어 정권에서 최고가치 정책(효율성보다 최고의 품질 강조)으로 전환되었음
② 공공재는 비배제성으로 인해 무임승차 문제가 나타남
③ 니스카넨(W. Niskanen)의 예산극대화 모형에 따르면, 관료들의 행태 때문에 지방정부의 예산 규모가 사회적으로 비효율적인 수준으로 커질 수 있음

정답 ④

04 회독 ☐☐☐   2004. 대전 9

Peters가 제시한 뉴거버넌스(New Governance) 이론모형이 아닌 것은?

① 시장지향형 모형
② 참여정부 모형
③ 탈규제정부모형
④ 고객지향적 모형

정답 및 해설

고객지향형 모형은 피터스 모형에 포함되지 않음
※ 두문자: 피시신탈참

정답 ④

05 회독 ☐☐☐   2007. 경북 9

G. Peters의 정부모형 중 다음의 지문에 해당하는 모형은?

- 관료의 재량권 확대가 필요하다.
- 부서의 많은 내부규제가 문제이다.

① 시장성 정부모형
② 참여적 정부모형
③ 신축적 정부모형
④ 탈규제 정부모형

정답 및 해설

부서 내 많은 내부규제를 비판하면서 관료의 재량권 부여 및 창의성 등을 강조하는 것은 탈규제 모델임

정답 ④

01

Section 09 신공공서비스론

01 회독 □□□

2018. 지방 7

덴하트와 덴하트(J. V. Denhardt & R. B. Denhardt)가 제시한 신공공서비스론(new public service)의 일곱 가지 기본 원칙에 대한 설명으로 옳지 않은 것은?

① 민주적으로 생각하고 전략적으로 행동해야 한다.
② 방향을 잡기보다는 시민에 대해 봉사해야 한다.
③ 공익을 공유된 가치를 창출하는 담론의 결과물로 인식해야 한다.
④ 기업주의 정신보다는 시민의식의 가치를 받아들여야 한다.

02 회독 □□□

2012. 지방 7 수정

덴하르트(Denhardt)의 신공공서비스 이론에 대한 설명으로 옳은 것을 모두 고른 것은?

ㄱ. 공무원의 반응대상을 시민보다 고객에 두고 있고, 정부의 역할을 공유된 가치 창출을 위한 봉사활동으로 보는 점에서 뉴거버넌스 이론과 유사하다.
ㄴ. 전략적 합리성보다 경제적 합리성을 추구하는 점에서 신공공관리론과 유사하다.
ㄷ. 이론적 토대는 민주주의 이론, 실증주의, 해석학, 비판이론 등 복합적이다.
ㄹ. 공익을 공유 가치에 대한 담론의 결과로 보고 법, 공동체, 정치규범, 전문성, 시민이익 존중 등 다면적 책임성을 강조한다.
ㅁ. 공무원의 동기 유발 수단을 보수와 편익, 기업가 정신이 아닌 사회봉사 및 사회에 기여하려는 욕구에 두고 있다.

① ㄱ, ㄴ, ㄷ
② ㄱ, ㄹ, ㅁ
③ ㄴ, ㄷ, ㄹ
④ ㄷ, ㄹ, ㅁ

정답 및 해설

ㄷ. (○) 신공공서비스론의 이론적 토대는 복합적임(공공선택론 제외)
ㄹ. (○) 신공공서비스론은 공익을 담론의 결과로 인식하면서 다면적 책임성을 강조함
ㅁ. (○) 신공공서비스론은 공무원의 동기유발 수단을 돈이 아닌 사회봉사 및 사회에 기여하려는 욕구(공직봉사동기 등)에 두고 있음

ㄱ. (×) 공무원의 반응대상을 고객보다 시민에 두고 있고, 정부의 역할을 공유된 가치창출을 위한 봉사활동으로 보는 점에서 뉴거버넌스 이론과 유사함
ㄴ. (×) 신공공서비스론은 전략적 합리성(시민과의 협력)을 추구하고, 신공공관리론은 경제적 합리성을 추구한다는 점에서 차이가 있음

정답 ④

정답 및 해설

전략적으로 생각(시민과 협력)하고 민주적으로 행동해야 함

② 신공공서비스론에서 공무원은 공론의 장을 형성하고 국민의 참여를 촉진하는 봉사에 중점을 둠
③ 신공공서비스론은 공익을 국민 간 담론의 결과로 간주함
④ 수익창출보다는 국가관리를 위한 시민참여를 중시해야 함

정답 ①

03 회독 ☐☐☐ 2015. 국가 9

행정이론에 대한 설명으로 옳지 않은 것은?

① 행정관리론에서는 계획과 집행을 분리하고 권한과 책임을 명확히 규정할 것을 강조하였다.
② 신행정학에서는 정부의 적극적인 역할과 적실성 있는 정책의 수립을 강조하였다.
③ 뉴거버넌스론에서는 공공참여자의 활발한 의사소통, 수평적 합의, 네트워크 촉매자로서의 정부 역할을 강조하였다.
④ 신공공서비스론에서는 시민을 주인이 아닌 고객의 관점으로 볼 것을 강조하였다.

04 회독 ☐☐☐ 2015. 서울 9

다음 중 신공공서비스이론에 대한 설명으로 가장 옳지 않은 것은?

① 정부의 역할은 시민에 대해 봉사하는 것이다.
② 기대하는 조직은 주요 통제권이 조직 내 유보된 분권화된 조직이다.
③ 공유가치에 대한 담론의 결과를 공익으로 본다.
④ 전략적 합리성을 가정한다.

정답 및 해설
신공공서비스론은 시민을 고객이 아닌 주권자로 간주함

① 관리주의는 행정이 능률적인 관리 및 집행만을 수행할 것을 강조함 → 계획(방향성 설정)은 의회가 담당함
② 신행정학은 현실의 공공문제를 해결하기 위해 정부의 적극적인 역할을 강조함 → 이를 위해 현실적합성, 처방성, 적실성 있는 연구에 초점을 둠
③ 뉴거버넌스론은 정부가 다양한 참여자와의 소통과 합의, 방향잡기 역할을 국정운영의 파트너로서 실행할 것을 주장함

정답 ④

정답 및 해설
② 신공공관리론의 네트워크 조직을 설명한 내용임

① 신공공서비스론에서 공무원은 공론의 장을 형성하고 국민의 참여를 촉진하는 봉사에 중점을 둠
③ 신공공서비스론에서 공익은 국민 간 토론의 결과임
④ 신공공서비스론은 전략적 합리성(정부와 국민 간 협력)을 가정함

정답 ②

Section **10** 전통적 행정 vs NPM vs NPS

01 회독 ☐☐☐　　　　　　　　　2015. 교행 9

〈보기〉는 신공공관리론과 신공공서비스론에 관한 설명이다. 옳은 것으로만 묶은 것은?

┤보기├
- ㄱ. 신공공서비스론은 시민에 대한 봉사를 강조한다.
- ㄴ. 신공공관리론은 정부의 역할을 노젓기보다 방향잡기로 본다.
- ㄷ. 신공공서비스론이 추구하는 가치는 행정의 민주성과 충돌할 수 있다.
- ㄹ. 신공공관리론은 신공공서비스론이 간과하거나 경시한 행정의 공공성을 재조명한다.

① ㄱ, ㄴ　　　　　　　　② ㄴ, ㄷ
③ ㄷ, ㄹ　　　　　　　　④ ㄱ, ㄹ

┤정답 및 해설├
- ㄱ. (○) 신공공서비스론에서 공무원은 공론의 장을 형성하고 국민의 참여를 촉진하는 봉사에 중점을 둠
- ㄴ. (○) 신공공관리론은 정부의 역할을 노젓기(직접 공급)보다 방향잡기(촉매자)로 봄
- ㄷ. (×) 신공공관리론이 추구하는 가치는 행정의 민주성과 충돌할 수 있음
- ㄹ. (×) 신공공관리론은 효율성을 중시하는바 행정의 공공성을 간과할 수 있음

정답 ①

Section **11** NPM vs (뉴)거버넌스

01 회독 ☐☐☐　　　　　　　　　2015. 국회 8

다음 중 신공공관리(New Public Management : NPM)와 뉴거버넌스의 특징에 대한 설명으로 옳지 않은 것은?

① NPM이 정부의 내부관리의 문제를 다루는 반면 뉴거버넌스는 시장 및 시민사회와의 관계에서 정부의 역할과 기능을 다룬다.
② 뉴거버넌스는 NPM에 비해 자원이나 프로그램 관리의 효율성보다 국가 차원에서의 민주적 대응성과 책임성을 강조한다.
③ NPM과 뉴거버넌스는 모두 방향잡기(steering) 역할을 중시하며 NPM에서는 기업을 방향잡기의 중심에, 뉴거버넌스에서는 정부를 방향잡기의 중심에 놓는다.
④ 뉴거버넌스는 정부영역과 민간영역을 상호배타적이고 경쟁적인 관계로 보지 않는다.
⑤ NPM은 경쟁과 계약을 강조하는 반면에 뉴거버넌스는 네트워크나 파트너십을 강조하고 신뢰를 바탕으로 한 상호존중을 강조한다.

┤정답 및 해설├
NPM과 뉴거버넌스는 모두 방향잡기(steering) 역할을 중시하며 NPM에서는 정부를 방향잡기의 중심에 둠; 단 뉴거버넌스는 국정운영의 파트너로서 중립적인 조정자 역할을 수행함

① NPM이 정부의 내부관리의 능률성 문제를 다루는 반면 뉴거버넌스는 시장 및 시민사회와의 관계에서 정부의 역할(조직 간 분석)과 기능을 다룸
② 뉴거버넌스는 NPM에 비해 자원이나 프로그램 관리의 효율성보다 민주성, 신뢰성, 책임성 등을 중시함
④ 뉴거버넌스는 정부영역과 민간영역을 상호배타적・경쟁적인 관계로 보지 않고, 협력적인 관계로 간주함
⑤ NPM은 시장기제 도입을 중시하는 까닭에 경쟁과 계약을 강조함; 반면에 뉴거버넌스는 네트워크나 파트너십을 강조하고 신뢰를 바탕으로 한 상호존중을 강조함

정답 ③

02 회독 ☐☐☐   2008. 지방 7

신공공관리론과 뉴거버넌스론 사이의 관계에 대한 설명으로 가장 적절하지 않은 것은?

① 신공공관리론과 뉴거버넌스론은 서비스 전달이라는 노젓기(rowing)보다는 정책결정이라는 방향잡기(steering)를 위한 도구와 기법의 개발을 중시한다.
② 신공공관리론이 결과에 초점을 두고 있는 데 비해 뉴거버넌스론은 과정에 초점을 맞추고 있다.
③ 신공공관리론이 조직 간 관계를 중시하는 데 비해 뉴거버넌스론은 조직 내 관계를 중시하는 경향이 있다.
④ 신공공관리론이 부문 간 경쟁에 역점을 두고 있는 데 비해 뉴거버넌스론은 부문 간 협력에 중점을 두고 있다.

정답 및 해설

③ 신공공관리론과 뉴거버넌스론의 내용이 바뀌었음

■ 신공공관리와 뉴거버넌스 비교

구분	신공공관리	(뉴)거버넌스
인식론적 기초	신자유주의	공동체주의
관리기구(공급주체)	시장	공동체에 의한 공동생산
관리가치	결과	과정(시민의 참여)
정부역할	방향잡기	방향잡기
관료역할	공공기업가	조정자
작동원리	경쟁(시장메커니즘)	협력체제(신뢰)
서비스	민영화·민간위탁	공동공급(시민 및 기업 참여) ※ 공공서비스의 민간위탁과 민영화보다는 시민과 기업이 참여하는 공동 공급을 중시
관리방식	고객지향	임무중심
분석수준	조직 내	조직 간
이데올로기	우파	좌파
혁신의 초점	정부재창조(미국)	시민재창조(영국)
정치성	탈정치화(정치행정이원론)	재정치화(정치행정일원론)

■ 신공공관리와 거버넌스의 공통점 및 참고사항

① 정부의 역할: 방향잡기
② 두 이론 모두 정부실패를 이념적 토대로 설정하여 그 대응책을 마련하고자 하며, 투입(규칙준수)보다는 산출(임무달성)에 대한 통제를 강조
③ NPM과 뉴거버넌스는 모두 방향잡기(steering) 역할을 중시하지만 NPM에서는 정부를 방향잡기의 중심에, 뉴거버넌스에서는 정부가 중립적인 조정자로서 네트워크의 방향잡기를 담당함
④ 양자 모두 국가관리에 있어서 작은 정부를 지향: 신공공관리론은 정부와 시장 간 협력체계를, 거버넌스론은 정부, 시장, 시민사회 간 협력체계를 상정함

정답 ③

Section **12** 포스트모더니즘

01 회독 ☐☐☐

포스트모더니티(postmodernity) 행정이론에 대한 설명으로 옳지 않은 것은?

① 파머(D. Farmer)는 패러다임 간의 통합(paradigm integration)을 연구 전략의 하나로 주장하였다.

② 상대적이고 다원주의적이며, 동시에 해방주의적 성격의 세계관을 지니고 있다.

③ 바람직한 행정서비스는 다품종소량생산체제에서 제공될 가능성이 높다.

④ 파머(D. Farmer)에 따르면, 나 아닌 다른 사람을 인식적 타인(epistemic other)이 아닌 도덕적 타인(moral other)으로 인정한다.

02 회독 ☐☐☐

행정학의 주요 이론에 대한 설명으로 가장 적절하지 않은 것은?

① 신공공관리론(New Public Management)은 전통적 관료제에 의한 정부 운영 방식의 한계를 극복하고 효율성을 확보하기 위해 민간기업의 운영방식을 공공부문에 접목하고자 한다.

② 피터스(B. G. Peters)는 전통적 형태의 정부모형에 대한 대안으로서 시장적 정부모형, 참여적 정부모형, 신축적 정부모형 및 탈내부규제 정부모형 등을 제시하였다.

③ 포스트모더니즘(Post-Modernism)은 이성, 합리성, 및 과학 등에 기초한 모더니즘(Modernism)을 비판하면서, 상상, 해체, 영역파괴, 타자성 등의 개념을 중심으로 한 거시이론 등을 통하여 행정 현상을 설명하고자 한다.

④ 신공공서비스론(New Public Service)에서는 행정가가 업무수행의 효율성을 제고시키기보다는 모든 사람에게 더 나은 생활을 보장하여야 한다고 주장한다.

[정답 및 해설]

파머는 다양성을 추구하므로 패러다임 간의 통합을 지양함 → 영역해체를 추구

② 포스트모더니즘은 모더니즘(보편적인 지식 탐구)을 비판하면서 등장했으므로 상대적이고 다원주의적이며, 동시에 해방주의적 성격의 세계관을 지니고 있음

③ 바람직한 행정서비스는 다품종 소량생산체제(다양성을 충족시키는 체제)에서 제공될 가능성이 높음

④ 포스트모더니즘은 타인의 견해를 존중해야 한다는 관점이므로 타인을 객체(인식적 타인)가 아닌 주체(도덕적 타인)로 인식함

[정답] ①

[정답 및 해설]

포스트모더니즘은 인간의 이성을 통해 만든 일반 법칙으로 세상을 설명하려는 모더니즘을 비판함 → 일반 법칙은 거시이론, 메타이론 등의 용어와 같은 의미이므로 선지는 틀린 내용임; 아울러 포스트모더니즘은 가치의 다양성 존중을 중시하며 이를 상상, 해체, 영역해체 등과 같은 용어로 설명하고 있음

① 신공공관리론(New Public Management)은 전통적 관료제를 비판하면서 등장한 관리패러다임으로서 효율성을 확보하기 위해 민간기업의 운영방식을 공공부문에 접목하고자 함

② 피터스(B. G. Peters)는 전통적 형태의 정부모형(관리주의)에 대한 대안으로서 시장적 정부모형, 참여적 정부모형, 신축적 정부모형 및 탈내부규제 정부모형 등을 제시하였음

④ 신공공서비스론(New Public Service)은 능률성을 강조하는 신공공관리론을 비판하면서 등장함 → 따라서 신공공서비스론은 행정가가 업무수행의 효율성을 제고시키기보다는 모든 사람에게 더 나은 생활을 보장하여야 한다고 주장함

[정답] ③

Section 13 — 생태론적 접근방법, 비교행정론, 발전행정론

01 회독 ☐☐☐
2007. 대전 7

행정학의 접근방법에 대한 설명으로 옳지 않은 것은?

① 역사적 접근방법은 각종 정치행정 제도의 진정한 성격과 그 제도가 형성되어 온 특수한 방법을 인식하는 유일한 수단을 제공했다.
② 행정학 분야에서 각종 제도나 직제에 대한 자세한 기술에 관심을 갖는 것은 제도론적 접근방법에 따른 것이다.
③ 생태학적 접근방법은 후진국의 행정 현상을 설명하는 데 크게 기여했으며, 행정의 보편적 이론의 구축을 통한 행정의 과학화에 기여하였다.
④ 행태론적 접근방법은 집단의 고유한 특성을 인정하지 않는 방법론적 개체주의의 입장이다.

정답 및 해설

생태학적 접근방법 혹은 비교행정론은 후진국의 행정 현상을 설명하는 데 크게 기여했으며, 행정의 중범위 이론의 구축을 통한 행정의 과학화에 기여하였음

① 역사적 접근방법은 사례연구를 통해 각종 정치행정 제도의 진정한 성격과 그 제도가 형성되어 온 특수한 방법을 인식(발생론적 설명)하는 유일한 수단을 제공했음
② 행정학 분야에서 각종 제도나 직제에 대한 자세한 기술(정태적 기술)에 관심을 갖는 것은 제도론적 접근방법(구제도주의)에 따른 것임
④ 행태론적 접근방법은 조직구성원의 행동분석을 통해 조직의 행동을 설명할 수 있다는 관점이므로 방법론적 개체주의의 입장임

정답 ③

---

02 회독 ☐☐☐
2012. 국가 9

가우스(J. M. Gaus)가 지적한 행정에 영향을 미치는 환경요인에 포함되지 않는 것은?

① 국민(people)
② 장소(place)
③ 대화(communication)
④ 재난(catastrophe)

정답 및 해설

대화는 리그스가 제시한 환경요인임

■ 가우스와 리그스가 제시한 환경적 요인

> ㉠ 가우스가 제시한 행정에 영향을 미치는 7가지 환경적 요인 : 국민, 장소, 물리적 기술(과학기술), 사회적 기술(제도), 재난, 인물, 이념 혹은 사상
> ㉡ 리그스가 제시한 환경적 요인 : 정치체제, 경제적 기반, 사회구조, 의사전달 혹은 대화(communication), 이념적 틀(이데올로기)

정답 ③

03 회독 ☐☐☐

리그스(Riggs)의 프리즘적 모형(Prismatic Model)에서 설명하는 프리즘적 사회의 특성으로 옳지 않은 것은?

① 고도의 이질혼합성
② 형식주의
③ 고도의 분화성
④ 다규범성

04 회독 ☐☐☐

비교행정의 한계에 대한 설명으로 옳지 않은 것은?

① 독자적인 연구대상을 획정하기가 어렵다.
② 환경과 행정의 교류적 관계를 경시한 정태적 접근이다.
③ 처방성과 문제해결성을 강조함에 따라 행정의 비과학화를 초래하였다.
④ 행정을 지나치게 과소평가함으로써 행정의 독자성을 무시하고 행정의 종속성을 강조하고 있다.

정답 및 해설

고도의 분화성은 고도의 분업을 의미하는 것으로서 선진국의 특징을 나타냄

① 고도의 이질혼합성: 전통적 사회와 현대적 사회의 특징이 혼재
② 형식주의: 불필요한 절차가 많은 것
④ 다규범성: 전통적 사회와 현대적 사회의 규범이 혼재

정답 ③

정답 및 해설

③ 발전행정론의 특징임

① 환경적 요인은 다양한 까닭에 독자적인 연구대상을 획정하기가 어려움
②④ 비교행정은 행정이 환경에 영향을 미칠 수 있다는 것을 간과함

정답 ③

05 회독 ☐☐☐

행정학의 접근방법에 관한 설명으로 옳지 않은 것은?

① 생태론적 접근방법은 집단보다 행위자 개인을 분석단위로 한다.

② 행태론적 접근방법은 인식론적 근거로서 논리실증주의를 채택한다.

③ 체제론적 접근방법은 환류를 통한 체제의 지속적인 균형을 중시한다.

④ 공공선택론적 접근방법은 인간이 이기적임을 전제하고, 방법론적 개체주의를 채택한다.

Section 14   신제도주의

01 회독 ☐☐☐

신제도주의 이론에 대한 설명으로 옳지 않은 것은?

① 역사적 제도주의에서는 제도의 경로의존성(path dependency)을 강조한다.

② 신제도주의는 이론적 배경을 달리하는 역사적 제도주의, 합리선택적 신제도주의, 사회학적 제도주의 등으로 구별된다.

③ 신제도주의는 기존의 행태주의가 시대별 정책적 차이나 다양성을 설명하지 못하는 한계를 가지고 있다는 점에 주목한다.

④ 구제도주의와 신제도주의의 공통점은 제도의 개념을 동태적인 것으로 파악하면서, 국가 간 차이에 대한 설명을 시도하는 것이다.

정답 및 해설

구제도주의와 신제도주의는 현상을 설명할 때 제도를 중시하면서, 국가 간 차이에 대한 설명을 시도함

■ **구제도주의와 신제도주의의 차이점**

> 구제도주의는 제도를 정태적으로 파악하지만, 신제도주의는 동태적인 것으로 파악함; 또한 구제도주의는 정태적인 연구(제도에 대한 정태적 기술)를 활용하지만 신제도주의는 동태적인 연구(변수 간의 관계를 드러냄)를 함

① 역사적 제도주의는 제도가 일정 기간 유지된다는 제도의 경로의존성(path dependency)을 강조함

② 신제도주의는 이론적 배경을 달리하는 역사적 제도주의(정치학·역사학), 합리선택적 신제도주의(경제학), 사회학적 제도주의(사회학) 등으로 구별됨

③ 신제도주의는 기존의 행태주의가 보편적 지식탐구에 치중한 나머지 시대별 정책적 차이나 다양성을 설명하지 못하는 한계를 가지고 있다는 점에 주목함

정답 ④

정답 및 해설

생태론적 접근방법이나 비교행정론은 개인보다 집단을 분석단위로 채택함 → 예를 들어, 선진국의 행정체제가 왜 후진국(국가)에서 제대로 작동하지 않는지를 연구함

② 행태론적 접근방법은 사실에 대한 연구를 위해 인식론적 근거로서 논리실증주의를 채택함

③ 체제론적 접근방법은 변화하는 환경 속에서 환류를 통한 체제의 지속적인 균형을 설명함

④ 공공선택론적 접근방법은 방법론적 개체주의를 활용하여 분권적 제도의 필요성을 강조함

정답 ①

02 회독 ○○○ 2013. 지방 9

신제도주의에 대한 설명으로 옳은 것만을 모두 고른 것은?

> ㄱ. 합리적 선택 신제도주의가 형성되는 데 거래비용접
> 근법이 많은 영향을 미쳤다.
> ㄴ. 사회학적 신제도주의는 문화가 제도의 형성에 미치
> 는 영향을 간과한다.
> ㄷ. 역사적 신제도주의는 행위자 간의 상호작용을 제약
> 하는 제도의 영향력과 제도적 맥락을 강조한다.

① ㄱ, ㄴ   ② ㄱ, ㄷ

③ ㄴ, ㄷ   ④ ㄱ, ㄴ, ㄷ

03 회독 ○○○ 2005. 국회 8

다음 중 신제도주의(New Institutionalism)에서 논의하는 제도의 구성요소로서 가장 적절하지 않은 것은?

① 관행   ② 법규

③ 조직   ④ 자원

⑤ 절차

정답 및 해설

ㄱ. (○) 공공선택이론, 주인대리인이론, 거래비용이론 등(공공
선택론 계열의 이론)은 합리적 선택의 신제도주의가 형
성되는 데 많은 영향을 미침

ㄷ. (○) 역사적 신제도주의는 신제도주의의 유형이므로 현상에
대한 제도의 영향력을 중시함

ㄴ. (×) 사회학적 신제도주의는 제도적 동형화를 통해 문화가
제도의 형성에 미치는 영향을 인정함

정답 ②

정답 및 해설

신제도주의(New Institutionalism)는 거시적인 제도를 제외한 모든
공식적·비공식적인 제도를 인정함 → 자원은 거시적인 제도임

정답 ④

04 회독 ☐☐☐

신제도주의에 대한 설명으로 옳지 않은 것은?

① 신제도주의에서는 제도를 균형을 이루고 있는 상태로 간주한다.
② 신제도주의에서는 규범과 규칙 등을 제도로 보고 있다.
③ 신제도주의에서는 제도의 개념을 법률로 규정된 공식적 정부로 한정한다.
④ 신제도주의에서는 제도를 중심개념으로 정책현상 등 다른 변수들과의 관계 분석도 추구한다.

05 회독 ☐☐☐

신제도주의적 연구에 대한 설명으로 틀린 것은?

① 합리적 선택의 신제도주의 계열에는 공공선택이론, 거래비용경제학, 대리인이론, 공유재이론 등이 있다.
② 정부활동의 결과는 그 활동에 참여하는 사람들의 교호작용의 유형에 따라 달라진다.
③ 합리적 선택 신제도주의에서 제도는 생산활동에 참여하는 사람들의 교호작용 유형에 따라 달라지기 때문에 방법론적 총체주의를 사용한다.
④ 신제도주의의 유형에는 크게 합리적 선택의 신제도주의, 역사학적 신제도주의, 사회학적 신제도주의로 분류된다.

정답 및 해설

신제도주의에서 제도는 공식적(규칙 등)·비공식적(문화·규범 등) 제도를 포함하고 있음

① 신제도주의에서는 제도를 균형을 이루고 있는 상태(일정 기간 유지)로 간주함
④ 신제도주의는 동태적인 연구를 지향하는바 제도를 중심개념으로 정책현상 등 다른 변수들과의 관계를 분석함

정답 ③

정답 및 해설

합리적 선택 신제도주의는 인간에 대한 분석에서 출발하는바(인간은 이기적인 존재) 방법론적 개체주의를 사용함

① 합리적 선택의 신제도주의 계열에는 공공선택론과 연관된 이론 등이 포함됨
② 합리 선택적 신제도주의에서 정부활동으로 인해 형성되는 제도는 그 활동에 참여하는 사람들의 교호작용의 유형에 따라 달라짐
④ 신제도주의는 연구방법이나 학문적 토대에 따라 합리적 선택의 신제도주의, 역사학적 신제도주의, 사회학적 신제도주의로 분류됨

정답 ③

Section 15 기타이론

01 회독 ☐☐☐   2009. 국가 7

정책딜레마(policy dilemma)에 대한 설명으로 옳지 않은 것은?

① 상호갈등적인 정책대안들이 구체적이고 명료하지 못할 때 나타나는 경향이 있다.
② 정책대안들 가운데 반드시 하나를 선택해야 할 때 발생한다.
③ 갈등집단들의 내부응집력이 강할 때 딜레마가 증폭된다.
④ 새로운 딜레마 상황을 조성하는 것도 정책딜레마에 대한 대응방안이다.

02 회독 ☐☐☐   2011. 경찰간부

다음은 레짐이론에 대한 유형을 설명한 것이다. 올바르게 연결된 것은?

⊙ 친밀성이 강한 소규모 지역사회에서 나타나는 유형으로 행위 주체 간 갈등이나 마찰이 적고 생존능력이 강한 레짐이다.
ⓒ 구체적인 프로젝트와 관련되는 단기적인 목표에 의해 구성되며 올림픽 게임과 같은 국제적인 이벤트를 유치하기 위해 구성되는 레짐이다.
ⓒ 굳건한 사회적 결속체와 높은 수준의 합의를 특징으로 하는 레짐으로서 이들 레짐은 현상 유지와 정치적인 교섭에 초점을 두고 있다.

보기	⊙	ⓒ	ⓒ
①	현상유지레짐	도구적 레짐	유기적 레짐
②	현상유지레짐	상징적 레짐	유기적 레짐
③	유기적 레짐	도구적 레짐	현상유지레짐
④	유기적 레짐	상징적 레짐	현상유지레짐

정답 및 해설

딜레마는 상호갈등적인 정책대안들이 구체적이고 명료할 때 나타남

■ 딜레마 발생조건

구분	내용
명료성	정책대안들이 구체적이고 명료해야 함
상충성	특정 대안을 선택할 경우 비용부담자와 수혜자가 명확하게 구분됨
분절성(단절성)	대안 간 절충도 불가능한 상황
균등성	정책대안들이 초래할 결과가 비슷함
선택 불가피성	반드시 하나의 대안을 선택해야 함

③ 정책과 이해관계가 있는 집단 간 내부응집력(조직의 단결력)이 강하면 딜레마가 증폭됨
④ 새로운 딜레마 상황을 조성(정책문제의 재구성)하는 것은 정책딜레마에 대한 적극적 대응방안임

정답 ①

정답 및 해설

Stone의 레짐 유형과 Stocker와 Mossberger의 레짐유형을 혼합한 문제임
⊙ 생존능력이라는 표현이 나오기 때문에 스톤의 유형임을 알 수 있으며, 그 내용으로 미루어 봤을 때(강한 생존능력 등) 현상유지레짐에 해당함
ⓒ 단기적인 목표를 달성하기 위해 형성되는 레짐이므로 도구적 레짐에 대한 내용임
ⓒ 생존능력이라는 표현이 없으면서 현상유지 및 정치적 교섭에 초점을 두는 레짐이기 때문에 유기적 레짐임

정답 ①

03 회독 ☐☐☐   2017. 지방 7

스톤(Stone)이 제시한 레짐(regime) 중 다음 내용과 가장 관련이 깊은 것은?

> A시가 지역사회와 함께 추진하는 ○○산 제모습찾기 사업의 전체적인 구상은 시가지가 바라보이는 향교, 전통숲 등의 공간에는 꽃 피는 나무와 늘푸른 나무를 적절히 심어 변화감 있는 도시경관을 만들고, 재해 위험이 있는 골짜기는 정비함으로써 인근 주민들의 정주환경을 개선하고 재해로부터 안전한 산림으로 복원하는 것이다.

① 개발형 레짐
② 관리형 레짐
③ 중산층 진보 레짐
④ 저소득층 기회확장 레짐

정답 및 해설

지문은 정주환경을 개선하고 재해로부터 안전한 산림으로 복원하여 주민의 삶과 생활환경을 보호한다는 내용이므로 중산층 진보레짐에 해당함

①②④
■ 스톤의 레짐유형

비고	현상유지레짐	개발레짐 : 대규모 도시재개발	중산계층진보레짐	하층기회확장레짐
추구하는 가치	친밀한 소규모 지역사회에서 현상 유지	• 지역개발 및 성장 • 공공시설 확충	• 삶의 질 개선 • 자연 및 생활환경보호 • 정주환경 개선	저소득층 보호
특징	• 갈등 적음 • 일상적인 서비스 공급	• 갈등 심함 • 보조금, 세제 혜택	• 기업에 대한 정부규제 • 시민참여와 감시 강조	• 작업교육 확대 • 대중동원 중시
생존능력	강함	비교적 강함	보통	약함

정답 ③

04 회독 ☐☐☐   2011. 국가 7

이스턴(D. Easton)이 정치체제(political system) 모형에서 주장하는 '가치의 권위적 배분'과 가장 관련이 깊은 것은?

① 투입(input)
② 산출(output)
③ 전환(conversion)
④ 요구와 지지(demand & support)

05 회독 ☐☐☐   2007. 대전 7

개방체제이론에 대한 설명으로 적절하지 못한 것은?

① 개방체제는 정의 엔트로피를 증가시키려는 경향을 띠고 있다.
② 개방체제는 투입, 전환, 산출, 환류 과정을 되풀이한다.
③ 개방체제는 조직을 외부환경 변화에 신축성 있게 적응하는 체제이다.
④ 개방체제론은 구조기능주의와 관계가 깊다.

정답 및 해설

체제론은 투입 → 전환 → 산출 → 환류 등의 순환 과정을 통해 생명체의 균형을 설명하는 데 목적을 두고 있음 → 사회경제적 가치의 권위적인 배분은 일련의 정책을 통해 이루어지므로 산출과 관련이 있다고 볼 수 있음

①③④

투입	국민의 지지나 반대 등의 요구
전환	목표를 설정하고 필요한 정책을 결정하는 과정
산출	(1) 전환과정을 거쳐서 환경에 응답하는 결과물 → 정책 (2) 가치(사회경제적 가치)의 권위적 배분은 정책을 통해 이루어짐 → 아울러 이러한 과정에서 다양한 이해관계자의 개입(정치적 특성)이 발생할 수 있음
환류	산출의 결과를 다음 단계의 새로운 투입에 전달·반영하는 것으로써 투입물을 수정하거나 새로운 투입물을 형성하는 과정으로서 행정체제의 개혁·쇄신 등이 그 예임 (1) 적극적·긍정적 환류(Positive Feedback): 목표의 수정, 변화와 불균형 추구 (2) 소극적·부정적 환류(Negative Feedback): 오차의 수정, 안정과 질서 추구 → 체제이론에서 적용되는 환류의 유형이며, 체제론적 접근방법은 환류를 통한 체제의 지속적인 균형을 중시함
환경	체제에 대한 요구나 지지를 발생시키는 체제 밖의 모든 영역

정답 ②

정답 및 해설

시험에서 체제이론을 개방체제이론으로 표현하는 경우도 있음 → 개방체제는 부의 엔트로피를 증가(혼란을 감소시키는 기제를 증가)시키는 경향을 띰

② 체제론은 투입, 전환, 산출, 환류과정의 틀을 활용하여 체제의 안정과 균형을 설명함
③ 체제는 외부환경의 변화에 따라 유연하게 변화할 수 있음(생존 및 안정을 위해)
④ 체제는 다양한 하위체제의 기능 속에서 안정과 균형을 유지함 → 구조기능주의

정답 ①

06 회독 ☐☐☐   2006. 충남 9

체제론적 접근방법으로 거리가 먼 것은?

① 체제론은 투입과 산출이 같이 순환적으로 연결되는 체계적 사고를 전제로 자발적이고 경제적인 인간상을 바탕으로 한다.
② 동적이면서도 항상성을 갖는다.
③ 엔트로피를 낮춘다.
④ 체제이론은 가치판단을 배제하고 체제를 물화시켜 연구하므로 인간 간 상호작용을 중시하는 현상학과는 다르다.

07 회독 ☐☐☐   2006. 충남 7 수정

체제적 접근방법의 내용이 아닌 것은?

① 체제는 상호관계를 가진 요소들로 구성된다.
② 체제는 환경과 구분되는 경계를 갖는다.
③ 하위체제는 공동목표를 가지며 목표지향성을 갖는다.
④ 체제는 인간의 감정적이고 심리적인 측면을 중요시한다.

정답 및 해설

체제론은 거시적인 관점에서 현상을 설명하기 때문에 인간에 대해 분석하지 않음

② 체제는 동태적 항상성을 지님
③ 체제는 외부의 혼란(엔트로피)을 낮춤
④ 체제는 외부의 변화에 따라 안정과 균형을 유지하는 합리적 존재(능동적 사고를 하지 않는 존재)임 → 체제이론은 체제의 안정을 다양한 하위체제를 기초로 설명하는 것이지, 조직 내 인간의 능동적 사고는 기술하지 못함

정답 ①

정답 및 해설

체제론은 인간의 감정적이고 심리적인 측면을 고려하지 않고, 체제를 물화시켜 연구하는 이론임 → 즉, 현상에 대해 분석할 때 인간에 대해 분석하지 않음

① 체제는 상호관계를 가진 하위체제로 구성됨
② 체제는 체제의 경계 밖에 있는 환경의 영향을 받는 존재임 → 따라서 체제는 환경과 구분되는 경계를 지님
③ 체제 내부의 모든 하위체제는 안정이라는 목표를 가지며, 이를 유지하려고 함

정답 ④

Section 16   접근방법(Approach)

01   회독 ☐☐☐

2008. 서울 9 수정

다음은 행정학의 접근방법 중 하나를 설명하고 있다. 아래 설명에 가장 가까운 접근방법은?

> • 각종 정치·행정제도의 진정한 성격과 그 제도가 형성되어온 특수한 방법을 인식하는 수단을 제공한다.
> • 그 결과 이들의 연구는 일종의 사례연구가 된다.
> • 소위 발생론적 설명(genetic explanation)방식을 주로 사용한다.

① 법률적·제도론적 접근방법
② 생태론적 접근방법
③ 역사적 접근방법
④ 행태론적 접근방법

정답 및 해설

보기는 역사적 접근에 대한 내용임 → 역사적 접근은 사례연구를 통해 각종 제도의 기원을 시간의 순서에 따라 설명(발생론적 설명)함

① 법률적·제도론적 접근방법(구제도주의): 각 나라의 제도를 정태적으로 기술하여 현상을 설명하는 접근
② 생태론적 접근방법: 현상을 결정하는 환경적 요인을 규명하려는 접근
④ 행태론적 접근방법: 인간행동의 원인을 탐구하려는 접근

정답 ③

---

02   회독 ☐☐☐

2013. 행정사 수정

다음 지문에서 설명하는 행정이론은?

> 인간행위를 연구 대상으로 정립했으며, 행정연구에 과학주의를 도입하여 가치중립적인 객관적 분석을 가능하게 하였다. 그러나 이 이론은 과학적·계량적 연구방법론의 강조로 연구대상과 범위의 제한을 가져왔다는 비판을 받고 있다.

① 과학적 관리론   ② 인간관계론
③ 체제이론   ④ 행정행태론

정답 및 해설

사이먼의 행태주의에 대한 내용임

> 행태주의는 연구 대상으로서 인간의 행태(주로 의사결정)에 중점을 두고 있으며 이를 연구하기 위해 다양한 학문을 활용(사회심리학 등)하고, 인식론으로서 논리실증주의에 기초함; 따라서 과학성을 강조하는바 행정학의 연구 대상에서 가치를 배제(연구대상과 범위의 제한)하고 사실에 대한 연구에 집중함 → 이에 따라 행태주의는 후기행태주의로부터 행정의 방향성을 상실했다는 비판을 받음

① 과학적 관리론: 관리자가 시간과 동작 연구를 통해 유일 최선의 길을 발견해야 생산성을 제고할 수 있음을 밝힌 이론
② 인간관계론: 비공식적 요인(동료애 등)을 통해 조직의 생산성을 높일 수 있음을 밝힌 이론
③ 체제이론: 구조기능주의 관점에서 체제의 안정과 균형을 설명한 이론

정답 ④

03 회독 ☐☐☐ 2014. 국회 9 수정

행태론적 접근방법에 대한 설명으로 가장 옳지 않은 것은?

① 종합학문적인 성격을 지닌 접근방법이다.
② 인간 행태의 규칙성을 가정하는 접근방법이다.
③ 인간 행태의 진정한 의미를 이해하기 위해 외면적으로 드러난 객관적 사실뿐만 아니라 내면의 주관적 의지, 감정 등도 주요 연구대상으로 한다.
④ 연구대상 이외의 다른 대상에도 보편적으로 적용될 수 있는 일반법칙성을 추구한다.

04 회독 ☐☐☐ 2005. 울산 9 수정

다음 중 현상학적 접근방법의 내용이 아닌 것은?

① 인간행동의 의미를 철학적으로 연구하는 것을 말한다.
② 인간의 주관적이고 내면적인 의식 세계를 연구한다.
③ 행위가 아니라 행태를 관찰한다.
④ 조직은 간주관적으로 공유된 의미의 집합으로 본다.

정답 및 해설

행태론은 관찰가능한 외면적 행태만을 연구대상으로 하며 내면적인 의미, 감정 등은 연구대상에서 배제함

① 행태론은 성격, 개성 등의 개념을 정의하기 위해 다양한 학문을 활용함
② 행태론은 인간 행동의 원인을 탐구하려는 접근임
④ 행태론은 엄밀한 실험을 통해 보편적인 지식을 발견하고자 함

정답 ③

정답 및 해설

현상학은 행태(조건반사적인 행동)가 아니라 행위(의미가 담긴 행동)를 연구하는 이론임 → 행태를 관찰하는 것은 행태주의임

① 현상학은 인간행동의 의미를 맥락을 고려하여 철학적으로 연구함
② 현상학은 인간행동의 의미를 고찰하는 과정에서 인간의 주관적이고 내면적인 의식 세계를 연구함
④ 조직은 사람이 부여한 주관적 의미를 상호 교류하면서 이를 공유하는 공간임

정답 ③

05 회독 ☐☐☐   2011. 지방 7

공무원 개인의 가치와 태도를 토대로 공직 사회 전체의 부패 정도를 설명하려는 경우에 발생하기 쉬운 오류는?

① 환원주의(reductionism) 오류

② 표본추출(sampling) 오류

③ 통계적 회귀(statistical regression) 오류

④ 생태적 오류(ecological fallacy)

정답 및 해설

방법론적 개체주의는 '전체는 개체의 합'이라는 관점에서 개체를 분석의 기초 단위로 삼는 방법임; 다만 개체주의적인 관점을 잘못 활용할 경우, '환원주의의 오류', '구성(합성)의 오류'가 발생할 수 있음 → fallacy of composition

■ 방법론적 개체주의 혹은 총체주의를 잘못 활용했을 때 발생하는 오류

구분	내용	발생가능한 오류
방법론적 개체주의	① 현상을 구성하고 있는 일부분에 대한 분석을 바탕으로 현상을 설명하려는 접근 ② 사회명목론 : 개인만이 실재하는 존재이고 사회는 개인들의 단순한 집합체에 불과하다는 견해 → 사회는 단지 명목상 존재한다는 것 ③ 미시적 접근 : 현상을 형성하는 개체를 통해 전체를 파악한다는 점에서 미시적 접근이라고 부르기도 함	① 환원주의의 오류 혹은 구성(합성)의 오류 ② 예시 : 철수는 예의가 없으니 철수가 속한 집단도 유사할 거라고 믿는 경우
방법론적 총체주의 (전체주의 · 신비주의)	① 사회현상의 이해를 위해 전체를 분석의 대상으로 삼는 접근 ② 사회실재론 : 부분의 합을 넘어선 그 무엇(사회)이 존재한다고 보는 입장 ③ 개체가 구성하는 전체를 기준으로 현상을 파악하려고 한다는 점에서 거시적인 접근이라고 부르기도 함	① 생태론적 오류 혹은 분할의 오류 ② 예시 : 유교주의 문화권에서 살아가는 사람은 공손할 거라고 믿는 것

② 표본추출(sampling) 오류

    ㉠ 실험집단으로 선정된 표본이 일반화하고자 하는 모집단을 대표할 수 없을 때 실험의 결과를 일반화할 수 없음 → 즉, 실험집단과 통제집단 간 동질성이 있더라도 두 집단이 사회적 대표성이 없으면 일반화가 곤란함

    ㉡ 예시 : 노량진에서 공부하는 공무원 수험생이 전국 공무원 수험생을 대표한다고 보는 경우 등

③ 통계적 회귀(statistical regression) 오류 : 연구대상에 대한 측정과정에서 극단치가 나왔을 때, 결국 평균값으로 회귀하는 현상 → 따라서 연구과정에서 표본에 대한 극단적인 데이터가 나왔을 때 이를 연구결과에 반영할 경우 정확한 인과관계 추정에 악영향을 줄 수 있음

정답 ①

CHAPTER **03** 행정의 목적

01 회독 ☐☐☐ 2007. 서울 9

공익을 보는 관점으로 적합하지 않은 것은?

① 실체설에 의하면 사회나 국가는 개인과 구별되는 스스로의 인격을 가지는 것으로 본다.

② 과정설에 의하면 공익을 사익 간의 협상과 조정을 통한 집단 과정의 결과로 본다.

③ 실체설은 공익을 단순히 개인들의 집합이 아니라고 보아 집단주의적 성격을 띤다.

④ 과정설에 의하면 협상과 조정 과정에서 약자가 희생되는 결과를 초래할 수 있다.

⑤ 실체설에 의하면 공익결정은 다수에 의해 민주적으로 이루어지는 것으로 본다.

02 회독 ☐☐☐ 2008. 지방 7

공익 과정설(소극적 인식론)에 대한 설명으로 옳지 않은 것은?

① 공익을 사익이 적절히 조정·절충된 결과로 본다.

② 대립적인 이익들을 평가할 수 있는 기준을 제시하고 있다.

③ 각 사회집단의 이익과 본질적으로 구별되는 공공이익은 존재하지 않는다는 입장이다.

④ 토의나 비판 과정이 발달하지 못한 신생국가 등에는 적용하기 어렵다.

정답 및 해설

선지는 과정설에 대한 내용임 → 실체설은 민주적인 절차, 즉 국민의 합의를 거치지 않아도 사회전체를 위한 공익이 존재하고 있고 이를 정부가 규정(엘리트론·개도국)할 수 있다는 학설임

①③ 실체설에서 공익은 국민 견해의 합이 아님; 즉, 사익(각 개인의 견해)을 초월한 공동체 전체의 공익이 따로 있다고 보는 견해(집단주의적 공익관)임 → 따라서 실체설에서 사회나 국가는 개인과 별개로 구별되는 존재임

②④ 과정설은 국민 간 합의의 결과를 공익으로 간주함(다원주의·개인주의적 공익관·선진국) → 단, 협상과 조정 과정에서 일부 세력의 영향력이 크다면 약자가 희생되는 결과를 초래할 수 있음

정답 ⑤

정답 및 해설

해당 선지는 실체설에 대한 내용임 → 과정설에서 공익은 국민 합의의 결과에 따라 달라질 수 있지만 실체설은 보편적 가치와 같은 기준을 제시하고 있음

① 과정설에서 공익은 사회 내 개인의 견해를 종합한 결과임

③ 과정설은 각 개인의 견해를 존중하는바 각 사회집단의 이익과 본질적으로 구별되는 공공이익은 존재하지 않는다는 입장임

④ 과정설은 합의나 토론 등이 활발하게 이루어질 수 있는 선진국에 적합한 학설임

정답 ②

03 회독 □□□

2016. 국회 9

다음 중 공익에 대한 설명으로 옳은 것은?

① 실체설은 사익을 조정해 공익을 산출할 수 있다고 보기 때문에 과정설이라고도 한다.

② 과정설은 다원주의 국가에서 일어나는 정책결정과정을 전제로 한다.

③ 실체설에서는 사익의 총합이 곧 공익이 된다고 주장한다.

④ 공익은 국가 권력에 정당성을 부여하지만 정책평가의 기준으로 기능하지 못한다.

⑤ 행정의 최고 가치로서 공익 개념은 공사행정일원론 시대에 강조되었다.

04 회독 □□□

2015. 지방 7

공익(public interest)의 개념에 대한 설명으로 옳지 않은 것은?

① 실체설은 사회 구성원 간에 보편적으로 공유되는 공동의 이익보다는 부분적이며 특수한 이익을 공익으로 보는 입장이다.

② 실체설에서 인식하는 공익 개념의 구체적 내용은 도덕적 절대가치, 정의, 공동사회의 기본적 가치 등으로 다양하다.

③ 과정설에는 서로 상충되는 이익을 가진 집단들 사이의 조정과 타협의 산물이 공익이라고 보는 입장이 있다.

④ 과정설에는 절차적 합리성을 강조하여 적법절차의 준수에 의해 공익이 보장된다고 보는 입장이 있다.

정답 및 해설

과정설은 공익을 사익 간 갈등의 조정과 타협의 산물이라고 보기 때문에 다원주의 국가(민주주의 국가·선진국)에서 발생하는 정책결정과정을 전제로 함

① 공익의 실체설(적극설)과 과정설(소극설)은 다른 개념임

③ 실체설은 공익이 사익의 단순한 총합을 초월한 실체라는 관점임 → 선지는 과정설에 대한 내용임

④ 공익은 행정의 목적이기 때문에 국가 권력에 정당성을 부여할 뿐 아니라 정책평가의 기준으로 기능할 수도 있음

⑤ 행정의 최고 가치로서 공익 개념은 정치행정일원론 시대(공사행정이원론 시대)에 강조되었음 → 행정권한의 확대로 인해서 행정의 준거기준에 대한 관심이 커졌음

정답 ②

정답 및 해설

과정설은 사회 구성원 간에 보편적으로 공유되는 공동의 이익보다는 부분적이며 특수한 이익을 공익으로 보는 입장임 → 실체설은 특정 집단의 특수이익이 아니라 사회 구성원이 보편적으로 공유하는 이익을 공익으로 보는 학설임

② 실체설에서 사회 전체를 위한 이익으로 인식하는 공익의 내용은 도덕적 절대가치(살인 금지 등), 정의, 공동사회의 기본적 가치 등으로 다양함

③ 과정설은 사회 내 서로 상충하는 이익을 가진 집단 사이의 조정과 타협의 산물이 공익이라고 보는 입장임

④ 과정설은 민주적 과정을 중시하는 학설임 → 따라서 절차적 합리성(이성적 사유과정 중시)을 강조하여 적법절차(민주적 토론)의 준수에 의해 공익이 보장된다고 보는 입장임

정답 ①

05 회독 ☐☐☐

행정가치에는 행정을 통해 이루고자 하는 궁극적 가치인 본질적 가치와 본질적 가치를 실현 가능하게 하는 수단적 가치가 있다. 다음 중 본질적 가치로 옳은 것은?

① 형평성(equity)
② 합리성(rationality)
③ 민주성(democracy)
④ 합법성(legality)

정답 및 해설

행정의 궁극적인 가치의 유형은 아코프에 따르면 공익, 정의, 복지, 형평성, 평등성, 자유임

②③④ 모두 수단적인 가치에 해당함
② 합리성(rationality) : 목표에 대한 수단의 적합성 → 즉, 어떤 행위가 궁극적인 목표 달성을 위한 최적의 수단이 되느냐를 가리키는 개념
③ 민주성(democracy) : 국민의 견해를 수렴하는 것
④ 합법성(legality) : 법치행정을 의미함

정답 ①

06 회독 ☐☐☐

롤즈(Rawls)의 정의와 관련한 설명으로 가장 거리가 먼 것은?

① 정의를 공평으로 풀이하면서 배분적 정의가 평등 원칙에 입각해야 함을 강조한다.
② 정의의 제1원리로서 기본적 자유의 평등원리를 들고 있다.
③ 기본적 자유의 평등원리와 차등조정의 원리가 충돌할 때는 차등조정의 원리가 우선한다.
④ 원초적 상태에서의 인간은 최소극대화 원리에 찬성하는 것으로 가정한다.
⑤ 자유와 평등의 조화를 추구하는 중도적 입장을 취하고 있다.

정답 및 해설

기본적 자유의 평등원리(정의의 1원칙)와 차등조정의 원리(정의의 2원칙)가 충돌할 때는 기본적 자유의 원리가 우선함

① 롤즈는 정의를 공평으로 풀이하면서 사회경제적 가치에 대한 배분적 정의가 평등 원칙에 입각해야 함을 강조함
② 롤즈는 정의의 제1원리로서 타인의 자유를 침해하지 않는 선에서의 평등한 자유를 들고 있음
④ 원초적 상황에서 위험회피적인 인간이(무지의 베일 상태) 정의의 규칙을 위한 합의를 할 경우, 빈자에게 혜택이 돌아가게 하는 최소극대화 원리에 찬성한다는 것이 롤즈의 견해임
⑤ 롤즈는 자유와 평등의 조화를 추구하는 중도적 입장을 취하고 있기 때문에 좌파(평등주의)와 우파(자유주의)로부터 비판을 받고 있음

정답 ③

07 [회독] ☐☐☐

행정가치에 대한 설명으로 옳지 않은 것은?

① 공익 과정설은 현실주의적이고 개인주의적인 공익 개념이다.

② 공익 실체설은 개인의 사익을 모두 합한 것이 공익이라고 보지 않는다.

③ 행정이념으로서 사회적 형평성은 신행정론의 등장과 함께 강조되었다.

④ 롤스(J. Rawls)가 정의론에서 제시한 '기본적 자유의 평등원리'는 개개인의 권리가 다른 사람의 유사한 자유와 상충되더라도 최대한의 기본적 자유가 인정되어야 한다는 것이다.

08 [회독] ☐☐☐

롤스(J. Rawls)의 정의론에 대한 설명으로 옳지 않은 것은?

① 자유와 평등의 조화를 추구하는 중도적 입장보다는 자유방임주의에 의거한 전통적 자유주의 입장을 취하고 있다.

② 사회의 모든 가치는 평등하게 배분되어야 하며, 불평등한 배분은 그것이 사회의 최소수혜자에게도 유리한 경우에 정당하다고 본다.

③ 현저한 불평등 위에서는 사회의 총체적 효용극대화를 추구하는 공리주의가 정당화될 수 없다고 본다.

④ 원초적 자연상태(state of nature) 하에서 구성원들의 이성적 판단에 따른 사회형태는 극히 합리적일 것이라고 가정하는 사회계약론적 전통에 따른다.

정답 및 해설

롤스(J. Rawls)가 정의론에서 제시한 '기본적 자유의 평등원리'는 개개인의 권리가 다른 사람의 유사한 자유와 상충하지 않는 선에서 최대한의 기본적 자유가 인정되어야 한다는 것임

① 공익 과정설은 현실에서 각 개인의 견해에 따라 공익이 변할 수 있다는 현실주의적이고 개인주의적인 공익 개념임

② 공익 실체설은 사익을 초월한 공동체의 이익을 공익으로 보는 학설임

③ 행정이념으로서 사회적 형평성은 후기행태주의 및 신행정론의 등장과 함께 강조되었음

정답 ④

정답 및 해설

롤스는 자유와 평등의 조화를 추구하는 중도적인 입장을 취하는 바 자유주의와 사회주의로부터 비판을 받는 면이 있음

② 롤스는 정당한 불공정을 인정함 → 다만 극빈자에게 혜택을 어느 정도 주는 선에서의 불공정을 찬성하고 있음(롤스가 생각하는 공정한 배분의 기준)

③ 롤스에 따르면 극빈자에 대한 지원이 없는 현저한 불평등 위에서는 사회의 총체적 효용극대화를 추구하는 공리주의가 정당화될 수 없음 → 공리주의는 사회총효용의 극대화 현상이 있으면 공익을 달성한 것으로 간주하는바 극빈자에 대한 배려가 없음

④ 롤스는 미래에 대한 정보가 부족한 원초적 자연상태(state of nature) 하에서 구성원들의 합의에 따른 사회형태가 공정할 것이라고 가정하는 사회계약론에 기초하고 있음

정답 ①

09 회독 ☐☐☐   2009. 국회 8

롤스(Rawls)가 말하는 정의(justice)에 관한 설명으로 옳지 않은 것은?

① 다른 사람의 유사한 자유와 상충되지 않는 한도 내에서 개개인의 기본적 자유권이 평등하게 인정되어야 한다.
② 가장 불우한 사람의 편익을 최대화해야 한다.
③ 사회경제적 불평등은 그 모체가 되는 모든 직무와 지위에 대한 기회균등이 공정하게 이루어진 조건 하에서 존재해야 한다.
④ 기회균등의 원리가 차등원리에 우선해야 한다.
⑤ 차등조정의 원리가 기본적 자유의 평등원리에 우선해야 한다.

정답 및 해설

평등한 자유의 원리(1원칙)가 차등조정의 원리(2원칙: 정당한 불평등의 원칙)에 우선해야 함

① 정의의 1원칙에 대한 내용임
② 최소극대화 원칙(2-2원칙)에 대한 내용임
③ 기회균등 원칙에 대한 내용임(2-1원칙)
④ 기회균등의 원리(2-1원칙)가 차등원리(2-2원칙)에 우선해야 함

정답 ⑤

10 회독 ☐☐☐   2013. 지방 7

롤스(J. Rawls)의 정의론과 거리가 먼 것은?

① 기본적 자유의 평등원리
② 최대극대화의 원리
③ 차등의 원리
④ 공정한 기회균등의 원리

정답 및 해설

롤스는 최대극대화의 원리가 아니라 최소극대화의 원리를 주장함 → 최소극대화의 원리란 극빈자에 대한 혜택을 제도적으로 보장하는 것임

① 기본적 자유의 평등원리 : 다른 사람의 유사한 자유와 상충되지 않는 한도 내에서 개개인의 기본적 자유권이 평등하게 인정되어야 함
③ 차등의 원리 : 사회 내에서 가장 불우한 사람의 편익을 최대화해야 함
④ 공정한 기회균등의 원리 : 모든 사람에게 직업을 선택할 수 있는 공정한 기회를 주어야 함

정답 ②

11 [회독] ☐☐☐   2004. 입법고시 수정

행정의 특징 중 다른 기능보다 한 단계 우위에 있는 것은?

① 투명성   ② 능률성
③ 책임성   ④ 형평성

Section 02   행정의 수단적 가치

01 [회독] ☐☐☐   2011. 국가 9

디목(Dimock)이 제창한 사회적 능률에 해당하지 않는 것은?

① 인간적 능률   ② 합목적적 능률
③ 상대적 능률   ④ 단기적 능률

(정답 및 해설)

형평성은 행정의 궁극적인 가치 중의 하나임 → 다른 선지는
모두 수단적인 가치에 해당함

① 투명성 : 정부의 정책결정과 집행과정 등 다양한 공적 활동
   이 정부기관 외부로 명확하게 드러나는 것 → 행정활동이
   투명하게 공개되는 것
② 능률성 : 투입(input) 대비 산출(output)의 비율 → 선택과 집
   중을 통해 산출의 극대화를 추구하는 것
③ 책임성 : 행정관료가 도덕적·법률적 규범에 따라 행동해야
   하는 의무

(정답) ④

(정답 및 해설)

사회적 능률은 합목적성을 고려하는바 장기적인 속성이 있음

① 인간적 능률 : 사회적 능률은 국민의 요구를 경청하는바 인
   간존중에 대한 내용을 담고 있음
② 합목적적 능률 : 정부는 단기적 이익을 넘어서 국민이 요구
   하는 문제를 해결할 수 있어야 함
③ 상대적 능률 : 조직의 상황에 맞는 경제성을 추구해야 한다
   는 것

(정답) ④

02 회독 ☐☐☐   2005. 경기 7

행정의 가외성 이념이 적용된 제도라고 보기 어려운 것은?

① 미국의회의 상하양원제
② 만장일치제
③ 법원의 삼심제
④ 민주주의의 삼권분립론

03 회독 ☐☐☐   2007. 인천 9

행정상 가외성의 효용성과 거리가 먼 것은?

① 행정의 신뢰성과 안정성 확보
② 불확실한 상황에 대한 행정체제의 적응성 증진
③ 행정의 유연성과 탄력성 증진
④ 행정의 능률성 제고

정답 및 해설

란다우에 따르면 만장일치는 분권적인 제도이기는 하나 현실적으로 불가능에 가까움 → 따라서 가외적 장치가 아님

①③④ 란다우는 권력분립을 위한 제도를 가외성으로 간주하는 바 해당 선지는 올바른 내용임

정답 ②

정답 및 해설

가외성은 잉여장치이므로 능률성과 상충관계에 있음

①②③ 가외성은 불확실성에 대비하여 마련하는 잉여장치이므로 행정의 신뢰성과 안정성, 적응성, 유연성을 확보할 수 있음

정답 ④

04 회독 ☐☐☐

2008. 서울 9 수정

합리성에 대한 설명으로 옳지 않은 것은?

① Weber는 관료제를 형식적 합리성의 극치로 설명하고 있다.
② 개인적 합리성의 추구가 반드시 집단적 합리성으로 연결되는 것은 아니다.
③ 합리성은 본질적 행정가치보다는 수단적 행정가치에 포함된다.
④ Simon의 절차적 합리성은 목표에 비추어 가장 적합한 행동이 선택되는 정도를 의미한다.
⑤ Diesing의 기술적 합리성은 목표와 수단 사이에 존재하는 인과관계의 적절성을 의미한다.

정답 및 해설

④ 내용적 합리성에 대한 내용임 → Simon의 절차적 합리성은 이성적인 사고 과정을 통해 제한된 정보 안에서 최대한 논리적으로 의사결정하는 것을 의미함

① Weber의 형식적 합리성 : 조직 내 확립된 규율이나 법에 의해 현상을 일관성 있게 대응함으로써 규범이나 행동의 안정성을 확보하는 것과 관련된 공식적 합리성 → 합법성과 유사

참고 베버가 제시한 합리성

형식적 합리성	① 조직 내 확립된 규율이나 법에 의해 현상을 일관성 있게 대응함으로써 규범이나 행동의 안정성을 확보하는 것과 관련된 공식적 합리성 → 합법성과 유사 ② Weber는 관료제를 형식적 합리성의 극치로 설명하고 있음
실질적 합리성	문명을 초월해서 존재하는 주관적이고 포괄적인 가치(자유주의, 민주주의 등)와 관련된 합리성
이론적 합리성	수단과 목표 사이에 어떠한 인과관계가 있을 것이라고 추론한 것 → 과학성과 유사
실제적(실천적) 합리성	① 사회생활에서 사람들이 개인의 이익을 증진하기 위해 실용적 · 이기적 관점에서 그들의 활동을 판단할 때의 합리성 ② 목표에 대한 최적 수단을 찾으려는 특징이 있음

② 공유지의 비극처럼 개인적 합리성의 추구가 반드시 집단적 합리성으로 연결되는 것은 아님
③ 합리성, 능률성, 민주성 등은 본질적 행정가치보다는 수단적 행정가치에 포함됨
⑤ Diesing의 기술적 합리성은 주어진 목표를 달성하기 위해 가장 적합한 수단을 찾는 합리성으로써 목표와 수단 사이에 존재하는 인과관계의 적절성을 중시함

정답 ④

05 회독 ☐☐☐　　　　　　　　　2008. 지방 7

사이먼(H. A. Simon)의 절차적 합리성(procedural rationality)에 대한 설명으로 옳은 것은?

① 절차적 합리성은 행위자의 목표와 행위선택의 우선순위가 분명한 것을 말한다.

② 절차적 합리성은 객관적 합리성이라고도 하는데 주어진 여건 속에서 가능한 최선의 대안을 선택하는 합리성을 말한다.

③ 절차적 합리성은 행동 대안을 선택하기 위하여 사용된 절차가 인간의 인지능력과 여러 가지 한계에 비추어 보았을 때 얼마만큼 효과적이었는가의 정도를 의미한다.

④ 절차적 합리성은 결정이 생성되는 과정보다 선택의 결과에 더 관심을 갖는다.

06 회독 ☐☐☐　　　　　　　　　2009. 수탁 9

행정서비스의 성과를 측정하는 개념과 그에 대한 설명이 바르게 연결되지 않은 것은?

① 능률성 – 투입과 산출의 비율
② 생산성 – 목표달성도
③ 형평성 – 서비스의 공평한 배분 정도
④ 대응성 – 시민의 수요에의 부응 정도

정답 및 해설

절차적 합리성은 행동 대안을 선택하기 위하여 사용된 절차가 제한된 합리성 내에서 얼마만큼 효과적이었는가의 정도를 의미함

①②④ 선지는 내용적 합리성에 해당함 → 내용적 합리성이란 완전한 정보를 바탕으로 최선의 결정을 내리는 합리성을 의미함

정답 ③

정답 및 해설

목표달성도는 효과성을 나타냄 → 생산성은 능률성과 효과성을 합친 개념으로서 NPM에서 중시하는 행정가치 중 하나임

정답 ②

07 회독 ☐☐☐ 2013. 국회 8

행정가치에 대한 다음 설명 중 옳은 것은 모두 몇 개인가?

> ㉠ 실체설은 공익을 사익의 총합이라고 파악하며, 사익을 초월한 별도의 공익이란 존재하지 않는다고 본다.
> ㉡ 롤스(Rawls)의 사회정의의 원리에 의하면 정의의 제1원리는 기본적 자유의 평등원리이며, 제2원리는 차등조정의 원리이다. 제2원리 내에서 충돌이 생길 때에는 '차등의 원리'가 '기회균등의 원리'에 우선되어야 한다.
> ㉢ 과정설은 공익을 사익을 초월한 실체적·규범적·도덕적 개념으로 파악하며, 공익과 사익의 갈등이란 있을 수 없다고 본다.
> ㉣ 베를린(Berlin)은 자유의 의미를 두 가지로 구분하면서, 간섭과 제약이 없는 상태를 적극적 자유라고 하고, 무엇을 할 수 있는 자유를 소극적 자유라고 규정하였다.

① 0개   ② 1개
③ 2개   ④ 3개
⑤ 4개

Section 03 행정이념 간 관계와 시대적인 변천

01 회독 ☐☐☐ 2009. 국회 9

각 행정이론이 추구하는 가치에 관한 설명으로 가장 옳지 않은 것은?

① 구공공관리론에서는 행정의 능률성과 전문성을 강조한다.
② 신행정론에서는 사회적 형평성과 공무원의 책임성을 강조한다.
③ 신공공관리론에서는 신자유주의적 이념을 기반으로 탈규제와 경쟁을 강조한다.
④ 뉴거버넌스에서는 행정의 효율성과 고객중심주의를 강조한다.

정답 및 해설

㉠(×) 과정설은 공익을 사익의 총합이라고 파악하며, 사익을 초월한 별도의 공익이란 존재하지 않는다고 봄
㉡(×) 롤스(Rawls)의 사회정의의 원리에 의하면 제2원리 내에서 충돌이 생길 때에는 '기회균등의 원리'가 '차등의 원리'에 우선되어야 함
㉢(×) 실체설은 공익을 사익을 초월한 실체적·규범적·도덕적 개념으로 파악하기 때문에 공익과 사익의 갈등이란 있을 수 없다고 봄
㉣(×) 베를린(Berlin)은 자유의 의미를 두 가지로 구분하면서, 정부의 간섭과 제약이 없는 상태를 소극적 자유라고 하고, 정부에 의해 무엇을 할 수 있는 자유를 적극적 자유라고 규정하였음

정답 ①

정답 및 해설

④ 신공공관리론에 대한 내용임 → 뉴거버넌스론은 협치를 의미하는바 정부에 대한 신뢰성, 민주성을 중시함

① 구공공관리론(관리주의) : 관리주의는 능률적인 관리 및 집행을 행정으로 보는 개념임
② 신행정론 : 정부는 국민이 해결해주기를 원하는 공공문제에 대한 책임성을 느끼고 이를 처방해야 함 → 신행정론은 격동기 흑인폭동을 해결하기 위해 사회적 형평 등을 주장하였음
③ 신공공관리론 : 신자유주의를 기초로 시장 및 시민사회에 대한 규제 완화를 강조함 → 신공공관리론은 작고 능률적인 정부 구현을 위해 시장의 논리를 따르는바 경쟁에 대해 긍정적인 입장을 취하고 있음

정답 ④

CHAPTER 04 행정의 구조 : 관료제

Section 01 관료제의 정의와 특징

01 회독 ☐☐☐   2008. 지방 9

막스 베버(M. Weber)가 제시한 이념적인 조직 형태인 관료제의 특성으로 옳지 않은 것은?

① 직무의 수행은 문서에 의거하여 이루어지며, 직무수행의 결과는 문서로 기록하고 보존한다.

② 관료의 권한과 직무 범위는 법규에 의해 규정되며, 상관의 권한은 업무 활동에 한정된다.

③ 전문지식과 기술을 가진 관료가 모든 직무를 담당하며, 이들은 시험 또는 자격증 등에 의해 공개적으로 채용된다.

④ 관료는 직무수행 과정에서 국민의 어려운 사정이나 개별적 여건을 고려하는 자세를 갖는다.

정답 및 해설

이상적인 관료제는 인간의 감정을 배제한 비정의성에 따라 움직임 → 따라서 관료는 각 개인의 어려운 사정이나 개별적 여건을 고려하지 않고, 법에 기초한 법치행정을 추구함

① 관료제는 조직 및 구성원을 통제할 수 있는 규칙을 명시한 문서를 활용하는 문서주의를 특징으로 함

② 관료의 권한과 직무 범위는 공식적인 규칙에 의해 규정되며, 상관의 권한은 업무 활동에 한정됨(예: 부하의 사생활 침해 ×)

③ 관료제는 기본적으로 합리적인 목적달성을 추구함 → 이를 위해 능력 있는 구성원을 요구하는 능력주의를 강조하는바 관료는 시험 혹은 자격증 등을 통해 구성원으로서 자격을 갖추어야 함

정답 ④

02 회독 ☐☐☐   2009. 서울 7

관료제에 관한 설명 중 가장 적합한 것은?

① M.Weber에 의하면 관료제는 동양과 서양의 모든 국가에서 공통으로 발견되는 보편적인 현상이다.

② 엄격한 계층제 통제, 분업, 공·사의 구분, 문서에 의한 업무 처리, 화폐에 의한 임금지불 등의 특성을 지닌 조직운영방식이다.

③ 대단히 변화 수용적인 조직이다.

④ 주어진 임무를 어떤 상황에서도 가장 효율적으로 달성할 수 있게 하는 조직운영방식이다.

정답 및 해설

관료제는 엄격한 계층제 통제, 분업, 공·사의 구분(규칙에 의한 행정), 문서에 의한 업무 처리(문서주의), 화폐에 의한 임금지불 등의 특성을 지닌 조직운영 방식임

참고 관료제를 '조직구조'로 보는 게 정확하지만 시험에서 조직운영 방식으로 표현한 것이니 참고할 것

① 베버가 언급한 보편성은 공사부문이지 동양과 서양이 아님 → 베버는 서양사회가 동양사회보다 빨리 발전한 이유를 근대관료제에서 찾고 있음

③ 관료제는 기계적 구조인 까닭에 환경의 변화에 유연하게 대응하기 어려움

④ 관료제는 급변하는 환경에서는 효율적으로 목적을 달성하기 힘든 구조임 → 즉, 비교적 안정적인 환경에서 유용한 조직구조임

정답 ②

03 회독 ☐☐☐　　　　2012. 서울 9

막스 베버(M. Weber)가 제시한 관료제 조직의 특징에 관한 설명으로 옳지 않은 것은?

① 기술적 능력에 의거한 조직 내 역할 분담과 분업체제
② 수직적·계층제적 권위구조
③ 규칙에 의거한 일사분란한 행동 통일
④ 과업 책임의 소재 명확화
⑤ 인간적 감정을 고려한 공식적 문서 위주의 업무 처리 절차

Section 02　　관료제의 역기능(병리)과 순기능

01 회독 ☐☐☐　　　　2004. 국회 5

관료제에 관한 다음 설명 중 옳지 않은 것은?

① 관료제는 공·사 부문의 대규모 조직에서 공통적으로 나타나는 구조적 특징을 의미한다.
② 제정된 규칙과 절차에 대한 지나친 강조는 오히려 조직 목표달성을 어렵게 한다.
③ M. Weber의 근대적 관료제모형은 신생국의 정부관료제를 분석하는데 적합한 모형이다.
④ 관료제에 대한 효과적 통제방법을 강구하지 않으면 관료제의 대응성(bureaucratic responsiveness)은 낮아진다.
⑤ 관료제는 인간소외를 초래한다.

정답 및 해설

관료제는 비정의성을 특징으로 함; 이는 인간의 감정에 따르지 않고 조직구성원이 합의한 규정에 따른 업무처리를 강조하는 개념임

① 관료제는 능률적인 업무처리를 위해 체계적인 분업화를 추구함
② 관료제에서 관료는 상관의 명령에 복종해야 함
③ 조직을 규율하는 규칙과 구성원의 행동은 일치해야 함
④ 관료제는 공식적인 법을 통해 조직구성원의 직무를 정하고 이에 대한 책임과 권한을 명시함

정답 ⑤

정답 및 해설

관료제는 기계적 구조(변화하는 환경에 대한 적응 ✕)이므로 주어진 임무를 안정적인 상황(예 선진국)에서 가장 효율적으로 달성할 수 있는 조직유형임 → 신생국은 선진국에 비해 가변적 환경인 까닭에 근대적 관료제를 적용하기 어려움

① 베버에 따르면 관료제는 공공관료제와 민간관료제 등으로 구분할 수 있음
② 과잉동조에 대한 설명임
④ 공무원은 높은 전문성을 바탕으로 권력을 추구하는 집단이 될 수 있음(권력집단화 현상) → 따라서 관료제에 대한 효과적 통제방법을 강구하지 않으면 관료제의 국민에 대한 대응성은 낮아질 수 있음
⑤ 관료제는 능률적인 업무처리를 위해 인간의 부품화를 초래함

정답 ③

02 회독 ☐☐☐ 2014. 국가 9

관료제의 여러 병리현상 중 '과잉동조'에 대한 설명으로 옳은 것은?

① 목표 달성을 위해 마련된 규정이나 절차에 집착함으로써 결국 수단이 목표를 압도해버리는 현상
② 세분화된 특정 업무에서는 전문적인 능력이 있지만 그 밖의 업무에 대해서는 문외한이 되는 현상
③ 다양한 외부 환경의 변화에 둔감하고 조직목표의 혁신에 적극적으로 저항하는 현상
④ 자신이 소속된 기관이나 부서만을 생각하고 다른 기관이나 부서를 배려하지 않는 현상

정답 및 해설

과잉동조, 즉 목표의 대치에 대한 내용임

② 훈련된 무능력에 대한 내용임
③ 변동에 대한 저항을 설명하는 선지임
④ 부처할거주의에 대한 내용임

정답 ①

03 회독 ☐☐☐ 2014. 지방 9

베버(Weber)의 관료제 모형을 설명한 것으로 옳지 않은 것은?

① 조직이 바탕으로 삼는 권한의 유형을 전통적 권한, 카리스마적 권한, 법적·합리적 권한으로 나누었다.
② 직위의 권한과 관할 범위는 법규에 의하여 규정된다.
③ 인간적 혹은 비공식적 요인의 중요성을 간과하였다.
④ 관료제의 긍정적인 측면으로 목표대치 현상을 강조하였다.

정답 및 해설

목표대치 현상은 관료제의 역기능을 나타내는 개념임

① 베버는 조직구성원의 순응을 확보할 수 있는 권위의 유형을 전통적 권위(관습 등), 카리스마적 권위(리더의 비범한 능력), 법적·합리적 권위(구성원의 동의하에 만들어진 규칙)로 나누었음
② 베버의 관료제는 합법적 권위에 기초하므로 직위의 권한과 관할 범위는 법규에 의하여 규정됨
③ 관료제는 조직의 공식적 측면만을 다룬 까닭에 인간적 혹은 비공식적 요인의 중요성을 간과하였음

정답 ④

04 회독 ☐☐☐ 2012. 지방 7

관료제의 역기능 모형에 대한 설명으로 옳지 않은 것은?

① 머튼(Merton)모형은 관료제 대한 최고관리자의 지나친 통제가 관료들의 경직성을 초래한다고 본다.
② 셀즈닉(Selznick)모형은 권한의 위임과 전문화가 조직 하위체제의 이해관계를 지나치게 분열시킨다고 본다.
③ 맥커디(McCurdy)모형은 계층제적 관료조직 내에서 구성원이 각자의 능력을 넘는 수준까지 된다고 본다.
④ 굴드너(Gouldner)모형은 관료들이 규칙의 범위 내에서 최소한 행태만을 추구하여 무사안일주의를 초래한다고 본다.

05 회독 ☐☐☐ 2013. 지방 7

베버(M. Weber)의 관료제 이론에 대한 설명으로 옳지 않은 것은?

① 계층제에서 근무하는 관료는 봉사 대상인 국민에게 책임을 져야 한다.
② 관료는 'Sine ira et studio'의 정신으로 업무를 수행하여야 한다.
③ 관료를 승진시킬 때에는 근무연한을 고려할 수 있다.
④ 보수를 받지 않고 봉사하는 사람은 관료라고 볼 수 없다.

정답 및 해설

③ 피터의 원리에 대한 내용임

참고 맥커디는 탈관료제의 특징을 제시한 학자임

① Merton(머튼)에 따르면, 조직의 통제를 위한 규정 혹은 법이 오히려 조직의 경직성을 야기함; 즉, 관료에 대한 최고 관리자의 지나친 통제가 관료들의 경직성을 초래할 수 있다는 것
② 셀즈닉은 분업으로 인한 부처할거주의를 지적하였음
④ 굴드너는 구성원이 법에 명시한 대로만 행동하고 그 외적인 부분에 대해서는 소극적 성향을 띠는 현상을 설명하였음

정답 ③

정답 및 해설

관료제는 상명하복 체계이므로 관료는 국민이 아니라 상급자에 대한 책임성을 지님

② 관료는 'Sine ira et studio'의 정신(분노와 열정 없이)으로 업무를 수행하여야 함 → 즉 비정의성에 기초해서 업무를 처리해야 함
③ 관료제는 연공서열 승진체계를 지님
④ 관료는 본인이 수행한 노동의 대가로서 급료를 받음

정답 ①

06 회독 ○○○ 2011. 지방 7 수정

베버(M. Weber)의 관료제에 대한 비판론자들이 있다. 그들이 주장하는 관료제의 병폐에 대한 설명으로 옳은 것을 모두 고른 것은?

> ㄱ. 조직구성원은 한 가지의 지식 또는 기술에 관하여 훈련받고 기존 규칙을 준수하도록 길들여지기 때문에 변동된 조건 하에서는 대응이 어렵게 된다.
> ㄴ. 권한과 능력의 괴리, 상위직으로 갈수록 모호해지는 업적 평가 기준, 조직의 공식적 규범을 엄격하게 준수해야 한다는 압박감 등으로 조직구성원들이 불안해지므로 더욱 권위주의적인 행태를 가지게 된다.
> ㄷ. 상관의 계서적 권한과 부하의 전문적 권력이 이원화됨에 따라 조직 내에서 갈등이 발생하게 되어 조직구성원들의 불만이 증대된다.
> ㄹ. 집권적이고 권위주의적인 통제와 법규우선주의, 그리고 몰인격적(impersonal) 역할 관계는 조직구성원의 사회적 욕구 충족을 저해하며 그들의 성장과 성숙을 방해한다.

① ㄱ, ㄹ
② ㄱ, ㄴ, ㄹ
③ ㄴ, ㄷ, ㄹ
④ ㄱ, ㄴ, ㄷ, ㄹ

정답 및 해설

ㄱ. (○) 관료제는 기계적인 구조임
ㄴ. (○) 관료제는 연공서열 승진체계로 인한 권한과 능력의 괴리, 상위직의 모호한 분업체계 등의 문제점이 있음; 한편, 구성원에 대한 규칙 준수 압박은 심리적 불안감을 초래할 수 있음 → 이러한 문제점을 해결하고자 상관은 일반적으로 계층제의 권위를 활용함
ㄷ. (○) 권력구조의 이원화에 대한 내용임
ㄹ. (○) 상명하복, 법치행정 등의 특징은 구성원의 부품화를 초래할 수 있는바, 조직구성원의 사회적 욕구 충족(동료와의 친분 등)을 저해하며 그들의 성장과 성숙(능동적인 성장)을 방해함

정답 ④

07 회독 ○○○ 2015. 국가 7

베버(Weber)의 관료제 모형에 대한 설명으로 옳지 않은 것은?

① 관료에게 지급되는 봉급은 업무수행 실적에 대한 평가에 따라 결정된다.
② 관료제 모형은 계층제의 원리를 근간으로 한다.
③ 베버(Weber)는 정당성을 기준으로 권위의 유형을 전통적 권위, 카리스마적 권위, 법적·합리적 권위로 나누었는데 근대적 관료제는 법적·합리적 권위에 기초를 두고 있다고 주장한다.
④ 관료제 모형은 '전문화로 인한 무능(trained incapacity)' 등 역기능을 초래할 수도 있다.

정답 및 해설

베버의 관료제 이념형에서 공무원의 봉급은 근무연한에 따라 정해짐

② 관료제 모형은 계층에 따라 책임과 권한의 차이가 있는 계층제의 원리를 근간으로 함
③ 베버(Weber)는 구성원의 순응을 확보할 수 있는 정당성을 기준으로 권위의 유형을 전통적 권위, 카리스마적 권위, 법적·합리적 권위로 나누었는데 근대적 관료제는 법적·합리적 권위에 기초를 두고 있다고 주장함
④ 관료제 모형은 분업체계로 인해 '전문화로 인한 무능(trained incapacity)' 등 역기능을 초래할 수 있음

정답 ①

08 회독 ☐☐☐   2016. 국회 9 수정

다음 중 관료제의 병리현상에 대한 설명으로 옳지 않은 것은?

① 수단으로 간주되던 규칙 준수가 목적이 되는 파킨슨의 법칙
② 조직 내 대인관계에 대한 비인격성이 초래하는 조직 내 인간성 상실
③ 새로운 결정을 하지 않고 선례에 따르거나 상관의 지시에 무조건 복종하는 무사안일주의
④ 고도로 전문화되고 분화된 업무 구성에 기인하는 훈련된 무능
⑤ 국민에 대해 직접적인 책임을 지지 않는 데서 오는 행정의 독선화

---

09 회독 ☐☐☐   2017. 국가 9

관료제 병리현상에 대한 설명으로 옳지 않은 것은?

① 규칙이나 절차에 지나치게 집착하게 되면 목표와 수단의 대치현상이 발생한다.
② 모든 업무를 문서로 처리하는 문서주의는 '번문욕례(繁文縟禮)'를 초래한다.
③ 자신이 속한 기관의 이익만 중시하는바 다른 기관과의 업무협조나 조정이 어렵게 되는 문제가 나타난다.
④ 법규나 절차준수의 강조는 관료제 내 구성원의 비정의성(非情誼性)을 저해한다.

정답 및 해설

파킨슨의 법칙은 공무원의 수가 부하배증의 원칙과 업무배증의 원칙의 악순환에 따라 증가하는 현상을 설명한 이론임 → 수단으로 간주되던 규칙 준수가 목적이 되는 것은 동조과잉 혹은 목표의 대치현상임

② 비정의성(법치행정)은 인간성 상실(부품화)로 이어질 수 있음
③ 무사안일에 대한 내용임

참고 무사안일

> ㉠ 법으로 규정한 수준까지만 일을 하려는 태도 → 굴드너 (Gouldner) 모형
> ㉡ 상관 견해에 대한 무비판적인 수용 : 상관의 권위에 의존하는 경향으로써 특정 행동에 대한 원인을 상관의 명령으로 규정하는 것

④ 훈련된 무능은 조직의 한정된 부분 속에서 정해진 일만 반복한 결과 발생한 무능력을 의미함 → 분업화로 인해 어느 정도의 전문성은 생기지만 그 외의 일은 문외한이 된다는 것
⑤ 관료제는 상명하복 체계이므로 관료는 국민이 아니라 상급자에 대한 책임성을 지님

정답 ①

정답 및 해설

비정의성은 법치행정을 의미하므로 법규나 절차 준수의 강조는 관료제 내의 비정의성을 촉진함

① 규칙이나 절차에 지나치게 집착하게 되면 과잉동조, 즉 목표와 수단의 대치현상이 발생함
② 모든 업무를 문서로 처리하는 문서주의는 불필요한 절차가 많은 '번문욕례(繁文縟禮)'를 초래함
③ 관료제는 분업으로 인해 자신이 속한 기관의 이익만 중시하는 부처할거주의가 발생할 수 있음

정답 ④

Section 04 대안적 조직구조 : 탈관료제 조직에 대하여

01 회독 ☐☐☐ 2011. 국가 9

학습조직의 특성으로 옳지 않은 것은?

① 엄격하게 구분된 부서 간의 경쟁을 통한 학습 가능성이 강조된다.

② 전략 수립 과정에서 일선 조직구성원의 참여가 중요한 역할을 담당한다.

③ 구성원의 권한 강화가 강조된다.

④ 조직 리더의 사려깊은 리더십이 요구된다.

02 회독 ☐☐☐ 2009. 국가 7

학습조직에 대한 설명으로 옳지 않은 것은?

① 학습조직은 유기적 조직의 한 유형으로서 전통적 조직 유형의 대안으로 나타났다.

② 학습조직의 보상체계는 개인별 성과급 위주로 구성되어 있다.

③ 학습조직은 조직구성원에게 충분한 학습 기회를 제공할 수 있는 훈련을 강조한다.

④ 학습조직은 부분보다 전체를 중시하고 경계를 최소화하려는 조직문화가 필요하다.

정답 및 해설

학습조직은 유기적인 구조이므로 부서의 경계가 관료제에 비해 모호하며, 상호 경쟁이 아닌 협력을 강조하는 조직유형임

②③ 학습조직은 분권적인 체계이므로 전략 수립 과정에서 일선 조직구성원의 참여가 중요한 역할을 담당함
④ 학습조직은 리더의 사려깊은 리더십(구성원에게 능동적인 학습을 권장하는 것)을 중시함

정답 ①

정답 및 해설

학습조직은 공동체 문화를 강조하는 바 학습조직의 보상체계는 팀 혹은 조직별 성과급 위주로 구성되어 있음

① 학습조직은 탈관료제 모형 중 하나임
③ 학습조직은 학습을 통한 환경적응을 강조하므로 구성원에게 충분한 학습 기회를 제공할 수 있는 훈련을 강조함
④ 학습조직은 부분보다 전체를 중시(공동체 문화)하고 경계를 최소화하려는 조직문화(지나친 공식화 혹은 분업체계 지양)가 필요함

정답 ②

03 회독 ☐☐☐   2018. 서울 9

정부의 각종 위원회에 대한 설명으로 가장 옳은 것은?

① 의결위원회는 의사결정의 구속력은 있지만 집행권이 없다.
② 행정위원회의 대표적인 예로 공정거래위원회, 공직자 윤리위원회 등을 들 수 있다.
③ 행정위원회는 독립지위를 가진 행정관청으로 결정권은 없고 집행권만 갖는다.
④ 자문위원회는 계선기관으로서 사안에 따라 조사·분석 등의 기능을 수행한다.

정답 및 해설

아래의 표 참고

■ **위원회 조직의 유형**

구분	강제력	집행력
행정위원회	○	○
자문위원회	×	×
의결위원회	○	×
조정위원회	강제력이 있는 경우도 있고 없는 경우도 있음	
독립규제위원회	행정위원회와 유사	

② 행정위원회의 대표적인 예로 공정거래위원회, 중앙선거관리위원회 등을 들 수 있음

참고 공직자 윤리위원회, 징계위원회 등은 의결위원회에 해당함

> **공직자윤리법 제9조 【공직자윤리위원회】** ① 다음 각 호의 사항을 심사·결정하기 위하여 국회·대법원·헌법재판소·중앙선거관리위원회·정부·지방자치단체 및 특별시·광역시·특별자치시·도·특별자치도교육청에 각각 공직자윤리위원회를 둔다.
> 1. 재산등록사항의 심사와 그 결과의 처리
> 2. 제8조제12항 후단에 따른 승인
> 3. 제18조에 따른 취업제한 여부의 확인 및 취업승인과 제18조의2제3항에 따른 업무취급의 승인

③ 행정위원회는 독립지위를 가진 행정관청으로 결정권과 집행권을 지님
④ 자문위원회는 자문을 지원하는 참모기관으로 사안에 따라 조사·분석 등의 기능을 수행함

정답 ①

---

04 회독 ☐☐☐   2013. 국가 7

위원회의 유형과 우리나라 정부조직을 바르게 연결한 것은?

① 자문위원회 - 공정거래위원회
② 조정위원회 - 중앙선거관리위원회
③ 행정위원회 - 소청심사위원회
④ 독립규제위원회 - 경제관계장관회의

정답 및 해설

공정거래위원회, 중앙선거관리위원회, 소청심사위원회 등은 행정위원회이며, 경제관계장관회의는 조정위원회에 해당함

참고 **위원회의 유형**

자문위원회	① 자문을 지원하는 참모기관으로 사안에 따라 조사·분석 등의 기능을 수행함 → 그 결정은 정책적 영향력을 가질 수는 있으나 법적 구속력을 갖지는 못함 ② **예** 각 부처에 설치된 각종 정책자문위원회
행정위원회	① 어느 정도 중립성·독립성을 부여받고 설치되는 행정관청적 성격의 위원회로서 그 결정은 법적 구속력을 가짐 ② **예** 소청심사위원회, 방송통신위원회, 금융위원회, 국민권익위원회, 노동위원회, 공정거래위원회, 중앙선거관리위원회 등
의결위원회	① 법적 구속력은 있지만, 집행력은 없는 위원회 조직 ② **예** 공직자 윤리위원회, 징계위원회 등은 의결위원회에 해당함
조정위원회	① 각 기관의 상이한 의견을 통합·조정할 것을 목적으로 설치된 합의제 기관 ② 결정의 강제력이 있는 경우도 있고 없는 경우도 있음 ③ **예** 경제관계장관회의, 언론중재위원회, 환경분쟁조정위원회 등
독립규제위원회	① 행정부로부터 독립하여 준입법권·준사법권을 가지고 특수한 업무를 수행 또는 규제하기 위하여 설치된 합의제 기관 ② 입법부, 사법부, 행정부와 더불어 제4부라 불리기도 함 ③ **예** 공정거래위원회, 중앙선거관리위원회 등

정답 ③

CHAPTER **05** 행정과 환경

Section 01 정부와 시장

01 회독 ☐☐☐ 2016. 국가 9

시장실패 및 정부실패에 대한 설명으로 옳지 않은 것은?

① 시장실패를 초래하는 요인은 공공재의 존재, 외부효과의 발생, 불완전한 경쟁, 정보의 비대칭성 등이다.

② 시장실패를 교정하기 위한 정부 역할은 공적 공급, 공적 유도, 정부규제 등이다.

③ 정부개입이 초래한 의도하지 않은 결과 때문에 자원배분 상태가 정부개입이 있기 전보다 오히려 더 악화될 수 있다.

④ 정부실패는 관료나 정치인들의 개인적 요인 때문에 발생하며, 정부라는 공공조직에 내재하는 구조적 요인 때문에 발생하는 것은 아니다.

02 회독 ☐☐☐ 2016. 지방 9

시장실패와 정부실패에 대한 설명으로 적절하지 않은 것은?

① 시장실패는 시장기구를 통해 자원배분의 효율성을 달성할 수 없는 경우를 의미한다.

② 비배제성과 비경합성을 가진 공공재의 존재는 시장실패의 주요 원인 중 하나이다.

③ X비효율성으로 인해 시장실패가 야기되어 정부의 시장 개입 정당성이 떨어진다.

④ 정부실패는 시장실패에 대응하는 개념으로 행정서비스의 비효율성을 야기한다.

(정답 및 해설)

정부실패는 관료나 정치인의 개인적 요인(사익추구 등)과 더불어 정부라는 공공조직에 내재하는 구조적 요인(예 집권적 구조 등) 때문에 발생할 수 있음

① 시장실패를 초래하는 요인은 공공재의 존재, 외부효과의 발생, 독점 및 불완전한 경쟁(과점), 정보의 비대칭성(불완전한 정보) 등임

② 시장실패를 교정하기 위한 정부 역할은 직접 공급, 보조금 지급, 공적 규제 등으로 구분할 수 있음

③ 파생적 외부효과에 대한 내용임

(정답) ④

(정답 및 해설)

X비효율성으로 인해 정부실패가 야기되어 정부의 시장 개입 정당성이 떨어질 수 있음

■ X비효율성 : 경쟁의 결여로 인해 발생하는 낭비현상

① 시장실패는 시장이 효율적인 자원배분에 실패한 상황을 뜻함

② 비배제성과 비경합성을 가진 공공재의 존재는 무임승차 문제를 야기하는바 시장실패의 주요 원인 중 하나임

④ 정부실패는 시장의 비효율적인 자원배분을 보완하기 위해 시장에 개입했으나 정부 역시 비효율적으로 자원을 배분하는 상태임

(정답) ③

03 회독 □□□ 2015. 교행 9

시장실패의 원인에 대한 정부의 대응으로 적절하지 않은 것은?

① 공공재의 경우 원칙적으로 정부가 직접 공급한다.
② 독점의 폐해를 막기 위해 정부는 서비스를 직접 공급하거나 규제를 한다.
③ 외부불경제에서 나타나는 문제에 대응하기 위해 정부는 보조금을 지원한다.
④ 정보의 비대칭성에 기인하는 문제에 대응해 정부는 보조금을 지원하거나 규제를 한다.

정답 및 해설

외부불경제(웹 폐수 방류 등)에서 나타나는 문제에 대응하기 위해 정부는 공적 규제를 함

①②④ ※ 시장실패 원인 암기법 : 시험공부는 외롭고 독하게!

■ **시장실패와 정부의 대응**

원인/대응	공적 공급 (직접 공급)	공적 유도 (보조금 지급)	공적 규제 (정부 규제)
공공재 공급	○		
불완전한 정보		○	○
외부경제		○	
외부불경제			○
독점	○		○
과점			○

정답 ③

04 회독 □□□ 2010. 국가 7

시장실패와 정부실패를 해결하기 위한 정부의 대응 방식에 대한 설명으로 옳지 않은 것은?

① 시장실패를 극복하기 위한 정부의 역할은 공적공급, 공적유도, 정부규제 등으로 구분할 수 있다.
② 공공재의 존재에 의해서 발생하는 시장실패는 공적공급의 방식으로 해결하는 것이 적합하다.
③ 자연독점에 의해서 발생하는 시장실패는 공적 유도(보조금)의 방식으로 해결하는 것이 적합하다.
④ 파생적 외부효과로 인한 정부실패는 정부 보조 삭감 또는 규제 완화의 방식으로 해결하는 것이 적합하다.

정답 및 해설

자연독점(독점)에 대한 정부의 대응방식은 공적 공급 및 정부 규제로 해결할 수 있음

①② ※ 시장실패 원인 암기법 : 시험공부는 외롭고 독하게!

■ **시장실패와 정부의 대응**

원인/대응	공적 공급 (직접 공급)	공적 유도 (보조금 지급)	공적 규제 (정부 규제)
공공재 공급	○		
불완전한 정보		○	○
외부경제		○	
외부불경제			○
독점	○		○
과점			○

④ 파보규 : 파생적 외부효과로 인한 정부실패는 정부 보조 삭감 또는 규제 완화의 방식으로 해결할 수 있음

정답 ③

05 회독 □□□ 2009. 국가 7

정부실패의 요인으로만 묶은 것은?

ㄱ. 공공재의 존재   ㄴ. 사적 목표의 설정
ㄷ. 외부효과의 발생   ㄹ. 파생적 외부효과
ㅁ. 불완전경쟁   ㅂ. 정보의 비대칭성
ㅅ. 권력의 편재   ㅇ. X비효율성
ㅈ. 자연독점

---

① ㄱ, ㄴ, ㅁ, ㅂ   ② ㄴ, ㄷ, ㅇ, ㅈ
③ ㄴ, ㄹ, ㅅ, ㅇ   ④ ㄷ, ㄹ, ㅂ, ㅅ

06 회독 □□□ 2013. 군무원 9

윌슨(Wilson)의 규제정치 모형 중 기업가적 정치에 대한 설명으로 옳은 것은?

ㄱ. 비용이 소수의 동질적 집단에 집중된다.
ㄴ. 환경오염규제, 자동차 안전규제, 위해물품 규제 등이 좋은 예이다.
ㄷ. 규제의 수혜자들이 잘 조직화되어 있다.
ㄹ. 해당 사업에 대한 신규 사업자의 진입이 제한된다.
ㅁ. 편익을 기대할 수 있는 측은 집단행동의 딜레마에 빠진다.

---

① ㄱ, ㄴ, ㄹ   ② ㄱ, ㄴ, ㅁ
③ ㄴ, ㄷ, ㅁ   ④ ㄱ, ㄷ, ㄹ

정답 및 해설

암기법으로 풀 것(정부내파권비*) → ③을 제외한 나머지는 시장실패 원인(시험공부는 외롭고 독하게)에 해당함

▣ 정부실패와 정부의 대응

원인/대응	민영화	정부보조삭감	규제완화
사적목표설정	○		
비용과 편익의 절연	○		
X비효율성	○	○	○
파생적 외부효과		○	○
권력의 편재	○		○

정답 ③

정답 및 해설

ㄱ. (○) 기업가 정치는 환경오염규제 등으로 인해 발생하므로 비용이 소수의 동질적 집단에 집중됨
ㄴ. (○) 환경오염 규제, 원자력 발전 규제, 위해물품 규제, 각종 위생 및 안전규제, 퇴폐업소 단속, 자동차 안전규제, 캡슐커피 규제(환경오염 규제) 등 주로 사회적인 규제에 해당함
ㅁ. (○) 편익은 국민 전체에 고르게 분산되는바 집단행동의 딜레마 현상(아무도 나서지 않는 현상)이 발생함

ㄷ. (✕) 기업가 정치 상황은 규제의 수혜자들이 분산되어 있음
ㄹ. (✕) 해당 사업에 대한 신규 사업자의 진입을 제한하는 것은 고객정치 상황임 → 편익을 누리는 소수의 집단이 응집하여 정부기관을 포획할 경우 신규사업자의 진입이 어려워짐

정답 ②

07 회독 ☐☐☐ 2013. 서울 9

월슨(Wilson)이 주장한 규제정치모형에 '감지된 비용은 좁게 집중되지만, 감지된 편익은 넓게 분산되는 경우'에 나타나는 유형은?

① 대중정치   ② 이익집단정치
③ 고객정치   ④ 기업가정치

08 회독 ☐☐☐ 2014. 지방 7

월슨(J. Wilson)의 규제정치 이론에 대한 설명으로 옳은 것만을 모두 고른 것은?

> ㄱ. 감지된 비용(costs)과 편익(benefits)이 모두 좁게 집중되어 있는 규제정치를 이익집단정치라 한다.
> ㄴ. 기업가적 정치는 환경오염규제 사례처럼 오염업체에게 비용이 좁게 집중되지만 일반 시민들에게는 편익이 넓게 분산된다.
> ㄷ. 대중정치는 한약 분쟁의 경우처럼 쌍방이 모두 조직적인 힘을 바탕으로 이익 확보를 위해 첨예하게 대립하는 정치 상황이다.
> ㄹ. 환경규제를 완화하는 상황인 경우에는 비용이 넓게 분산되고 감지된 편익이 좁게 집중되는 고객정치의 상황이 된다.

① ㄱ, ㄴ, ㄷ   ② ㄱ, ㄴ, ㄹ
③ ㄱ, ㄷ, ㄹ   ④ ㄴ, ㄷ, ㄹ

정답 및 해설

아래의 표 참고

①②③

■ J.Q.Wilson의 규제정치모형

구분		편익	
		집중	분산
비용	집중	이익집단정치	기업가정치
	분산	고객정치	대중정치

정답 ④

정답 및 해설

ㄱ. (○) 의약분업의 사례처럼 감지된 비용(costs)과 편익(benefits)이 모두 소수에게 좁게 집중되어 있는 규제정치를 이익집단정치라고 함

ㄴ. (○) 기업가적 정치는 환경오염규제 사례처럼 오염을 발생시키는 자에게 비용이 집중되지만, 일반 시민들에게는 편익이 넓게 분산됨 → 거시적 절연상황

ㄹ. (○) 환경규제가 완화되면 오염업체는 집중적인 편익을 누리고 일반 국민이 비용을 지불하므로 고객정치 상황이 될 수 있음 → 반대로 환경규제를 강화하면 오염업체가 비용을 모두 부담하고 편익은 일반 국민이 누리는 까닭에 기업가 정치 상황이 됨

ㄷ. (×) 이익집단정치는 한약 분쟁의 경우처럼 쌍방이 모두 조직적인 힘을 바탕으로 이익 확보를 위해 첨예하게 대립하는 정치 상황임

정답 ②

09 회독 ☐☐☐

다음 사례에 가장 부합하는 윌슨(Wilson)의 규제정치 유형은?

> A시와 검찰은 지난해부터 올 2월까지 B 상수원 보호구역 내 불법 음식점 70곳을 단속해 7명을 구속 기소하고 12명을 불구속 기소하는 한편 45명을 벌금 500만~3천만 원에 약식 기소했다. 이에 해당 유역 8개 시·군이 참여하는 '특별대책지역 수질보전정책협의회' 상인 대표단은 11일 "B상수원 환경정비구역 내 휴게·일반음식점 규제·단속은 형평성이 결여됐다"며 중앙정부 차원의 해결책을 요구했다.

① 고객정치   ② 대중정치
③ 이익집단정치   ④ 기업가 정치

Section 02   정부와 시민사회

01 회독 ☐☐☐

비정부조직(NGO)의 참여를 통한 국가개혁에 관한 설명 중 옳지 않은 것은?

① 신국정관리(New Governance)의 등장은 NGO의 국정 참여를 어렵게 하는 요인이다.
② NGO는 시민사회의 요구를 지속적으로 국가정책에 반영함으로써 정치행정체제의 질적 변화를 이끌어 낼 수 있다.
③ NGO는 다원화되고 분권화된 현대사회에 있어 공공부문이 담당하지 못하는 분야를 중심으로 그 활동영역을 넓혀가고 있다.
④ 정책과정에 대한 NGO의 참여는 국가권력에 대한 새로운 견제와 통제의 역할을 수행하고 있다.

02 회독 ☐☐☐   2010. 국가 9

오늘날 시민사회조직에 대한 설명으로 가장 적합하지 않은 것은?

① 정부와 비정부조직 간에 적대적 관계보다는 서로의 존재를 인정하는 동반자적 관계가 점차 확산되고 있다.
② 비정부조직이 생산하는 공공재나 집합재의 생산비용을 정부가 지원하는 경우에는 정부와 대체적 관계를 형성한다.
③ 비영리조직이 지닌 특징으로는 자발성, 비영리성, 비정부성 등이 있다.
④ 정부가 지지나 지원의 필요성을 위해 특정한 비정부조직 분야의 성장을 유도하여 형성된 의존적 관계는 개발도상국에서 많이 나타난다.

Section 03   **성공적인 거버넌스를 위한 조건 : 사회자본**

01 회독 ☐☐☐   2011. 국가 7

사회자본(social capital)에 대한 설명으로 옳지 않은 것은?

① 부르디외(P. Bourdieu)는 서로 알고 지내는 사이에 지속적으로 존재하는 관계의 네트워크를 통하여 얻을 수 있는 실제적이고 잠재적인 자원의 합계로 정의하였다.
② 사회자본은 물적자본 및 인적자본과는 구분되는 자본으로 사회적 관계 속에 존재하는 것이다.
③ 사회자본은 사용할수록 점차 감소하기 때문에 소유 주체가 지속적으로 유지하려는 노력을 투입해야 한다.
④ 후쿠야마(F. Fukuyama)는 국가의 복지수준과 경쟁력은 사회에 내재하는 신뢰수준이 결정한다고 보았다.

정답 및 해설

비정부조직이 생산하는 공공재나 집합재의 생산비용을 정부가 지원하는 경우에는 정부와 보완적 관계를 형성함
■ 대체적 관계: 국가가 다양한 정치적·기술적 한계로 인해, 시민들에게 제공해야 할 공공재나 집합재의 공급역할을 비영리단체가 담당하는 경우

① 거버넌스가 확산되면서 정부와 비정부조직 간에 적대적 관계보다는 서로의 존재를 인정하는 동반자적 관계가 점차 확산되고 있음
③ 비영리조직이 지닌 특징으로는 자발성, 비영리성, 비정부성 등이 있음

비정부성	권위(법)를 통한 강제력 ×
비영리성	이익을 추구하지 않음
자발성(자율성)	능동적인 자발성을 기초로 함
이익의 비배분성	활동으로 인해 이익이 발생한다면, 공익을 위해 환원

④ 정부와 NGO 관계 유형 중 의존적 관계에 대한 내용임

정답 ②

정답 및 해설

사회자본은 사용할수록 점차 증가하지만, 사용하지 않으면 감소하므로 소유 주체가 지속적으로 유지하려는 노력을 투입해야 함

①④ 부르디외, 후쿠야마 등은 사회자본을 연구한 학자임

② 사회자본은 물적자본 및 인적자본과는 구분되는 자본으로 사회적 관계 속에 존재하는 신뢰, 호혜적 규범 등을 뜻함

정답 ③

02 회독 □□□ 2005. 대전 9

사회적 자본(social capital)에 대한 설명으로 옳지 않은 것은?

① 사회적 자본의 중요 이념은 신뢰이다.
② 사회적 자본은 사회적 상호관계 속에서 생성된다.
③ 사회적 자본은 경제발전에는 영향을 미치지 않는다.
④ 사회적 자본은 공동체주의를 지향한다.

03 회독 □□□ 2006. 경기 7

R. D. Putnam 등이 지역 사회의 발전 요인으로 강조하는 요인은?

① 정보 인프라   ② 사회자본
③ 지역 금융   ④ 내향적 리더십

정답 및 해설

사회자본은 상호 신뢰 혹은 호혜적 규범의 네트워크로서 경제발전 혹은 제도적인 성과 차이에 긍정적인 영향을 미침

①② 사회적 자본의 중요 이념은 상호 간 형성되어 있는 신뢰임

④ 신뢰가 형성되어 있는 사람들은 일반적으로 타협 및 조정을 통해 갈등을 해결함 → 즉, 상호 호혜적인 공동체주의를 토대로 협력·타협 및 조정을 통해 갈등을 해결함

정답 ③

정답 및 해설

푸트넘, 후쿠야마, 부르디외 등은 사회자본을 주장한 학자임

① 정보 인프라 : 해당 지역에 설치된 정보 전산망 등
③ 지역 금융 : 해당 지역의 경제력
④ 내향적 리더십 : 다소 내성적이지만, 구성원의 견해를 경청하면서 묵묵하고 성실하게 일하는 리더십

정답 ②

Section 04 정보화 시대, 그리고 행정: 전자정부

01 회독 ☐☐☐
2013. 지방 9

지식을 암묵지(tacit knowledge)와 형식지(explicit knowledge)로 구분할 경우, 암묵지에 해당하는 것만을 모두 고른 것은?

> ㄱ. 업무매뉴얼
> ㄴ. 조직의 경험
> ㄷ. 숙련된 기능
> ㄹ. 개인적 노하우(know-how)
> ㅁ. 컴퓨터 프로그램
> ㅂ. 정부 보고서

① ㄱ, ㄴ, ㄷ
② ㄴ, ㄷ, ㄹ
③ ㄷ, ㄹ, ㅁ
④ ㄹ, ㅁ, ㅂ

정답 및 해설

■ **암묵지와 형식지**

(1) 암묵지 : 말이나 글로 표현하기 어려운 지식 → 자전거 타기, 오랜 노하우 및 경험 등
(2) 형식지 : 말이나 글로 표현하기 쉬운 지식 → 교과서, 매뉴얼, 보고서 등

정답 ②

02 회독 ☐☐☐
2017. 지방 9

기존 데이터와 비교할 때 빅데이터의 주요 특징이 아닌 것은?

① 속도(velocity)
② 다양성(variety)
③ 크기(volume)
④ 수동성(passivity)

정답 및 해설

수동성(passivity)은 빅데이터의 주요 특징에 해당하지 않음

■ **빅데이터의 3대 특징**

속도, 종류(다양성), 용량(크기) → 복잡성을 추가하면 4대 특징(암기법 : 복종하면 용서할게)

정답 ④

03 회독 ☐☐☐   2011. 국가 9

UN에서 제시하는 세 가지 전자적 참여 형태에 해당하지 않는 것은?

① 전자정보화 단계   ② 전자자문 단계
③ 전자결정 단계   ④ 전자홍보 단계

04 회독 ☐☐☐   2011. 국가 7

현행 전자정부법상 행정기관이 전자정부의 구현·운영 및 발전을 추진할 때 우선적으로 고려해야 하는 사항으로 옳지 않은 것은?

① 대민서비스의 전자화 및 행정기관 편의의 증진
② 행정업무의 혁신 및 효율성의 향상
③ 정보시스템의 안정성·신뢰성의 확보
④ 행정정보의 공개 및 공동이용의 확대

정답 및 해설

전자홍보 단계는 UN에서 제시하는 세 가지 전자적 참여 형태에 해당하지 않음

①②③
■ UN이 제시한 전자정부의 단계

1. 전자정보화(E-information): 정부기관의 웹사이트에서 각종 전자적 채널을 통해 정부기관의 다양한 정보를 공개하는 단계
2. 전자자문(E-consultation): 시민과 선거직 공무원 간의 상호 소통이 이루어짐
3. 전자결정(E-decision): 정부기관이 주요 정책과정에 시민들의 의견을 고려하여 반영

정답 ④

정답 및 해설

아래의 조항 참고

①②③④

전자정부법 제4조【전자정부의 원칙】① 행정기관등은 전자정부의 구현·운영 및 발전을 추진할 때 다음 각 호의 사항을 우선적으로 고려하고 이에 필요한 대책을 마련하여야 한다.
1. 대민서비스의 전자화 및 국민편익의 증진
2. 행정업무의 혁신 및 생산성·효율성의 향상
3. 정보시스템의 안정성·신뢰성의 확보
4. 개인정보 및 사생활의 보호
5. 행정정보의 공개 및 공동이용의 확대 → 국민과의 소통과 협력을 확대하고, 24시간 행정서비스를 제공
6. 중복투자의 방지 및 상호운용성 증진 → 인터넷이나 DB기술 활용을 통해 부서 간 효율적인 정보교류가 가능한 정부 추구

정답 ①

Section 05 행정문화 : 우리나라의 행정 문화

01 [회독] ☐☐☐ 2004. 경기 9 수정

다음 중 선진국 행정문화의 특징으로 옳은 것은?

① 권위주의
② 온정주의
③ 상대주의
④ 연고주의

02 [회독] ☐☐☐ 2012. 서울 9

행정문화의 특성에 대한 설명으로 옳지 않은 것은?

① 구성원의 사고와 행동을 결정하는 요인이다.
② 개인에 의해 표현되지만 문화는 집합적이고 공유적이다.
③ 통합성을 유지하면서 하위문화를 포용한다.
④ 인간의 본능이 아니라 학습을 통해서 익힌 것이다.
⑤ 시간이 흘러도 변하지 않는 지속성을 가진다.

[정답 및 해설]
일반적으로 선진국은 다양성을 존중하는 문화상대주의를 특징으로 함

① 권위주의: 위계질서, 상명하복 등을 중시하는 문화
② 온정주의: 감정적인 유대관계를 중시하는 문화 → 의리, 우정 등
④ 연고주의: 혈연, 지연 및 학연 등을 중시하는 문화

[정답] ③

[정답 및 해설]
문화는 비공식적인 제도이므로 어느 정도 유지되면서도 변할 수 있는 성격을 지님

①②④ 문화는 조직 내 구성원이 비교적 장기간 공유하고 있는 패턴화된 행동임 → 이는 인간이 후천적인 학습을 통해 익힌 것이며, 조직문화는 제도인 까닭에 구성원의 사고와 행동을 결정할 수 있음
③ 행정부 조직을 지배하는 문화는 구성원의 일체감을 형성하는 동시에 조직 내 여러 하위문화를 포용하고 있음 → 행정부 내에는 여러 문화가 공존할 수 있다는 것(예 주류 문화와 이에 대비되는 문화 등)

[정답] ⑤

CHAPTER 06 큰 정부와 작은 정부

Section 01 시대 및 이념의 구분에 따른 정부관

01 회독 ☐☐☐ 2009. 국가 7

다음에 제시된 역사적 사실들이 갖는 공통적 의미는?

> • Johnson 대통령의 Great Society Program
> • Roosevelt 대통령의 New Deal 정책

① 시장기능의 강화
② 작지만 강한 행정부
③ 행정부의 사회적 가치배분권의 강조
④ 규제 완화와 행정의 민주화

정답 및 해설

존슨 대통령과 루즈벨트 대통령은 행정국가, 즉 큰 정부를 상징하는바 정부의 사회적 가치배분(일자리 창출 등)을 위해 다양한 정책을 집행했음

①② 탈행정국가의 신공공관리론을 뜻하는 내용임

④ 규제 완화와 행정의 민주화 : 탈행정국가 시기의 신공공관리론, 거버넌스(행정의 민주화)에 대한 내용임

정답 ③

---

02 회독 ☐☐☐ 2019. 서울 7

작은 정부와 큰 정부에 대한 설명으로 가장 옳지 않은 것은?

① 큰 정부의 등장은 대공황 등 경제위기 속에서 시장에 대한 정부의 적극적 개입을 통해 대공황을 극복해야 한다는 케인스주의에 사상적 기반을 두고 있다.

② 시장실패에 대한 대응으로 나타난 큰 정부는 규제를 완화하고 사회보장, 의료보험 등 사회정책을 펼침으로써, 정부의 적극적 역할을 강조하였으며, 이러한 이유로 정부의 크기가 커졌다.

③ 경제대공황 극복을 위하여 등장한 뉴딜 정책과 함께 2차 세계대전 등 전쟁은 큰 정부가 탄생하는 데 결정적인 영향을 주었다.

④ 작은 정부를 주장하는 하이에크는 케인스의 주장을 반박하며, 정부의 시장 개입은 단기적 경기 부양에는 효과적일 수 있어도 장기적으로는 시장의 효율성을 심각하게 훼손한다고 주장하였다.

정답 및 해설

시장실패에 대한 대응으로 나타난 큰 정부는 규제를 강화하고 사회보장, 의료보험 등 사회정책을 펼침으로써, 정부의 적극적 역할을 강조하였으며, 이러한 이유로 정부의 크기가 커졌음

① 케인즈의 수요경제학은 경제대공황을 극복하기 위한 정부의 적극적 역할을 뒷받침했음

■ 수요경제학의 논리

> ㉠ 정부가 일자리 창출을 위해 공공사업 추진
> ㉡ 노동자 고용 및 임금 증가
> ㉢ 노동자의 지출·소비 ↑
> ㉣ 기업의 투자 상승
> ㉤ 경제 활성화 및 세수 증가

③ 30년대 경제대공황, 2차 세계대전 등의 국가 위기는 큰 정부가 탄생하는 데 결정적인 영향을 주었음

④ 하이에크는 노예로의 길(1944)을 통해 국가의 기획과 국민의 자유는 양립할 수 없다고 주장함 → 하이에크는 1980년대 레이거노믹스와 대처리즘을 필두로 하는 신자유주의 출현의 이념적 기반을 제공한 학자이므로 케인즈에 반대하는 입장임

정답 ②

03 회독 □□□   2011. 서울 9

진보주의 정부관으로 가장 적절하지 않은 것은?

① 소극적 자유 선호
② 공익 목적의 정부규제 강화 강조
③ 조세를 통한 소득 재분배 강조
④ 효율과 공정에 대한 자유시장의 잠재력 인정
⑤ 소외집단을 위한 정부의 정책 선호

정부로부터의 자유(정부개입의 최소화)를 의미하는 소극적인 자유는 보수주의 정부관에 대한 내용임 → 진보주의는 적극적인 자유(정부의 적극적 역할 찬성)를 옹호함

②③④⑤
■ **보수주의와 진보주의**

비고	보수주의(우파)	진보주의(좌파)
인간관	합리적 · 이기적 경제인	인간의 오류가능성 인정
가치관	1. 소극적 자유 강조 2. 교환에 기초한 정의: 기회의 평등 실현 3. 경제적 자유 강조 4. 결과의 평등 경시	1. 적극적 자유 강조 2. 배분적 정의 중시; 결과의 평등
정부와 시장에 대한 관점	1. 자유시장에 대한 믿음 2. 정부에 대한 불신	1. 시장의 잠재성 인정 2. 시장에 대한 맹신 ×: 시장실패에 대한 정부의 수정
선호하는 정책	1. 빈자에 대한 지원 선호 × 2. 경제적인 규제 완화 · 시장 중심의 정책 3. 조세감면 혹은 완화 　※ 보수주의는 작은 정부관을 찬성하며, 청교도 사상을 이어받아 교회의 믿음을 강조함 → 따라서 아래와 같은 정책에 대해 찬성함 4. 공립학교에서의 종교교육 찬성 5. 낙태금지를 위한 권력 사용 찬성	1. 소외집단을 위한 정책 2. 공익을 위한 정부의 규제 인정 3. 조세의 증대를 통한 소득의 재분배 　※ 진보주의는 정부의 규제에 대해 긍정하면서도 종교 및 사생활 등에 대해서 존중하자는 입장을 취함 → 따라서 아래와 같은 정책에 대해 찬성함 4. 공립학교에서의 종교교육 반대 5. 낙태금지를 위한 권력 사용 반대: 인간의 오류가능성 인정
기타	자유방임적인 자본주의	복지국가 · 규제자본주의 · 혼합자본주의

정답 ①

04 회독 ☐☐☐　　　　2007. 경북 9

다음 중 행정국가의 개념에 관한 설명으로 옳지 않은 것은?

① 거대정부 현상이다.
② 입법부와 사법부보다는 행정부 중심의 국가이다.
③ 정책목표 달성을 위한 집행뿐만 아니라 결정에도 주도적 역할을 한다.
④ 정치행정이원론의 입장에서 설명할 수 있다.

05 회독 ☐☐☐　　　　2017. 서울 9

복지국가의 공공서비스 공급 접근방식에 대한 설명으로 가장 옳은 것은?

① 민간부문을 조정·관리·통제하는 공공서비스 기능이 강조된다.
② 서비스의 배분 준거는 재정효율화이다.
③ 공공서비스의 형태는 선호에 따라 차별적으로 상품화된 서비스이다.
④ 성과관리는 수요자 중심의 맞춤형 관점에서 이루어진다.

CHAPTER 01 정책학의 기초

Section 01 정책의 의의와 유형

01 회독 ☐☐☐

2011. 국가 7

살라몬(L. M. Salamon)의 정책수단분류에서 직접성의 정도가 낮은 유형에 속하는 것끼리 묶은 것은?

> ㄱ. 경제규제(economic regulation)
> ㄴ. 보조금(grant)
> ㄷ. 바우처(voucher)
> ㄹ. 공기업(government corporations)

① ㄱ, ㄷ
② ㄱ, ㄹ
③ ㄴ, ㄷ
④ ㄴ, ㄹ

02 회독 ☐☐☐

2018. 서울 7

라스웰(Lasswell)의 '정책지향(policy orientation)'의 내용에 대한 설명으로 가장 옳지 않은 것은?

① 정책학은 사회문제의 해결을 지향해야 한다.
② '정책과정에 관한 지식'은 규범적 · 처방적 지식을 의미한다.
③ 정책적 의사결정을 사회적 과정의 부분에 해당한다고 본다.
④ 다양한 연구방법의 사용을 장려한다.

(정답 및 해설)

경제규제 혹은 공기업은 직접성이 강한 정책수단에 해당함 → 따라서 나머지 선지가 직접성이 낮은 유형임
※ 두문자: 공3경정직

ㄱ. 경제규제 : 민간의 경제활동을 직접 규제(인허가 및 진입규제)하여 집행
ㄴ. 보조금 : 특정 서비스가 기술적으로 복잡할 때 생산자에게 현금 또는 현물 지원하여 서비스를 공급하는 방식
ㄷ. 바우처 : 빈곤층에게 금전적인 쿠폰을 지급한 후, 그들이 양질의 민간업체를 선택하게 만드는 방식
ㄹ. 공기업 : 정부가 소유한 기업에 의하여 정책을 집행

정답 ③

(정답 및 해설)

정책과정에 관한(On) 지식은 과학성을 의미함 → 규범적 · 처방적 지식(기술성)은 정책과정에 필요한(for) 지식임

① 라스웰은 정책과정에 필요한 지식을 강조하는바 사회문제의 해결을 추구했음
③ 라스웰은 인간이 다른 사람과 상호작용하면서 행동한다고 주장함(맥락성) → 따라서 라스웰은 정책적 의사결정을 사회적 과정의 부분으로 보았음
④ 라스웰은 사회문제 해결을 위해 다양한 연구 방법의 사용을 장려했음

정답 ②

03 회독 □□□ 2007. 국회 8

정책의 혜택을 받기 위하여 은밀하게 이루어지는 밀어주기(log–rolling)와 나눠먹기(pork–barrel)와 가장 밀접한 관련이 있는 정책 유형은?

① 배분정책　　　　　② 재분배정책
③ 규제정책　　　　　④ 구성정책

04 회독 □□□ 2017. 지방 7

다음 괄호 안에 들어갈 용어를 옳게 짝지은 것은?

> (㉠)은/는 의회에서 이권과 관련된 법안을 해당 의원들이 서로에게 이익이 되도록 협력하여 통과시키거나, 특정 이익에 대한 수혜를 대가로 상대방이 원하는 정책에 동의해 주는 방식으로 이루어진다. 반면, (㉡)은/는 각종 개발 사업과 관련된 법안이나 정책 교부금을 둘러싸고 의원들이 그 혜택을 서로 나누어 가지려고 노력하는 현상을 말한다.

	㉠	㉡
①	로그롤링(log rolling)	포크배럴(pork barrel)
②	로그롤링(log rolling)	지대추구(rent seeking)
③	지대추구(rent seeking)	로그롤링(log rolling)
④	포크배럴(pork barrel)	로그롤링(log rolling)

정답 및 해설

배분정책은 특정한 개인, 기업체, 조직, 지역 사회에 편익을 배분하는 정책이므로 편익을 얻기 위해 노력하는 현상(Pork–Barrel Politics 혹은 log–rolling)이 발생할 수 있음

참고
㉠ 나눠먹기식 다툼 : 정부에서 제공하는 보조금을 차지하기 위해 수혜자 혹은 국회의원이 몰려드는 현상
㉡ 표거래·밀어주기·담합투표 : 재선을 위해 이권과 관련된 법안을 해당 의원들이 서로에게 이익이 되도록 협력하여 통과시키는 현상

② 재분배정책 : 부의 이전과 관련된 정책
③ 규제정책 : 자유를 제한하는 정책
④ 구성정책 : 공식적 구조를 신설하거나 수정하는 정책

정답 ①

정답 및 해설

일반적으로 로그롤링은 의원이 해당 지역구에 편익을 제공하는 법안을 통과시키기 위해 동료 의원과 담합하는 것이고, 포크배럴은 보조금과 같은 편익을 더 많이 얻기 위해 이익집단이나 의원이 노력하는 현상임

■ **포크배럴과 로그롤링**

구분	의원 간 협력	공통점
로그롤링	○	① 분배정책에서 발생
포크배럴	×	② 편익요구

■ 지대추구 : 정부 정책으로 인해 발생하는 특혜(지대)를 얻기 위해 기업 등이 정부에게 로비하는 현상

정답 ①

05 회독 ☐☐☐

정책유형과 그 사례를 바르게 연결한 것은?

① 분배정책(distribution policy): 사회간접자본의 구축, 환경오염을 방지하기 위한 기업규제
② 경쟁적 규제정책(competitive regulatory policy): TV·라디오 방송권의 부여, 국공립학교를 통한 교육서비스
③ 보호적 규제정책(protective regulatory policy): 작업장 안전을 위한 기업규제, 국민건강보호를 위한 식품위생 규제
④ 재분배정책(redistribution policy): 누진세를 통한 사회보장 지출의 확대, 항공 노선 취항권의 부여

---

06 회독 ☐☐☐

정책과 정책유형이 바르게 짝지어진 것은?

⊙ 영세민을 위한 임대주택 건설
ⓒ 재정경제부와 기획예산처를 기획재정부로 통합
ⓒ 기업의 대기오염 방지 시설 의무화
ⓔ 광화문 복원

	⊙	ⓒ	ⓒ	ⓔ
①	분배정책	구성정책	추출정책	상징정책
②	상징정책	추출정책	규제정책	구성정책
③	규제정책	재분배정책	추출정책	상징정책
④	재분배정책	구성정책	규제정책	상징정책

정답 및 해설

각 정책의 예시는 아래와 같음
① 분배정책: 특정 지역에 편익을 배분하는 정책 → 사회간접자본의 구축, 국공립학교를 통한 교육서비스
② 경쟁적 규제정책: 다수의 경쟁자 중 특정 개인이나 집단에게 서비스 제공권을 부여하고 이들의 활동을 규제하는 정책 → TV·라디오 방송권의 부여, 항공노선 취항권의 부여
③ 보호적 규제정책: 민간활동이 허용되는 조건을 설정함으로써 소수를 규제하여 일반 대중을 보호하는 정책 → 환경 오염 방지를 위한 기업규제, 작업장 안전을 위한 기업규제, 국민건강 보호를 위한 식품위생 규제
④ 재분배정책: 부의 이전을 도모하는 정책 → 누진세를 통한 사회보장 지출 확대, 영세민 취로사업, 임대주택의 건설, 세액공제나 감면 등

정답 ③

정답 및 해설

⊙ 영세민을 위한 임대주택 건설: 재분배정책 → 부의 이전과 관련된 정책
ⓒ 재정경제부와 기획예산처를 기획재정부로 통합: 구성정책 → 정부(체제)의 구조·기능·운영규칙의 변경에 대한 정책
ⓒ 기업의 대기오염 방지 시설 의무화: 규제정책 → 특정 대상의 자유를 제한하는 정책
ⓔ 광화문 복원: 상징정책 → 국민 전체의 자긍심을 높이거나 국민적 통합을 위해 상징물을 지정하는 정책

정답 ④

07 회독 ☐☐☐   2015. 국회 9 수정

다음 〈보기〉 중 정책과 정책유형이 바르게 짝지어진 것은?

┤보기├
- ⊙ 영세민을 위한 임대주택 건설
- ⓒ 국토해양부를 국토교통부와 해양수산부로 분리
- ⓒ 4대강 사업
- ⓔ 기업의 대기오염 방지시설 의무화

	⊙	ⓒ	ⓒ	ⓔ
①	분배정책	구성정책	추출정책	상징정책
②	재분배정책	구성정책	상징정책	규제정책
③	규제정책	분배정책	재분배정책	상징정책
④	규제정책	재분배정책	추출정책	상징정책

08 회독 ☐☐☐   2014. 국회 9 수정

로위(T.J.Lowi)는 정책내용 또는 정책유형이 정치행태를 결정한다고 주장하였다. 다음 중 로위가 분류한 정책유형은?

① 분배정책, 규제정책, 재분배정책, 구성정책
② 분배정책, 규제정책, 추출정책, 상징정책
③ 분배정책, 경쟁적 규제정책, 보호적 규제정책, 재분배정책
④ 분배정책, 규제정책, 재분배 정책, 자율규제정책

───

정답 및 해설

- ⊙ 영세민을 위한 임대주택 건설 : 재분배정책 → 부의 이전과 관련된 정책
- ⓒ 국토해양부를 국토교통부와 해양수산부로 분리 → 구성정책 → 정부(체제)의 구조·기능·운영규칙의 변경에 대한 정책
- ⓒ 4대강 사업 : 상징정책 → 국민 전체의 자긍심을 높이거나 국민적 통합을 위해 상징물을 지정하는 정책
- ⓔ 기업의 대기오염 방지시설 의무화 : 규제정책 → 특정 대상의 자유를 제한하는 정책

정답 ②

정답 및 해설

Lowi는 정책을 분배정책, 구성정책, 규제정책, 재분배정책으로 구분했음
※ 로위는 1964년에 정책유형을 배분정책, 규제정책, 재분배정책으로 구분함; 이후 1972년 논문에서 강제력의 행사방법(직접 또는 간접)과 적용대상(개별적 행위 또는 행위의 환경)이라는 두 가지 분류기준을 제시하면서 정부기관의 신설 및 변경 등을 나타내는 구성정책을 추가함

정답 ①

09 회독 □□□ 2015. 사복 9

분배정책과 재분배 정책에 대한 설명으로 옳은 것만을 모두 고른 것은?

ㄱ. 분배정책에서는 로그롤링(log rolling)이나 포크배럴(pork barrel)과 같은 정치적 현상이 나타나기도 한다.

ㄴ. 분배정책은 사회계급적인 접근을 기반으로 이루어지기 때문에 규제정책보다 갈등이 더 가시적이다.

ㄷ. 재분배 정책에는 누진소득세, 임대주택 건설사업 등이 포함된다.

ㄹ. 재분배 정책에서는 자원배분에 있어서 이해당사자들 간의 연합이 분배정책에 비하여 안정적으로 이루어진다.

---

① ㄱ, ㄴ
② ㄱ, ㄷ
③ ㄴ, ㄷ
④ ㄷ, ㄹ

10 회독 □□□ 2013. 지방 7

재분배 정책에 대한 설명으로 옳지 않은 것은?

① 표준운영절차나 상례적 절차를 확립하여 원활하게 집행할 가능성이 상대적으로 낮다.

② 부나 권리의 편중을 해소하기 위하여 정부가 가진 자와 못 가진 자의 분포를 인위적으로 변화시키려고 하는 정책이다.

③ 누진세·사회보장·사회간접자본 정책 등이 그 예이다.

④ 정책참여자들 간 이해 대립으로 갈등이 발생할 가능성이 높다.

정답 및 해설

ㄱ. (○) 분배정책에서는 로그롤링(log rolling)이나 포크배럴(pork barrel)처럼 편익을 가지려고 노력하는 현상이 나타남

ㄷ. (○) 재분배 정책에는 최저생계비, 연방은행의 신용통제, 실업급여, 영세민 취로사업, 누진소득세, 임대주택 건설사업 등이 포함됨

ㄴ. (×) 재분배 정책은 부자와 빈자 간의 접근을 기반으로 이루어지므로 계급대립적인 성격(부자 vs 빈자)을 지님 → 이는 규제정책보다 갈등이 더 가시적임을 의미함
※ 분배정책은 비용부담자(집단행동의 딜레마 발생)와 수혜자 간 갈등이 없으므로 안정적인 집행이 이루어짐

ㄹ. (×) 분배정책에서는 자원배분에 있어서 이해당사자들 간의 연합이 안정적으로 이루어짐(예 철의 삼각)
※ 재분배 정책은 이해당사자(부자와 빈자) 간의 갈등이 큼

정답 ②

정답 및 해설

사회간접자본 정책은 분배정책에 해당함 → 재분배 정책은 부의 이전과 관련된 정책으로서 계급대립적인 성격이 강하기 때문에 집행과정에서 갈등이 발생할 공산이 큼

① 재분배 정책은 집행과정에서 갈등이 발생하는바 표준운영절차나 상례적 절차를 확립하여 원활하게 집행할 가능성이 상대적으로 낮음

정답 ③

11 회독 ☐☐☐   2013. 국가 7

정책유형 중 국민에게 권리나 혜택 또는 서비스를 나누어 주는 배분정책에 속하는 것은?

① 고속도로, 항만, 공항 등 사회간접자본을 구축하는 정책
② 그린벨트 내 공장 건설을 금지하는 정책
③ 계층 간의 소득을 재분배하여 소득 격차를 해소하는 정책
④ 정부체제를 유지하기 위하여 인적, 물적자원을 동원하는 정책

12 회독 ☐☐☐   2014. 국가 7

정책유형과 사례를 바르게 연결한 것만을 모두 고른 것은?

> ㄱ. 추출정책 : 부실기업 구조조정
> ㄴ. 상징정책 : 노령연금제도
> ㄷ. 규제정책 : 최저임금제도
> ㄹ. 구성정책 : 정부조직 개편
> ㅁ. 분배정책 : 신공항 건설
> ㅂ. 재분배정책 : 지방자치단체에 지원되는 국고보조금

① ㄱ, ㄴ, ㅁ　　　　　　　② ㄱ, ㄹ, ㅂ
③ ㄴ, ㄷ, ㅂ　　　　　　　④ ㄷ, ㄹ, ㅁ

정답 및 해설

배분정책은 특정 지역 혹은 집단에게 편익을 제공하는 정책으로서 SOC 건설, 국고보조금 등이 있음
② 규제정책의 내용임
③ 재분배 정책의 내용임
④ 추출정책의 내용임

정답 ①

정답 및 해설

ㄷ. (○) 규제정책 : 최저임금제도, 부실기업 구조조정 등
ㄹ. (○) 구성정책 : 정부조직 개편, 선거구 조정 등
ㅁ. (○) 분배정책 : 신공항 건설, 국고보조금 등

ㄱ. (✕) 추출정책 : 징세, 징집 등
ㄴ. (✕) 상징정책 : 남대문 복원사업, 서울올림픽 경기 개최 등
ㅂ. (✕) 재분배 정책 : 노령연금제도, 누진세, 임대주택 건설 등

정답 ④

Section 02 정책 참여자와 참여자 간 관계

01 회독 ☐☐☐
2014. 사복 9

정부가 국민에게 영향을 미치는 정책산출은 정책결정의 과정을 통해서 이루어진다. 이러한 정책결정 과정에서 정책의제에 영향을 미치는 공식적 참여자에 해당되지 않는 것은?

① 지방자치단체장
② 대통령 비서실장
③ 정당 사무국장
④ 국회의원

정답 및 해설

정당은 비공식적 참여자에 해당함

■ 정책 참여자

공식적 참여자		비공식적 참여자
중앙정부	지방정부	
입법부(의회), 대통령, 행정부처, 사법부, 헌법재판소, 부처 장관, 사법부, 대통령 비서실장 등	지방자치단체장, 지방의회, 지방 공무원 등	정당, 이익집단, 시민단체(NGO 등), 시민, 전문가집단, 언론, 정당 사무국장 ① 정당은 권력을 추구하는 집단이며, 국회의원이 특정 정당에서 배출되지 않아도 정당은 존재할 수 있기 때문에 시험에서 비공식적 참여자로 간주함 ② 정책전문가는 체제분석과 같은 비용편익분석 등을 통해 정책 대안을 제시할 수 있음

정답 ③

02 회독 ☐☐☐
2017. 지방 7

정책과정 참여자에 대한 설명으로 옳지 않은 것은?

① 의회는 중요한 정부 정책을 결정하는 공식적 참여자이다.
② 헌법재판소는 위헌심사를 통해 정책과정 전반에 영향을 미친다.
③ 정책전문가는 정책을 분석·평가하여 정책 대안을 제시한다.
④ 정당은 공식적 참여자로서 정책을 통제하기 위해 노력한다.

정답 및 해설

정당은 비공식적 참여자임

■ 정책 참여자

공식적 참여자		비공식적 참여자
중앙정부	지방정부	
입법부(의회), 대통령, 행정부처, 사법부, 헌법재판소, 부처장관, 사법부, 대통령 비서실장 등	지방자치단체장, 지방의회, 지방공무원 등	정당, 이익집단, 시민단체(NGO 등), 시민, 전문가집단, 언론, 정당 사무국장 ① 정당은 권력을 추구하는 집단이며, 국회의원이 특정 정당에서 배출되지 않아도 정당은 존재할 수 있기 때문에 시험에서 비공식적 참여자로 간주함 ② 정책전문가는 체제분석과 같은 비용편익분석 등을 통해 정책 대안을 제시할 수 있음

② 헌법재판소는 위헌심사(법률이 「헌법」에 위반되는지 여부를 심사하여 위헌이라고 판단하는 경우 해당 법률의 효력을 부정하거나 적용을 거부하는 제도)를 통해 정책과정 전반에 영향을 미침
③ 정책전문가는 체제분석과 같은 비용편익분석 등을 통해 정책 대안을 제시할 수 있음

정답 ④

03 회독 ☐☐☐   2017. 지방 9

정책네트워크에 대한 설명으로 옳은 것은?

① 정책공동체의 참여자는 하위정부(subgovernment)에 비해 제한적이다.

② 정책공동체는 일시적이고 느슨한 형태의 집합체다.

③ 이슈네트워크에서는 비교적 소수의 엘리트들이 협력하여 특정한 영역의 정책 결정을 지배한다.

④ 하위정부의 주된 참여자는 정부관료, 선출직 의원, 이익집단이다.

04 회독 ☐☐☐   2017. 국가 9

하위정부모형(subgovernment model)에서 정책영역별로 정책의 결정과 집행에 영향을 미치는 3자 연합에 해당하지 않는 것은?

① 의회의 위원회   ② 관련 이익집단

③ 소관 부처(관료조직)   ④ 시민사회단체

정답 및 해설

하위정부의 주된 참여자는 정부관료, 선출직 의원, 이익집단임

■ **정책네트워크와 정책 참여자**

구분	철의 삼각 (하위정부 모형)	정책공동체	이슈네트워크
참여자	• 관료조직＋이익집단＋의회상임위원회 • 가장 제한적인 참여	• 철의 삼각 참여자＋전문가 • 비교적 제한적인 참여	광범위한 다수의 이해관계자 참여

① 정책공동체의 참여자는 하위정부에 비해 넓음

② 정책공동체는 안정적이고 협력적인 네트워크임 → 이슈네트워크는 일시적이고 느슨한 형태의 집합체임

③ 이슈네트워크는 광범위한 이해관계자가 참여하는 네트워크임

정답 ④

정답 및 해설

시민단체는 비영리를 추구하는 조직으로서 하위정부모형에서 상정하는 참여자(의회상임위, 이익집단, 관료)에 해당하지 않음

■ **정책네트워크와 정책 참여자**

구분	철의 삼각 (하위정부 모형)	정책공동체	이슈네트워크
참여자	• 관료조직＋이익집단＋의회상임위원회 • 가장 제한적인 참여	• 철의 삼각 참여자＋전문가 • 비교적 제한적인 참여	광범위한 다수의 이해관계자 참여

정답 ④

05 회독 ☐☐☐ 2007. 울산 9

정부가 다수집단의 이익을 조정하고 갈등을 해결하는 데 중립적 조정자, 심판자로서 역할을 하는 것을 설명하는 모형과 관련된 것은?

① 엘리트주의   ② 조합주의
③ 다원주의   ④ 신제도주의
⑤ 체제론

06 회독 ☐☐☐ 2010. 서울 9 수정

다음 중 시민이 바라는 정책은 직선에 의한 시장선출이나 지방의회 구성에서 출발된다는 주장을 뒷받침할 수 있는 이론은?

① 다원주의   ② 엘리트론
③ 신엘리트론   ④ 조합주의

정답 및 해설

다원주의 하에서 정부는 대중의 의견을 수렴하는 중립적 조정자의 역할을 수행함

① 엘리트주의: 사회 내 소수가 국가의 정책과정을 주도하는 현상을 설명한 이론
② 조합주의: 사회적 공동선을 달성하기 위해 정부의 적극적인 역할을 인정하고 이익집단과의 상호협력을 중시하는 이론
④ 신제도주의: 제도를 중심개념으로 정책현상 등 다른 변수와 관계분석을 시도한 이론 → 중범위 수준의 과학성 추구
⑤ 체제론: 체제의 안정과 균형을 설명한 이론

정답 ③

정답 및 해설

문제는 정책과정에 국민의 견해가 반영되어야 한다는 점을 언급하고 있는바 다원주의에 대한 내용임

② 엘리트론: 사회 내 소수가 국가의 정책과정을 주도하는 현상을 설명한 이론
③ 신엘리트론: 엘리트의 가치나 이익에 대한 잠재적인 도전을 억압하거나 방해하는 결정을 설명한 이론 → 무의사결정론(바흐라흐 & 바라츠)
④ 조합주의: 사회적 공동선을 달성하기 위해 정부의 적극적인 역할을 인정하고 이익집단과의 상호협력을 중시하는 이론

정답 ①

07 회독 ☐☐☐

2011. 지방 7 수정

정책참여자 간의 권력모형에 대한 설명으로 옳은 것은 모두 몇 개인가?

> ㄱ. 신엘리트론자인 바흐라흐(Bachrach)와 바라츠(Baratz)는 정책문제 정의와 의제설정과정에 관한 엘리트론의 관점을 무의사결정론으로 설명하고자 하였다.
> ㄴ. 고전적 다원주의와 신다원주의는 집단 간 경쟁의 중요성을 인정하는 점에서 같은 입장을 취하고 있다.
> ㄷ. 다원주의는 정책결정에 있어서 정부의 이해관계와 영향력을 간과하고 있다고 비판을 받는다.
> ㄹ. 하위정부모형은 공식적·비공식적 참여자들 간의 상호작용과 영향력 관계를 동태적으로 묘사하고 있다.

① 1개
② 2개
③ 3개
④ 4개

08 회독 ☐☐☐

2009. 국가 9

Bachrach & Baratz가 주장한 무의사결정의 유형에 해당하지 않는 것은?

① 공익 및 엘리트의 가치나 이익에 대한 잠재적·현재적인 도전을 억제한다.
② 정치과정에 진입하려는 요구를 제한하여 정책 문제화되는 것을 억제한다.
③ 기존의 규칙이나 제도적 과정을 이용한다.
④ 넓은 의미의 무의사결정은 정책의 전 과정에서 일어난다.

정답 및 해설

ㄱ. (○) 신엘리트론자인 바흐라흐(Bachrach)와 바라츠(Baratz)는 엘리트가 모든 정책과정에서 무의사결정(엘리트의 가치나 이익에 대한 잠재적인 도전을 억압하는 현상)을 수행할 수 있다고 보았음 → 따라서 바흐라흐와 바라츠는 의제설정과정에서 발생하는 엘리트의 영향력을 무의사결정으로 설명하였음

ㄴ. (○) 고전적 다원주의와 신다원주의는 모두 다원론에 해당하므로 집단 간 경쟁의 중요성을 인정하고 있음

ㄷ. (○) 다원주의에 대한 조합주의의 비판내용임

ㄹ. (○) 하위정부모형은 의회 상임위원회, 관료, 이익집단 등 공식적·비공식적 참여자들 간의 상호작용과 영향력 관계를 동태적으로 묘사하고 있음

정답 ④

정답 및 해설

무의사결정은 엘리트의 가치나 이익에 대한 도전을 억제함 → 선지에서 공익이라는 표현이 빠져야 함

② 바흐라흐와 바라츠에 따르면 엘리트는 정치과정에 진입하려는 비기득권의 요구를 제한하여 정책 문제화되는 것을 억제함 → 단, 엘리트의 가치나 이익에 침해되는 도전을 억제하는 것임

③ 엘리트는 기존의 규칙이나 제도적 과정을 이용하여 무의사결정을 수행함

④ 바흐라흐와 바라츠는 권력의 두 얼굴을 제시했으나 넓은 의미의 무의사결정은 정책의 전 과정에서 발생할 수 있음

■ 권력의 두 얼굴 : 엘리트는 정책결정과정(밝은 얼굴) 및 의제설정과정(어두운 얼굴)에서 무의사결정을 수행함

정답 ①

09 회독 □□□   2018. 경정승진

바흐라흐(Bachrach)와 바라츠(Baratz)의 무의사결정이론에 대한 설명으로 가장 적절하지 않은 것은?

① '권력의 두 얼굴'을 통하여 잠재집단의 개념으로 설명한 이론이다.

② 달(Dahl)의 다원론을 비판하면서 제시한 이론으로 신엘리트이론에 해당한다.

③ 무의사결정의 수단으로 폭력, 권력, 편견의 동원, 편견의 수정이 사용되며, 편견의 수정은 정치체계의 규범, 절차 자체를 수정·보완하여 정책의 요구를 봉쇄하는 방법으로 가장 간접적이며 우회적인 방법이다.

④ 정책대안이 마련되었다 하더라도 정책집행의 과정에서 정책대안이 집행되지 못하도록 한다.

정답 및 해설

잠재적 이익집단의 개념으로 정책결정을 설명한 학자는 Bentley & Truman임(고전적 다원론)

② 바흐라흐와 바라츠는 Dahl의 모형이 권력의 밝은 얼굴은 보았으나(정책결정에서의 영향력 인정) 어두운 얼굴을 보지 못했다고 비판하면서 신엘리트론을 제시함
　▣ 권력의 두 얼굴 : 의제설정(어두운 얼굴)과 정책결정(밝은 얼굴)의 단계에서 존재하는 권력
③ 엘리트는 무의사결정을 수행하기 위해 다양한 방법을 활용함 → 이 중에서 폭력은 가장 직접적인 방법이며, 편견의 수정·강화는 가장 간접적이며 우회적 수단임
④ 특정 정책이 엘리트의 이해관계를 침해한다면 대안이 마련되었어도 엘리트는 이를 봉쇄할 수 있음

정답 ①

10 회독 □□□   2018. 국가 7

신엘리트이론에 대한 설명으로 옳지 않은 것은?

① 엘리트들에게 안전한 이슈만을 논의하고 불리한 문제는 거론조차 못하게 봉쇄하는 무의사결정론과 밀접하게 연결되어 있다.

② 모스카(Mosca)나 미헬스(Michels) 등에 의해 대표되는 고전적 엘리트이론과 달리 밀즈(Mills)의 지위접근법이나 헌터(Hunter)의 명성적 접근방법을 도입하였다.

③ 정책결정에 영향을 미치는 정치권력은 두 가지 얼굴이 있다고 주장하며, 이 가운데 하나의 측면만을 고려하는 다원주의를 비판하였다.

④ 엘리트는 정책문제의 정의와 의제설정 과정에서 은밀한 영향력을 행사하기 때문에 실증적 분석방법론의 활용이 어렵다고 주장하였다.

정답 및 해설

바흐라흐와 바라츠는 엘리트가 의제설정과정부터 은밀한 영향력을 행사하기 때문에 계량적 연구방법론(밀즈의 지위접근법이나 헌터의 명성적 접근방법 등)을 활용하기 어렵다고 주장하였음

① 무의사결정에 대한 내용임
③ 바흐라흐와 바라츠는 정책결정에 영향을 미치는 권력의 두 얼굴이 있다고 주장하며, 이 가운데 밝은 얼굴(정책결정과정)의 측면만을 고려하는 다원주의(다알의 다원주의)를 비판하였음
④ 바흐라흐와 바라츠에 따르면 엘리트는 정책문제의 정의와 의제설정 과정(어두운 얼굴)에서 은밀한 영향력을 행사하기 때문에 실증적 분석방법론(계량적 연구방법)의 활용이 어렵다고 주장하였음

정답 ②

11 회독 ☐☐☐   2014. 국가 7

바흐라흐와 바라츠(P. Bachrach & M. S. Baratz)의 무의사결정(non-decision making)을 추진하는 수단이나 방법으로 옳지 않은 것은?

① 폭력이나 테러 행위는 사용되지 않는다.
② 정치체제의 규범, 규칙, 절차 자체를 수정·보완하여 정책요구를 봉쇄한다.
③ 변화의 주창자에 대해서 현재 부여되고 있는 혜택을 박탈하거나 새로운 이익으로 매수한다.
④ 정치체제 내의 지배적 규범이나 절차를 강조하여 변화를 주장하는 요구가 제시되지 못하도록 한다.

정답 및 해설

바흐라흐와 바라츠에 따르면 폭력은 무의사결정을 수행하는 가장 직접적이고 극단적인 수단임 → 엘리트는 기존 질서의 변화를 요구하는 주장이 정치적 쟁점이 되지 못하도록 구타나 암살과 같은 물리적 힘을 사용할 수 있다는 것

②③④
■ 무의사결정의 수단

종류	내용
폭력	① 무의사결정의 가장 직접적이고 극단적인 수단 ② 기존 질서의 변화를 요구하는 주장이 정치적 쟁점이 되지 못하도록 구타나 암살과 같은 물리적인 힘을 사용

권력행사	① 폭력보다 온건한 방법으로서 기득권에 도전하려는 의제를 합법적인 제재를 가하거나 가하겠다고 위협하여 사전에 봉쇄하는 것을 의미함
	② 종류
	  ⊙ 소극적 권력행사 : 변화의 주창자에 대해서 현재 부여되고 있는 혜택을 박탈하는 방법
	  ⓒ 적극적 권력행사 : 새로운 이익으로 매수(적응적 흡수)하는 방법

편견의 동원	정치체제 내의 지배적 규범이나 절차를 강조하여 변화를 주장하는 요구가 제시되지 못하도록 하는 것
편견의 수정·강화	정치체제의 규범, 질서 자체를 수정·보완하여 정책의 요구를 봉쇄하는 방법 → 가장 간접적인 방법

정답 ①

12 회독 ☐☐☐   2012. 국가 9

정책과정에 대한 설명으로 옳지 않은 것은?

① 콥(R.W. Cobb)은 주도 집단에 따라 정책의제 설정 유형을 외부주도형, 동원형, 내부접근형으로 분류하였다.
② 바크라흐(P. Bachrach)와 바라츠(M. Baratz)는 신다원론(neo-pluralism) 관점에서 정치권력의 두 개의 얼굴 중 하나인 무의사결정을 주장하였다.
③ 킹턴(J. Kingdon)은 어떤 중요한 시점에서 문제, 정책, 정치 등 세 가지 흐름(streams)의 결합에 의하여 정책의제가 설정된다고 주장하였다.
④ 달(R. Dahl)은 다원론(pluralism) 관점에서 미국은 민주주의 국가이기 때문에 특정한 어느 개인이나 집단도 주도권을 행사하기 어렵다고 주장하였다.

정답 및 해설

바크라흐(P. Bachrach)와 바라츠(M. Baratz)는 신엘리트론의 관점에서 정치 권력의 두 개의 얼굴 중 하나인 무의사결정을 주장하였음

① 콥(R.W. Cobb)과 로스 등은 주도 집단에 따라 정책의제 설정 유형을 외부주도형(국민주도), 동원형(최고결정자 주도), 내부접근형(고위 관료 혹은 외부 집단 주도)으로 분류하였음
③ 킹턴(J. Kingdon)은 우연한 사건에 의해 문제, 정책, 정치 등 세 가지 흐름(streams)이 결합되어 정책의제가 설정된다고 주장하였음
④ 달(R. Dahl)은 50년대 다원론을 주장한 학자로서 미국은 민주주의 국가이기 때문에 특정한 어느 개인이나 집단도 주도권을 행사하기 어렵다고 주장하였음

정답 ②

13 회독 ◻◻◻

조합주의(corporatism)에 대한 설명으로 옳지 않은 것은?

① 정부 활동은 다양한 이익집단 간 이익의 소극적 중재자 역할에 한정된다.

② 이익집단은 단일적·위계적인 이익대표 체계를 형성한다.

③ 정부는 사회적 공동선을 달성하기 위해 중요 이익집단 과 우호적 협력관계를 유지한다.

④ 이익집단은 상호 경쟁보다는 국가에 협조함으로써 특 정 영역에서 자신의 요구를 정책과정에 투입한다.

14 회독 ◻◻◻

정책네트워크에 대한 설명으로 옳지 않은 것은?

① 정책네트워크의 참여자는 정부뿐만 아니라 민간부문까 지 포함한다.

② 정책공동체(policy community)에 비해서 이슈네트워크 (issue network)는 제한된 행위자들이 정책과정에 참여 하며 경계의 개방성이 낮은 특성이 있다.

③ 헤클로(Heclo)는 하위정부모형을 비판적으로 검토하면 서 정책 이슈를 중심으로 유동적이며 개방적인 참여자 들 간의 상호작용 현상을 묘사하기 위한 대안적 모형을 제안하였다.

④ 하위정부(sub-government)는 '선출직 의원, 정부관료, 그리고 이익집단'의 역할에 초점을 맞춘다.

[정답 및 해설]

조합주의에서 정부는 집단 간 이익의 중재에 머물지 않고 국가 이익이나 사회의 공동선을 달성하기 위한 주도적인 역할을 담당 하는 것으로 전제함 → 이에 따라 조합주의를 국가주의라고 부 르기도 함

② 사회 내 이익집단은 각 분야에서 형성되며(단일적), 영향력 에 있어서 차이가 있음(위계적)

③ 사회조합주의에서 정부는 사회적 공동선을 달성하기 위해 중요 이익집단과 우호적·수평적 협력관계를 유지함

④ 각 분야의 이익집단은 상호 경쟁보다는 국가에 협조함으로 써 특정 영역에서 자신의 요구를 정책과정에 투입함

정답 ①

[정답 및 해설]

이슈네트워크에 비해서 정책공동체는 제한된 행위자들이 정책 과정에 참여하며 경계의 개방성이 낮은 특성이 있음

① 정책네트워크의 참여자는 정부(공식적 참여자)뿐만 아니라 민간부문(비공식적 참여자)까지 포함하고 있음

③ 헤클로(Heclo)는 하위정부모형이 다양한 참여자의 개입을 설명하지 못하는 것을 비판하면서 정책 이슈를 중심으로 유 동적이며 개방적인 참여자들 간의 상호작용 현상을 묘사하기 위한 이슈네트워크 모형을 제안하였음

④ 하위정부(sub-government)는 '선출직 의원, 정부관료, 그 리고 이익집단'의 상호작용에 따라 배분정책이 결정되는 현 상을 설명하고 있음

정답 ②

15 회독 ○○○

정책네트워크모형에 대한 설명으로 옳지 않은 것은?

① 로즈와 마쉬(Rhodes & Marsh)에 따르면, 이슈네트워크는 비교적 폐쇄적이고 안정적인 반면 정책공동체는 개방적이고 유동적이다.

② 헤클로(Heclo)는 하위정부모형에 대한 비판적 입장에서 이슈네트워크모형을 제안했다.

③ 많은 학자들은 1960년대에 등장한 하위정부모형이나 1970년대에 등장한 이슈네트워크모형이 정책네트워크모형의 기원이라고 본다.

④ 정책공동체의 경우, 모든 참여자가 자원을 가지며 참여자 사이의 근본적인 관계는 교환관계이다.

(정답 및 해설)

로즈와 마쉬(Rhodes & Marsh)에 따르면, 정책공동체는 비교적 폐쇄적이고 안정적인 반면 이슈네트워크는 개방적이고 유동적인 정책네트워크임

■ 정책공동체의 등장배경 : 로즈 등은 영국에서 정당과 의회를 중심으로 정책과정을 파악했던 한계를 발견하고, 이에 대한 설명력을 제고하기 위해 정책공동체를 제시함

② 헤클로(Heclo)는 철의 삼각(하위정부모형)에 대한 비판적 입장에서 70년대에 이슈네트워크모형을 제안했음

③ 많은 학자들은 미국에서 등장한 정책네트워크, 즉 1960년대에 등장한 하위정부모형이나 1970년대에 등장한 이슈네트워크모형이 정책네트워크모형의 기원이라고 봄

④ 정책공동체에서 모든 정책참여자는 상호작용을 위한 자원을 가지며 이들 간의 근본적인 관계는 교환관계임 → 예를 들어, 전문가는 지식을 보유하고 있고, 이익집단은 선거권을 보유하고 있음

(정답) ①

16 회독 ○○○

지역사회의 권력구조를 설명하는 성장기구론에 대한 설명으로 옳은 것만을 모두 고른 것은?

ㄱ. 자기 소유의 주택가격 상승을 원하는 주민들이 많을수록 성장연합이 더 강한 힘을 발휘하는 경향이 있다.

ㄴ. 토지문제와 개발문제 그리고 이와 연계된 도시의 공간확장 문제 등과 관련이 있다.

ㄷ. 반성장연합은 일부 지역주민과 환경운동 집단 등으로 이루어진다.

ㄹ. 성장연합은 반성장연합에 비해서 토지 또는 부동산의 교환가치보다는 사용가치를 중시한다.

① ㄱ, ㄴ, ㄷ ② ㄱ, ㄴ, ㄹ

③ ㄱ, ㄷ, ㄹ ④ ㄴ, ㄷ, ㄹ

(정답 및 해설)

ㄱ. (○) 성장연합은 토지자산가와 개발업자 등으로 구성되어 있는데, 이들은 상호협력을 통해 도시재개발 등을 주도함 → 이때, 개발지역에 자기 소유의 주택가격 상승을 원하는 주민들이 많을수록 성장연합은 더 강한 힘을 발휘할 수 있음

ㄴ. (○) 성장기구론은 도시재개발 문제 등과 관련있는 이론임

ㄷ. (○) 반성장연합은 성장연합에 저항하는 세력으로서 일부 지역주민과 환경운동 집단 등으로 이루어짐

ㄹ. (×) 성장연합은 토지의 교환가치(금전적 가치)를 중시하고, 반성장연합은 토지의 사용가치(본질적인 가치: 일상적 사용으로부터 오는 편익)를 중시함

(정답) ①

CHAPTER 02 정책의제설정

Section 01 정책의제설정과 오류의 유형

01 회독 ☐☐☐ 2015. 지방 7

정책의제설정 과정에서 일반대중의 관심과 주의를 받고 있으며, 정부가 개입하여 문제를 해결하여야 한다고 인정되지만, 정부가 문제해결을 고려하기로 공식적으로 밝히지 않은 것은?

① 사회문제(social problem)
② 사회적 쟁점(social issue)
③ 공중의제(public agenda) 또는 체제의제(systemic agenda)
④ 정부의제(governmental agenda) 또는 제도의제(institutional agenda)

02 회독 ☐☐☐ 2013. 국가 9

정책메카니즘에 대한 설명으로 옳지 않은 것은?

① 정책은 편파적으로 이익과 손해를 나누어주는 성격도 갖고 있다.
② 모든 사회문제는 정책의제화된다.
③ 정책목표와 정책수단 사이에는 인과관계가 있어야 한다.
④ 정책 대안선택의 기준들 사이에는 갈등이 있을 수 있다.

정답 및 해설

문제의 내용은 공중의제를 의미함 → 공중의제는 정부가 개입하여 문제를 해결할 정당성을 인정받은 문제임

① 사회문제(social problem): 다수와 관련된 문제
② 사회적 쟁점(social issue): 논쟁의 대상이 되는 문제
③ 공중의제(public agenda) 또는 체제의제(systemic agenda)
 : 정부가 개입할 정당성을 인정받은 문제
④ 정부의제(governmental agenda) 또는 제도의제(institutional agenda): 정부가 문제해결을 고려하기로 공식적으로 밝힌 문제

정답 ③

정답 및 해설

시간과 비용의 문제로 인해 모든 사회문제를 정부가 공식적으로 검토할 수는 없음

① 환경오염규제의 사례처럼 정책은 편파적으로 이익과 손해를 나누어주는 성격도 갖고 있음
③ 코로나 확산을 방지하기 위해 사회적 거리두기를 선택하는 것처럼 정책목표와 정책수단 사이에는 나름의 인과관계가 있어야 함
④ 능률성과 민주성 등 정책 대안선택의 기준 사이에는 갈등이 있을 수 있음

정답 ②

Section 02 의제설정과정모형

01

다음 중 정책의제설정에 대한 설명으로 옳은 것은?

① 외부주도형 의제설정에서는 정부 내부의 정책결정자가 주도적으로 정부의제를 먼저 설정하고 정책순응 확보를 위해 공중의제화 과정을 거친다.

② 내부접근형은 정부의제가 공중의제가 되지 않고 곧바로 정책의제로 채택된다.

③ 동원형 의제설정에서는 정부 외부의 다양한 행위자들에 의해 특정 사회문제의 정책의제화가 주도된다.

④ 정책 이해관계자의 조직화 정도가 낮은 경우가 이해관계자의 조직화 정도가 높은 경우에 비해 정책의제화가 용이하다.

⑤ 정부기관의 입장에서 정책문제의 해결이 상대적으로 쉬울 것으로 인지될 경우 정책의제화가 어렵다.

02

킹던(Kingdon)의 '정책의 창(정책흐름)' 모형에 대한 설명으로 옳지 않은 것은?

① 정책과정 중 정책의제 설정 단계에 초점을 맞춘 모형이다.

② 정치의 흐름은 국가적 분위기 전환, 선거에 따른 행정부나 의회의 인적 교체, 이익집단들의 로비활동과 압력 행사 등과 같은 요소들로 구성된다.

③ 문제의 흐름, 정책의 흐름, 정치의 흐름의 세 가지 흐름은 상호의존적 경로를 따라 진행된다.

④ 정책의 흐름은 문제를 검토하여 해결 방안들을 제안하는 전문가들과 분석가들로 구성되며, 여기서 여러 가능성들이 탐색되고 그 범위가 좁혀진다.

정답 및 해설

내부접근형은 사회문제가 곧바로 정책의제로 채택되는 유형으로서 국민을 무시하는 정부에서 나타나는 경향이 있음

① 동원형에서는 정부 내부의 정책결정자가 주도적으로 정부의제를 먼저 설정하고 정책순응 확보를 위해 공중의제화 과정을 거침

③ 동원형에서는 주로 최고 관료에 의해 특정 사회문제의 정책의제화가 주도됨

④ 일반적으로 정책 이해관계자의 조직화 정도가 높은 경우가 이해관계자의 조직화 정도가 낮은 경우에 비해 정책의제화가 용이

⑤ 정부기관의 입장에서 정책문제의 해결이 상대적으로 쉬울 것으로 인지될 경우 정책의제화가 용이함

정답 ②

정답 및 해설

문제·정책·정치, 세 가지 흐름은 상호 독립적으로 떠돌다가 우연한 사건에 의해 결합됨 → 이로 인해 정책창이 개방될 수 있음

① 킹던의 정책창 모형은 의제설정기회(정책창)가 열리는 현상을 설명한 모델임

②④

■ **세 줄기에 대한 설명**

문제줄기	사회 내 다양한 주요 문제
정책줄기	정책분석가 등이 제시한 정책대안
정치줄기	국가적 분위기 전환, 선거에 따른 행정부나 의회의 인적 교체, 이익집단들의 로비활동과 압력행사 등

정답 ③

03 회독 ☐☐☐

2018. 국가 9

킹던(J.Kingdon)의 '정책의 창(policy windows) 이론'에 대한 설명으로 옳지 않은 것은?

① 마치(J.G.March)와 올슨(J.P.Olsen)이 제시한 쓰레기통 모형을 발전시킨 것이다.

② 문제흐름(problem stream), 이슈흐름(issue stream), 정치흐름(political stream)이 만날 때 '정책의 창'이 열린다고 본다.

③ '정책의 창'은 국회의 예산주기, 정기회기 개회 등의 규칙적인 경우뿐 아니라, 때로는 우연한 사건에 의해 열리기도 한다.

④ 문제에 대한 대안이 존재하지 않을 경우 '정책의 창'이 닫힐 수 있다.

04 회독 ☐☐☐

2010. 국가 7

정책의제의 설정에 대한 설명으로 옳지 않은 것은?

① 체제의제(systematic agenda)란 개인이나 민간 차원에서 쉽사리 해결될 수 없어서 정부가 이를 해결해야 한다고 많은 사람들이 생각하는 정책적 해결의 필요성이 있는 의제를 의미한다.

② 동원형은 정부의 힘이 강하고 민간부문의 힘이 취약한 후진국에서 많이 나타나며, 의도적이고 일방적으로 국민을 무시하는 정부에서 나타날 수 있는 유형이다.

③ 외부주도형은 정책담당자가 아닌 외부 사람들의 주도에 의해 정책문제의 정부 귀속화가 이루어지는 유형이다.

④ 내부접근형은 정책담당자들에 의해 자발적으로 정책의 제화가 진행되는 유형이다.

정답 및 해설

킹던의 정책창 모형은 문제흐름, 정책흐름, 정치흐름이 '우연히' 만날 때 '정책의 창'이 열린다고 봄

① 킹던의 정책창 모형은 마치(J. G. March)와 올슨(J. P. Olsen)이 제시한 쓰레기통 모형을 발전시킨 것(조직화된 무정부 상태에서의 합리성과 유사한 합리성 가정)으로서, 의제설정 과정에 대한 이해를 시도한 연구임

③ '정책의 창'은 국회의 예산주기, 정기회기 개회 등의 규칙적인 경우뿐 아니라, 우연한 사건에 의해 세 줄기가 결합되면서 열리기도 함

④ 문제에 대한 대안의 구체성이 부족할 경우 '정책의 창'이 닫힐 수 있음

정답 ②

정답 및 해설

동원형은 정부의 힘이 강하고 민간부문의 힘이 취약한 후진국에서 많이 나타남 → 단, 의도적이고 일방적으로 국민을 무시하는 정부에서 나타날 수 있는 유형은 내부접근형임

① 체제의제(systematic agenda)란 개인이나 민간 차원에서 쉽사리 해결될 수 없어서 정부가 이를 해결해야 한다고 많은 사람들이 생각하는 정책적 해결의 필요성이 있는 의제, 즉 정부가 나설 수 있는 정당성을 인정받은 문제를 의미함

③ 외부주도형은 일반적으로 국민의 주도에 의해 정책문제의 정부 귀속화가 이루어지는 유형임

④ 내부접근형은 정부 내부의 정책담당자들(주로 고위 관료)에 의해 자발적으로 정책의제화가 진행되는 유형임

정답 ②

05 회독 ○○○　　　　　　　　　2015. 국가 9

다음 중 어떠한 정책문제가 정책의제로 채택될 가능성이 가장 낮은 경우는?

① 정책문제의 해결 가능성이 높은 경우
② 이해관계자의 분포가 넓고 조직화 정도가 낮은 경우
③ 선례가 있어 관례화(routinized)된 경우
④ 정책의제화를 요구하는 집단의 규모가 큰 경우

정답 및 해설

이해관계자의 분포가 넓고 조직화 정도가 낮다는 건 이해관계 집단의 응집력이 떨어지기 때문에 집단행동의 딜레마가 나타날 수 있다는 것 → 이러한 경우는 정책문제가 정책의제로 발전하기 어려움

①③④
■ 의제설정에 영향을 미치는 요인

① 해당 사회문제의 선례가 있을 때, 혹은 일상화된 정책문제가 해결책을 찾기 용이하므로 새로운 정책문제보다 쉽게 의제화됨
② 상대적으로 단순한 문제가 의제화 가능성이 큼 → 문제의 단순성이나 구체성과 같은 사회문제의 외형적 특성은 의제설정에 영향을 미침
③ 극적인 사건이나 위기 등은 대중의 많은 관심을 받기 때문에 의제로 채택될 가능성이 큼; 혹은 극적인 사건이나 위기, 재난은 쟁점 사항이 될 가능성이 크므로 특정 사회문제를 정부 의제화시키는 점화장치(triggering device)로 작용할 수 있음
④ 정책문제에 대한 해결책이 있을 때 의제설정 가능성이 큼
⑤ 일반 대중의 큰 관심을 받거나(사회적 유의성이 높거나), 관련 집단에 의해 쟁점 사항으로 된 것일수록 의제화 가능성이 큼; 단, 의제설정 과정에서 국민의 동의를 거치지 않았다면 정책집행과정에서 저항이 나타날 수 있는 바 반대 상황이 발생할 수 있음
⑥ 문제를 인식하는 집단의 규모가 크면 의제화 가능성 ↑
⑦ 정책의 이해관계자가 넓게 분포하고 조직화 정도가 낮은 경우에는 정책의제화 가능성 ↓
⑧ 기타
　㉠ 정책문제에 대한 통계지표의 오류는 바람직한 의제설정을 어렵게 함
　㉡ 우리나라의 1960년대 경제제일주의는 경제성장에 집착한 나머지 그 외의 정책, 즉 노동정책, 복지정책 등을 정부의제로 공식 검토되지 않게 하였음
　㉢ 정치체제의 가용자원 한계는 정책의제에 대한 적극적 탐색을 어렵게 하기도 함
　㉣ 정책의제설정 과정에는 의제설정 주도집단, 정책체제(민주주의 혹은 독재 등), 환경(외부세력의 지지, 정책 타이밍 등) 등의 변수들이 중요하게 작용함

정답 ②

CHAPTER **03** 정책분석

Section **01** 정책목표의 설정 및 변동

01 회독 ☐☐☐
2010. 경정승진

미국의 소아마비 재단이 20년간의 활동 끝에 소아마비 예방백신의 개발 목표가 달성되자, 관절염과 불구아 출생의 예방 및 치료라는 새로운 목표를 채택하였다면 이와 관련된 개념은 무엇인가?

① 목표의 전환   ② 목표의 승계
③ 목표의 비중변동   ④ 목표의 다원화

> 정답 및 해설
>
> 위 사례는 소아마비 재단이 본래의 목표를 달성 후 새로운 목표를 설정하여 조직이 존속하는 경우를 설명한 예이므로 목표의 승계에 해당함
>
> ① 목표의 전환 혹은 대치는 조직목표가 다른 목표(사익추구) 혹은 수단으로 대체되는 현상임
> ② 목표의 승계는 본래 표방한 정책목표를 달성하였거나 표방한 목표를 달성할 수 없을 경우 새로운 목표를 재설정하는 것임
> ③ 목표의 비중변동은 목표의 우선순위가 변화하는 현상임 → 예컨대 IMF시기에 민주성보다 능률성을 우선적으로 추구하는 것
> ④ 목표의 다원화(추가)는 기존 목표에 새로운 목표를 추가하는 것임
>
> 정답 ②

02 회독 ☐☐☐
2017. 국가 7급

미헬스의 '과두제의 철칙'현상에 가장 부합하는 조직목표 변동 유형은?

① 목표대치   ② 목표확대
③ 목표추가   ④ 목표승계

> 정답 및 해설
>
> 과두제의 철칙은 조직의 일부 소수가 조직을 지배하는 경우로서 이를 통해 본래의 조직목표보다 엘리트의 사익추구를 야기할 수 있음: 과두제의 철칙(사익추구), 할거주의(사익추구), 법규만능주의(규칙에 대한 집착), 동조과잉(규칙에 대한 집착)은 목표의 대치 혹은 전환임
>
> ② 목표확대 : 목표의 범주를 확대하거나 목표의 수준을 높이는 것
> ③ 목표추가 : 기존의 목표에 새로운 목표를 추가하는 것
> ④ 목표승계 : 본래 표방한 정책목표를 달성하였거나 표방한 목표를 달성할 수 없을 경우 새로운 목표를 재설정하는 것
>
> 정답 ①

03 회독 ☐☐☐   2007. 경찰간부

목표의 변동에 대한 설명 중 옳지 않은 것은 몇 개인가?

> ㉠ 기존 목표에 새로운 목표를 추가하는 것은 목표의 승계이다.
> ㉡ 법규만능주의적 태도는 목표의 전환을 초래한다.
> ㉢ 대학교가 교육목표 외에 사회봉사목표를 추가하는 것은 목표의 확대이다.
> ㉣ 월드컵 축구대표팀이 16강 진출을 목표로 했으나, 실력이 향상되어 대표팀의 목표를 8강 진출로 바꾼 것은 목표의 확대이다.
> ㉤ 과두제의 철칙, 할거주의는 목표의 승계이다.
> ㉥ 목표달성이 낙관적일 때 목표의 수준을 보다 더 높이는 것은 목표의 추가이다.

① 2개   ② 3개
③ 4개   ④ 5개

Section 02   정책대안 비교 및 평가 방법

01 회독 ☐☐☐   2014. 지방 7

비용편익분석에 대한 설명으로 옳지 않은 것은?

① 바람직한 대안을 선택하는 것뿐 아니라, 단일 정책의 비용과 편익의 비교에도 이용된다.

② 적용되는 할인율이 낮을수록 미래 금액의 현재가치는 높아지게 된다.

③ 비용편익비(B/C ratio)가 1보다 큰 사업은 경제적으로 타당성이 있다고 볼 수 있다.

④ 내부수익률(IRR)은 순현재가치(NPV)를 1로 만드는 할인율을 의미한다.

정답 및 해설

㉠(×) 기존 목표에 새로운 목표를 추가하는 것은 목표의 다원화(추가)임

㉢(×) 대학교가 교육목표 외에 사회봉사목표를 추가하는 것은 목표의 다원화(추가)임

㉤(×) 과두제의 철칙, 할거주의, 법규만능주의, 동조과잉은 목표의 대치 혹은 전환임

㉥(×) 목표달성이 낙관적일 때 목표의 수준을 보다 더 높이는 것은 목표의 확대임

㉡(○) 법규만능주의적 태도는 수단에 집착하는 현상이므로 목표의 전환(대치)을 초래함

㉣(○) 월드컵 축구대표팀이 16강 진출을 목표로 했으나, 실력이 향상되어 대표팀의 목표를 8강 진출로 바꾼 것은 목표의 확대임

정답 ③

정답 및 해설

내부수익률은 순현재가치가 0이 되거나 비용편익비가 1이 되는 할인율을 의미함(최소한 손해는 보지 않는 예상수익률) → 일반적으로 내부수익률이 시중금리보다 클수록 경제적 타당성이 높음

① 비용편익분석은 정책의 비용과 편익을 화폐가치로 파악하기 때문에 바람직한 대안을 선택하는 것뿐 아니라, 단일 정책의 비용과 편익의 비교에도 이용됨

② 현재가치를 구하는 공식에 따르면 적용되는 할인율이 낮을수록 미래 금액의 현재가치는 높아

■ 현재가치를 구하는 공식 : 현재가치 $= \dfrac{\text{미래가치}}{(1+r)^n}$

③ 비용편익비가 1보다 큰 사업은 사업으로 인해 발생하는 편익이 비용보다 크다는 것을 뜻하는바 경제적으로 타당성이 있다고 볼 수 있음

정답 ④

02 회독 ☐☐☐ 　　　　　　　　　　2018. 국가 7

비용편익분석에 대한 내용으로 옳지 않은 것은?

① 재화에 대한 잠재가격(shadow price)의 측정과정에서 실제가치를 왜곡할 수 있다.

② 내부수익률(internal rate of return)은 순현재가치를 0으로 만드는 할인율을 말한다.

③ 칼도힉스기준(Kaldor-Hicks criterion)은 재분배적 편익의 문제를 중시한다.

④ 정책대안이 가져오는 모든 비용과 편익을 측정하려고 하며, 화폐적 비용이나 편익으로 쉽게 측정할 수 없는 무형적인 것도 포함된다.

03 회독 ☐☐☐ 　　　　　　　　　　2013. 지방 9

경제적 비용편익분석(benefit cost analysis)에 대한 설명으로 옳지 않은 것은?

① 비용과 편익을 가치의 공통단위인 화폐로 측정한다.

② 장기적인 안목에서 사업의 바람직한 정도를 평가할 수 있는 방법이다.

③ 편익비용비(B/C ratio)로 여러 분야의 프로그램들을 비교할 수 있다.

④ 형평성과 대응성을 정확하게 대변할 수 있는 수치를 제공한다.

정답 및 해설

칼도힉스기준(Kaldor-Hicks criterion)은 순현재가치를 의미하기 때문에 능률성을 중시함

① 비용편익분석은 홍수피해예방이익과 같은 잠재가격(shadow price)의 측정과정에서 실제 가치를 왜곡할 수 있음
② 내부수익률(internal rate of return)은 순현재가치를 0으로, 비용편익비를 1로 만드는 할인율임
④ 비용편익분석은 정책대안이 가져오는 모든 비용과 편익을 화폐가치로 측정하려고 함 → 이때, 화폐적 비용이나 편익으로 쉽게 측정할 수 없는 잠재적·무형적인 것도 포함됨

참고 비용편익분석은 직접적이고 유형적인 비용과 편익, 간접적이고 무형적인 비용과 편익을 모두 고려함

① 유흥업소 영업시간 단속으로 인한 직접적 비용과 간접적 비용
　㉠ 직접적 비용 : 공무원의 순찰을 통한 영업단속, 유흥업소의 수익감소 등
　㉡ 간접적 비용 : 택시기사 및 대리기사의 수익감소 등
② 유흥업소 영업시간 단속으로 인한 유형적 비용과 무형적 비용
　㉠ 유형적 비용 : 유흥업소의 수익감소 등
　㉡ 무형적 비용 : 공무원의 업무부담 증가, 주당들의 삶의 즐거움 감소 등

정답 ③

정답 및 해설

비용편익분석은 능률성을 대변할 수 있는 수치를 제공함

① 비용편익분석은 사업의 비용과 편익을 화폐가치로 측정·비교한 후 사업의 타당성을 가늠하는 방법임
② 비용편익분석은 사업의 경제적 수명을 고려하는바 장기적인 안목에서 사업의 바람직한 정도를 평가할 수 있는 방법임
③ 편익비용비(B/C ratio)가 1보다 크면 사업의 경제성이 있는 것이므로 편익비용비(B/C ratio)로 여러 분야의 프로그램들을 비교할 수 있음

정답 ④

04 회독 ☐☐☐ 2018. 경찰간부

비용편익분석(cost-benefit analysis)에 관한 다음 설명 중 가장 옳지 않은 것은?

① 공공투자사업에 따른 모든 비용과 편익을 현재가치로 산정한 화폐단위로 환산하여 비교·평가하는 기법으로 동종 사업뿐만 아니라 이종 사업 간에도 정책 우선순위를 비교할 수 있다.

② 적용되는 할인율이 낮을수록 미래 금액의 현재가치는 높아지게 되며, 비용편익비(B/C ratio)가 1보다 큰 사업은 경제적으로 타당성이 있다고 볼 수 있다.

③ 장기적인 안목에서 사업의 바람직한 정도를 평가할 수 있는 방법이며, 형평성과 대응성을 정확하게 대변할 수 있는 수치를 제공한다.

④ 기회비용에 의해 모든 가치가 평가되어야 한다는 가정 하에서 이루어진다.

05 회독 ☐☐☐ 2017. 서울 7

정부의 예산 분석에 활용되는 비용편익분석에 대한 설명으로 가장 옳지 않은 것은?

① 예산편성과정에서 사업의 타당성과 우선순위를 식별하는 분석도구로 사용된다.

② 완전경쟁적인 가격으로 조정된 시장가격을 잠재가격이라 한다.

③ 전체 이자를 계산하는 데 사용되는 일반적인 방법은 복리접근 방법이다.

④ 높은 할인율을 적용하면 장기간에 걸쳐 편익이 발생하는 장기 투자에 유리하다.

정답 및 해설

비용편익분석은 장기적인 안목에서 사업의 바람직한 정도를 평가할 수 있는 방법이며, 경제적 효율성을 대변할 수 있는 수치를 제공함

① 비용편익분석은 비용과 편익을 화폐가치로 전환해서 비교한 후 편익이 클 때 사업을 집행하자는 기준임 → 따라서 비용과 편익을 화폐가치로 바꿀 수만 있다면 동종 사업뿐만 아니라 이종분야의 정책도 비교할 수 있음

② 현재가치를 구하는 공식에 따르면 적용되는 할인율이 낮을수록 미래 금액의 현재가치는 높아짐 → 아울러 비용편익비(B/C ratio)가 1보다 크면 사업으로 인한 편익이 비용보다 큰 것이므로 경제적으로 타당성이 있다고 볼 수 있음

④ 비용편익분석은 사업대안을 선택할 때 기회비용(포기하는 대안 중 편익이 가장 큰 대안)을 고려함

정답 ③

정답 및 해설

높은 할인율을 적용하면 현재가치가 작아지므로 단기간에 걸쳐 편익이 발생하는 단기투자에 유리함

① 비용편익분석은 사업의 비용과 편익을 계산하는 기법이므로 예산편성과정에서 사업의 타당성과 우선순위를 식별하는 분석도구로 사용됨

② 완전경쟁적인 가격, 즉 이상적인 시장가격을 잠재가격이라 함 → 예를 들어, 홍수피해예방이익 등은 시장가격이 존재하지 않기 때문에 해당 서비스가 완전경쟁시장에서 공급되는 것으로 가정함

③ 비용편익분석은 전체 이자를 계산하기 위해 복리법을 적용함

참고
① 미래가치는 일반적으로 현재가치에 이자율을 곱해서 계산함(복리법 적용 : 이자에 이자가 붙는 이자계산법)
   ㉠ 미래가치 = 현재가치$(1+r)^n$ → 100만 원의 2년 후 미래가치(이자율 10%) : $100(1.1)(1.1)$

정답 ④

06 회독 ☐☐☐ 2016. 경찰간부

비용편익분석에 관한 아래 설명 중 옳지 않은 것은?

① 비용과 편익을 화폐단위로 평가하되 미래가치를 현재 가치로 평가한다.
② 순현재가치법에서는 순현재가치(NPV)>0일 때 경제적 타당성이 있다고 판단한다.
③ 동종 사업뿐만 아니라 이종 사업간에도 정책 우선순위를 비교할 수 있다.
④ 내부수익률 IRR(Internal Rate of Return)이 시중금리보다 낮아야 투자할 가치가 있는 사업이다.

Section 03 정책대안의 결과 예측기법

01 회독 ☐☐☐ 2017. 국가 9

미래 예측을 위한 일반적 델파이기법에 대한 설명으로 옳지 않은 것은?

① 전문가들의 의견을 종합하여 보다 합리적인 아이디어를 만들려는 시도이며, 정책대안의 결과예측뿐만 아니라 정책대안의 개발·창출에도 사용된다.
② 전문가집단의 의사소통은 구조화된 설문지를 통해 반복적으로 이루어진다.
③ 불확실한 먼 미래보다는 가까운 미래를 예측하기 위하여 통계분석을 활용하는 객관적 미래 예측 방법이다.
④ 전문가집단은 익명성이 보장된 상태에서 답변하며 자신의 답변을 수정할 수 있다.

02 회독 □□□   2013. 국가 7

집단적 문제해결의 전통적 방법을 수정한 대안과 그 특징을 바르게 연결하지 않은 것은?

① 델파이 기법(delphi method) : 문제해결의 아이디어를 제공하는 사람들이 서로 대면적인 접촉을 하지 않고 각각 독자적으로 형성한 판단들을 종합·정리하는 방법이다.

② 브레인스토밍(brain storming) : 참가자들이 될 수 있는대로 많은 독창적 의견을 내도록 노력해야 하므로, 이미 제안된 여러 아이디어들을 종합하여 새로운 아이디어를 만들어내는 편승기법(piggy backing)의 사용을 지양한다.

③ 변증법적 토론(dialectical inquiry) : 두 집단으로 나누어 토론을 하기 때문에 특정 대안의 장점과 단점이 최대한 노출될 수 있다.

④ 명목집단 기법(nominal group method) : 개인들이 개별적인 해결방안을 구상하고 그에 대해 제한된 집단적 토론만 한 다음, 표결로 의사를 결정하는 방법이다.

정답 및 해설

② 브레인스토밍(brain storming)은 참가자들이 될 수 있는대로 많은 독창적 의견을 내도록 노력해야 하므로, 이미 제안된 여러 아이디어들을 종합하여 새로운 아이디어를 만들어내는 편승기법(piggy backing)의 사용을 추구함

① 델파이 기법(delphi method) : 문제해결의 아이디어를 제공하는 사람들이 서로 익명성을 유지하면서 각각 독자적으로 형성한 판단들을 종합·정리하는 방법

③④

변증법적 토론 (찬반토론)	대립적인 찬·반 두개의 팀으로 나누어 토론을 진행하는 과정에서 합의를 형성하는 기법으로서 두 집단으로 나누어 토론을 하기 때문에 특정 대안의 장점과 단점이 최대한 노출될 수 있음 → 지명반론자 기법도 변증법적 토론의 한 형태에 해당함
명목집단 기법	① 전통적인 회의 방법과는 다르게 토론자가 의사결정에 참여하지 않고 서면으로 대안에 대한 개별적인 아이디어를 제출한 후, 모든 아이디어가 모이면 제한적인 토의를 거쳐 투표로 의사결정을 하는 기법 ② 집단구성원 간 의사소통이 거의 이루어지지 않기 때문에(제한적으로 이루어지기 때문에) 집단구성원들은 명목상 집단임 ③ 전자적 회의 : 명목집단 기법의 변형으로서 익명성이 보장되도록 개인의 의견을 컴퓨터를 통하여 입력하고 개별 의견에 대하여 컴퓨터를 통하여 표결

정답 ②

CHAPTER **04** 정책결정

01 회독 □□□ 2013. 서울 7

합리모형에서 설명하는 합리성의 가정과 가장 거리가 먼 것은?

① 문제상황에 대한 명확성
② 각 대안 간의 우선순위의 명확성
③ 목표달성에 대한 만족기준의 명확성
④ 각 대안의 비용과 편익의 명확성
⑤ 달성하고자 하는 목표의 명확성

정답 및 해설

만족기준을 중시하는 것은 만족모형임

①②④⑤ 해당 선지는 구체적인 목표를 설정 후 모든 정보를 바탕으로 완벽한 대안을 선택하는 합리모형에 대한 내용임

정답 ③

02 회독 □□□ 2015. 사복 9

다음 설명에 해당하는 정책결정모형은?

- 정책결정은 부분적·순차적으로 이루어진다.
- 집단의 합의를 중시하는 특징이 있다.
- 정책을 축소하거나 종결하기 어렵다.

① 합리모형
② 최적모형
③ 점증모형
④ 만족모형

정답 및 해설

지문의 내용은 점증모형에 대한 내용임 → 점증모형은 기존의 결정이나 정책을 가감한다는 면에서 부분적이고 순차적으로 결정을 만들어내며, 소폭의 가감을 하는 과정에서 국민 간 합의 및 토론을 반영하기 때문에 민주적민 모델임; 그러나 점증모형은 매몰비용을 인정(기존 정책을 완전히 폐지하지 못함)하는바 정책을 대폭 축소하거나 종결하기는 어렵다는 단점이 있음

① 합리모형: 모든 정보를 바탕으로 최선의 정책을 선택하는 현상을 설명한 모형
② 최적모형: 의사결정자의 직관, 즉 초합리성과 합리성의 절충을 통해 최적의 결정을 내릴 수 있음을 강조하는 모델
④ 만족모형: 제한된 정보를 바탕으로 만족할 만한 정책을 선택하는 현상을 설명한 모델

정답 ③

03 회독 ☐☐☐

점증모형에 관한 설명으로 옳지 않은 것은?

① 기존 정책에 대한 추가와 삭제의 형태로 정책이 결정된다.
② 환경변화를 고려한 계속적 결정이다.
③ 급격한 사회변화기에 적용할 수 있는 방식이다.
④ 목표와 수단의 상호조절이 가능하다.
⑤ 이해관계를 가지는 집단 간의 합의를 중시하는 방식이다.

04 회독 ☐☐☐

정책결정모형에 관한 설명으로 옳지 않은 것은?

① 만족모형은 정책결정자나 정책분석가가 절대적 합리성을 가지고 있고, 주어진 상황에서 목표의 달성을 극대화할 수 있는 최선의 정책 대안을 찾아낼 수 있다고 본다.
② 쓰레기통 모형은 '조직화된 무정부 상태'에서 나타나는 몇 가지 흐름에 의하여 정책결정이 우연히 이루어진다고 보는 정책모형이다.
③ 최적모형은 정책결정을 체계론적 시각에서 파악하고 정책성과를 최적화하려는 정책결정 모형이다.
④ 혼합모형은 합리모형의 이상주의적 특성에서 나오는 단점과 점증모형의 지나친 보수성이라는 약점을 극복할 수 있는 전략으로 제시된 모형이다.

정답 및 해설

기존의 정책이 비능률적이면 이를 수정하지 않고 폐지하는 합리모형에 대한 내용임 → 점증모형은 선진국과 같은 안정적이고 민주적인 사회에서 적용할 수 있음

①②④ 점증모형은 국민 간 합의를 통해 기존 정책에 대한 추가와 삭제의 형태로 정책을 수정해나감(목표와 수단의 상호조절 인정·지속적 결정)

정답 ③

정답 및 해설

만족모형은 정책결정자나 정책분석가가 '제한된 합리성'을 가지고 있기 때문에 제한된 정보 안에서 논리적인 사고를 통해 정책 대안을 찾아낼 수 있다고 봄 → ①은 합리모형에 대한 내용임

② 쓰레기통 모형은 혼란스러운 상태, 즉 '조직화된 무정부 상태'에서 나타나는 문제, 해결책, 참여자, 의사결정 기회의 흐름에 의하여 정책결정이 우연히 이루어진다고 보는 정책모형임
③ 최적모형은 환류과정(체계론적 시각)을 통해 정책성과를 최적화하려는 정책결정모형임
④ 혼합모형은 합리모형의 이상주의적 특성(결정에 필요한 모든 것을 자세히 분석)에서 나오는 단점과 점증모형의 지나친 보수성(기존의 정책만 분석)이라는 약점을 극복할 수 있는 전략으로 에치오니에 의해 제시된 모형임

정답 ①

Section 02 집단적 차원의 의사결정 모형

01 회독 □□□
2015. 국가 9 수정

정책결정모형 중에서 회사모형에 대한 설명으로 옳지 않은 것은?

① 회사조직이 서로 다른 목표를 지닌 구성원들의 연합체(coalition)라고 가정한다.
② 연합모형 또는 조직모형이라고 불리기도 한다.
③ 조직은 환경에 대해 장기적으로 대응하면서 불확실성을 줄이거나 회피하는 경향을 보인다.
④ 문제를 여러 하위문제로 분해하고 이들을 하위조직에게 분담시킨다고 가정한다.

[정답 및 해설]
조직은 환경에 대해 단기적으로 대응(불확실성 인정)하면서 불확실성을 줄이거나 회피하는 경향을 보임

①② 회사모형에서 회사는 다양한 이해관계를 지닌 하부조직의 연합체임 → 따라서 회사모형은 연합모형 또는 조직모형이라고 불리기도 함
④ 회사는 회사의 전체목표를 달성하기 위해 문제를 여러 하위 문제로 분해하고 이들을 하위 조직에게 분담시킨다고 가정함

[정답] ③

02 회독 □□□
2015. 국회 9 수정

많은 희생자를 발생시킨 다중이용시설의 갑작스러운 붕괴 사고 이후 정부는 다중시설에 대한 보다 강화된 안전관리 조치를 실행했다. 이와 같은 정책변동 상황을 설명하기에 가장 적합한 이론은?

① 드로(Dror) - 최적모형
② 사이먼(Simon) - 만족모형
③ 킹던(Kingdon) - 정책창모형
④ 앨리슨(Allison) - 관료정치모형

[정답 및 해설]
'우연한 사건(점화계기)'이 중요한 비중을 차지하는 이론은 정책창 모형 혹은 쓰레기통 모형임

[참고] 정책창 모형은 쓰레기통 모형의 영향을 받아서 나온 이론임

① 드로(Dror) - 최적모형 : 의사결정자의 직관, 즉 초합리성과 합리성의 절충을 통해 최적의 결정을 내릴 수 있음을 강조하는 모델
② 사이먼(Simon) - 만족모형 : 제한된 합리성 안에서 만족할 만한 수준의 정책결정을 설명한 모델
④ 앨리슨(Allison) - 관료정치모형 : 고위 관료들의 밀고 당기기에 의한 비합리적 결정을 설명한 모델

[정답] ③

03 회독 □□□　　　　　　　　2018. 국가 9

사이버네틱스(cybernetics) 의사결정모형에 대한 설명으로 옳지 않은 것은?

① 주요 변수가 시스템에 의하여 일정한 상태로 유지되는 적응적 의사결정을 강조한다.
② 문제를 해결하고 목표를 달성하기 위해 정보와 대안의 광범위한 탐색을 강조한다.
③ 자동온도조절장치와 같이 사전에 프로그램된 메커니즘에 따라 의사결정이 이루어진다.
④ 한정된 범위의 변수에만 관심을 집중함으로써 불확실성을 통제하려는 모형이다.

Section 03 　기타 모형 : 혼합주사모형 ·
　　　　　　　최적모형 · 엘리슨모형

01 회독 □□□　　　　　　　　2018. 국가 7

혼합주사모형(mixed-scanning model)에 대한 설명으로 옳은 것은?

① 정책결정 과정을 이미 프로그램화되어 있는 특정한 상태를 유지하기 위한 것으로 파악한다.
② 정책의 결정을 근본적 결정과 세부적 결정으로 구분한다.
③ 갈등의 준해결, 문제 중심의 탐색, 불확실성의 회피. 조직의 학습, 표준운영절차(SOP)의 활용 등을 특징으로 한다.
④ 상황 변화에 따른 새로운 정보에 초점을 맞추는 것이 아니라 극히 제한된 투입 변수의 변동에 주의를 집중하여 의사결정을 한다.

[정답 및 해설]

사이버네틱스 모형은 제한된 합리성을 인정하는 모형임 → 따라서 정보와 대안의 광범위한 탐색을 부정함

①③ 사이버네틱스 모형은 자동온도조절장치와 같이 주요 변수가 시스템에 의하여 일정한 상태로 유지되는 의사결정을 설명하고 있음 → 단, 기존의 프로그램에 없던 상황에 직면할 경우, 적응적 의사결정을 강조함
④ 사이버네틱스 모형은 한정된 범위의 변수, 즉 SOP에만 관심을 집중함으로써 불확실성을 통제하려는 모형임

[정답] ②

[정답 및 해설]

혼합주사모형은 정책을 근본적 결정과 세부적 결정으로 나누어 근본적 결정은 합리모형, 세부적 결정은 점증모형에 의해 결정하는 모형임

① 사이버네틱스모형의 내용임
③ 회사모형의 내용임
④ 사이버네틱스모형의 내용임 → 사이버네틱스모형에서의 의사결정자는 사전에 설정된 한정된 주요변수와 레퍼토리에 따라 결정하며 다른 새로운 정보는 무시하는 방법으로 불확실성을 통제함

[정답] ②

02 회독 ☐☐☐ 2009. 지방 9

정책결정 모형 중 초합리성(extra-rationality)을 강조하는 모형은?

① 최적모형
② 혼합탐사모형
③ 쓰레기통모형
④ 사이버네틱스모형

03 회독 ☐☐☐ 2014. 국회 9

정책결정모형에 관한 설명 중 가장 옳지 않은 것은?

① 만족모형은 의사결정자의 제한적 합리성을 강조한다.
② 점증모형은 정치적 합리성을 강조한다.
③ 혼합모형은 점증모형과 합리모형의 절충을 시도한다.
④ 쓰레기통모형은 불확실성이 큰 상황에서 설명력이 높다.
⑤ 최적모형은 초합리성을 강조하며 합리적 사고를 포기한다.

정답 및 해설

최적모형은 기존의 합리적 결정 방식이 지나치게 수리적 완벽성을 추구하는 것을 경계하면서 합리모형의 틀에 초합리성(결정자의 직관적 판단)을 추가한 모델임

② 혼합탐사모형 : A. Etzioni가 주장한 모형으로서 합리주의와 점증주의가 지니고 있는 각각의 상대적인 장점만을 혼용한 절충모형
③ 쓰레기통모형 : 조직화된 무정부 상태에서 비합리적인 의사결정을 내리는 현상을 설명한 모형
④ 사이버네틱스모형 : 일단 정해진 프로그램대로 결정하고 결정의 결과가 좋지 않으면 수정·보완하는 양태를 설명한 모형

정답 ①

정답 및 해설

최적모형은 합리모형을 기본으로 하면서 초합리성을 추가하는 것이지, 합리성을 포기하는 것이 아님

① 만족모형은 의사결정자의 제한적 합리성, 즉 한정된 정보를 강조함
② 점증모형은 정책을 수정할 때 사람의 견해를 수용하는바 정치적 합리성을 강조함
③ 혼합모형은 점증모형과 합리모형의 장점을 절충하는 모델임
④ 쓰레기통모형은 조직화된 무정부 상태, 즉 불확실성이 큰 상황에서 설명력이 높음

정답 ⑤

04 회독 ☐☐☐

정책결정모형에 대한 설명으로 옳지 않은 것은?

① 점증모형 : 기존의 정책을 수정·보완해 약간 개선된 상태의 정책대안이 선택된다.

② 최적모형 : 정책결정자의 직관적 판단은 정책결정의 중요한 요인으로 인정되지 않는다.

③ 혼합주사모형 : 거시적 맥락의 근본적 결정에 해당하는 부분에서는 합리모형의 의사결정 방식을 따른다.

④ 쓰레기통모형 : 조직화된 무질서 상태에서 어떠한 계기로 인해 우연히 정책이 결정된다.

정답 및 해설

최적모형은 합리성과 더불어서 정책결정자의 직관적 판단을 정책결정의 중요한 요인으로 인정함 → 아울러 Dror는 모든 정책단계에서 기본적으로 초합리성이 필요하다고 주장함

① 점증모형 : 기존의 정책을 이해당자자 간 합의에 따라 수정·보완해 약간 개선된 상태의 정책대안을 선택함

③ 혼합주사모형 : 근본적 결정은 합리모형, 세부적 결정은 점증모형에 기초함

④ 쓰레기통모형 : 혼란스러운 상태, 즉 '조직화된 무정부 상태'에서 나타나는 문제, 해결책, 참여자, 의사결정 기회의 흐름에 의하여 정책결정이 우연히 이루어진다고 보는 정책모형임

정답 ②

05 회독 ☐☐☐

앨리슨(G. T. Allison)의 세 가지 의사결정모형에 대한 설명으로 옳지 않은 것은?

① 집단적인 의사결정을 국가의 정책결정에 적용하기 위해 합리적 행위자모형, 조직과정모형, 관료정치모형으로 분류하였다.

② 관료정치모형은 조직 하위계층에의 적용가능성이 높고, 조직과정모형은 조직 상위계층에의 적용가능성이 높다.

③ 실제 정책결정에서는 어느 하나의 모형이 아니라 세 가지 모형이 모두 적용될 수 있다.

④ 원래 국제정치적 사건과 위기적 사건에 대응하는 정책결정을 설명하기 위한 모형으로 고안되었으나, 일반정책에도 적용할 수 있다.

정답 및 해설

관료정치모형은 조직 상위계층에의 적용 가능성이 높고, 조직과정모형은 조직 하위계층에의 적용가능성이 높음 → 관료정치모형은 조직 상층부의 이해관계자들 간의 밀고 당기기를 통해 나온 콜라주(collage : 색종이나 사진 등의 조각들을 붙여 그림을 만드는 미술 기법 또는 그렇게 만든 그림) 형태의 의사결정을 설명하고 있음

① 엘리슨 모델은 국가의 의사결정을 설명하는 측면이 있는바 집단적 차원의 의사결정 모형이며, 합리적 행위자모형, 조직과정모형, 관료정치모형으로 구분할 수 있음

③ 실제 정책결정에서는 어느 하나의 모형이 아니라 세 가지 모형이 모두 적용될 수 있으므로 엘리슨은 쿠바 미사일 위기에서 나타난 의사결정을 세 모델을 활용해서 설명하였음

④ 엘리슨 모형은 원래 쿠바 미사일 위기에 대응하는 정책결정을 설명하기 위한 모형으로 고안되었으나, 일반정책에도 적용할 수 있음

정답 ②

06 회독 ☐☐☐   2019. 국가 9

앨리슨(Allison) 모형에 대한 설명으로 옳은 것은?

① 합리적 행위자 모형에서는 국가 전체의 이익과 국가 목표 추구를 위해서 개인의 이익을 고려하지 않는 것을 경계하며 국가가 단일적인 결정자임을 부정한다.

② 조직과정모형에서 조직은 불확실성을 회피하기 위하여 정책결정을 할 때 표준운영절차(SOP)나 프로그램 목록(program repertory)에 의존하지 않는다.

③ 관료정치모형은 여러 다양한 문제에 관심을 갖는 다수의 행위자를 상정하며 이들의 목표는 일관되지 않는다.

④ 외교안보 문제 분석에 있어서 설명력을 높이기 위한 대안적 모형으로 조직과정모형을 고려하지는 않는다.

───

정답 및 해설

관료정치모형은 조직 전체의 목표보다 여러 다양한 문제에 관심을 갖는 다수의 행위자를 상정하기 때문에 이들의 목표는 일관되지 않음 → 사익추구의 가능성 ↑

① 합리적 행위자 모형에서는 국가 전체의 이익과 국가 목표 추구를 위해서 개인의 이익을 고려하지 않음 → 따라서 국가는 하나의 유기체, 즉 단일적 결정자임

② 조직과정모형에서 조직은 불확실성을 회피하기 위하여 정책결정을 할 때 표준운영절차(SOP)나 프로그램 목록(program repertory)에 의존하여 결정함

④ 엘리슨은 외교안보 문제 혹은 현실 문제를 분석함에 있어서 설명력을 높이기 위하여 세 가지의 모형을 통해 설명력을 제고할 수 있다고 주장함 → 따라서 외교안보 분석에 있어서 대안적 모형으로 조직과정모형을 고려함

정답 ③

CHAPTER **05** 정책집행

Section 01 　정책집행 연구의 접근법

01 회독 ☐☐☐ 　　　　　　　2015. 국가 7

정책집행 연구에 대한 설명으로 옳지 않은 것은?

① 마즈마니언(Mazmanian)과 사바티어(Sabatier)는 하향식 접근방법의 발전에 기여하였다.
② 상향식 접근방법은 정책결정과 정책집행 간의 엄밀한 구분에 의문을 제기한다.
③ 상향식 접근론자들은 정책집행을 이해하기 위해서는 일선관료의 행태를 고찰하여야 한다고 본다.
④ 하향식 접근방법은 공식적 정책목표를 중요한 변수로 취급하지 않는다.

02 회독 ☐☐☐ 　　　　2016. 사회복지 9 수정

립스키(M.Lipsky)의 일선관료제론에서 일선관료들이 처하게 되는 문제성 있는 업무환경이 아닌 것은?

① 불충분한 자원
② 권위에 대한 위협과 도전
③ 집행업무의 단순화 및 정형화
④ 모호하고 대립되는 기대

［정답 및 해설］

하향식 접근은 집행현장에서 정책실패를 야기할 수 있는 원인을 모두 파악 후 공식적인 정책목표와 이를 달성하기 위한 수단을 선정하기 때문에 공식적인 정책목표를 중요한 변수로 취급함

① 하향식 접근을 주장한 학자는 프레스만과 윌다브스키 혹은 사바티어와 매즈매니언 등이 있음
② 상향식 접근에서 실제 정책은 집행과정에서 구체화되므로 정책결정과 정책집행 간의 엄밀한 구분에 의문을 제기함 → 정치행정일원론 관점
③ 상향식 접근은 집행과정에서 불확실성이 존재한다는 관점이므로 분명하고 일관된 정책목표의 존재 가능성을 부인하고, 정책목표 대신 집행문제의 해결에 논의의 초점을 둠 → 이에 따라 일선 공무원의 행동에 관심을 두는 동시에 충분한 재량권을 부여함

정답 ④

［정답 및 해설］

집행업무의 단순화 및 정형화는 불확실한 업무환경에 대한 일선관료의 대응에 해당함 → 일선 관료는 불확실한 업무환경으로 인해 모든 업무를 완벽하게 해결할 수는 없음

① 불충분한 자원과 과중한 업무부담: 일선관료는 집행에 필요한 자원이 부족한 경우가 많이 때문에 대체로 부분적이고 간헐적으로 정책을 집행
② 권위에 대한 위협 및 도전: 집행대상의 관료에 대한 위협 및 도전
④ 모호하고 대립되는 기대: 일선관료는 측정 가능한 업무와 그렇지 않은 업무를 동시에 수행함 → 즉, 일선관료는 업무를 수행하는 기관에 대한 고객의 모호하고 대립적인 기대들이 존재하는 업무환경 때문에 가시적·비가시적 정책목표를 완벽하게 달성할 수 없는 경우가 많음

정답 ③

03 회독 ☐☐☐ 2007. 국가 7

상향식(bottom-up) 정책집행의 내용과 거리가 먼 것은?

① 정책의 집행이 성공적이기 위해 일선공무원들의 전문지식과 문제해결 능력이 중요하다.

② 상향식 접근방법은 일선공무원들에게 권한과 재량이 주어지기 때문에 주인대리인 이론에서 발생하는 문제를 최소화시킬 수 있다.

③ 정책집행 현장에서 일어나는 문제점을 파악하여 대응하게 함으로써 분권과 참여가 증대될 수 있다.

④ 정책집행에서 순응과 통제의 방식이 아닌 재량과 자율을 강조한다.

04 회독 ☐☐☐ 2011. 국가 9

정책옹호연합모형(advocacy coalition framework)에 대한 설명으로 옳지 않은 것은?

① 신념체계별로 여러 개의 연합으로 구성된 정책행위자 집단이 자신들의 신념을 정책으로 관철하기 위하여 경쟁한다는 점을 강조한다.

② 사바띠에(Sabatier) 등에 의해 종전의 정책과정 단계모형의 한계를 극복하기 위하여 개발되었다.

③ 정책문제나 쟁점에 적극적으로 관심을 가지는 공공 및 민간조직의 행위자들로 구성되는 정책하위체계(policy subsystem)라는 개념을 활용한다.

④ 정책변화 또는 정책학습보다 정책집행과정에 초점을 맞춘 이론이다.

05 회독 ☐☐☐

2012. 국가 7

정책집행 연구의 접근방법에 대한 설명으로 옳은 것은?

① 나카무라(R.T.Nakamura)와 스몰우드(F.Smallwood)의 관료적 기업가(bureaucratic entrepreneur) 모형에 따르면 정보, 기술, 현실 여건들 때문에 정책결정자들은 구체적인 정책이나 목표를 설정하지 못하고 추상적인 수준에 머문다.

② 사바티어(P. Sabatier)의 정책지지 연합모형은 하향식 접근방법의 분석단위를 채택하고, 여기에 영향을 미치는 요인으로 상향식 접근방법의 여러 가지 변수를 결합한다.

③ 일선집행관료 이론을 주장한 립스키(M. Lipsky)는 일선의 문제성 있는 업무환경으로 자원 부족, 권위에 대한 도전, 정책담당자의 보수성 등 세 가지를 제시하였다.

④ 버먼(P. Berman)의 상황론적 집행모형에 따르면 거시적 집행구조는 실질적인 집행이 가능하고 의도한 효과가 발생되도록 프로그램을 어느 정도 구체화하는 것을 의미한다.

정답 및 해설

버먼(P. Berman)의 상황론적 집행모형은 거시적 집행구조(하향식)와 미시적 집행구조(상향식)로 나누고 있음 → 거시적 집행구조는 실질적인 집행이 가능하고 의도한 효과가 발생되도록 프로그램을 어느 정도 구체화하는 것이며, 미시적 집행구조는 거시적 집행구조에서 구체화된 정책을 개별적인 집행환경에 부합하도록 적응적 집행을 하는 것임 → 따라서 미시적인 집행구조에 따라 동일한 정책도 상이한 결과를 낳을 수 있음

① 재량적 실험가형에 대한 내용임
② 사바티어(P. Sabatier)의 정책지지 연합모형은 상향식 접근방법의 분석단위를 채택하고, 여기에 영향을 미치는 요인으로 하향식 접근방법의 여러 가지 변수를 결합함
③ 립스키(M. Lipsky)는 일선의 문제성 있는 업무환경으로 자원 부족, 권위에 대한 도전, 불충분한 자원, 모호하고 대립되는 기대, 객관적인 성과평가의 어려움 등을 제시하였음(정책담당자의 보수성 ✕)

정답 ④

Section 02 정책집행가 유형 : Nakamura와 Smallwood를 중심으로

01 회독 ☐☐☐

2017. 지방 7

나카무라(Nakamura)와 스몰우드(Smallwood)가 제시한 가장 광범위한 재량을 갖는 정책집행자의 유형은?

① 지시적 위임자형
② 관료적 기업가형
③ 협상가형
④ 재량적 실험가형

정답 및 해설

집행가 유형 중 가장 많은 권한을 보유한 것은 관료적 기업가형임
※ 두문자 : 고지협재관 → 관료적 기업가형으로 갈수록 집행가의 권한이 많음

정답 ②

02 회독 ☐☐☐   2019. 국가 9

나카무라(Nakamura)와 스몰우드(Smallwood)의 정책결정자와 정책집행자의 관계 유형 중 다음 설명에 해당하는 것은?

- 정책집행자는 공식적 정책결정자로 하여금 자신이 결정한 정책목표를 받아들이도록 설득 또는 강제할 수 있다.
- 정책집행자는 목표를 달성하기 위한 수단을 획득하기 위해 정책결정자와 협상한다.
- 미국 FBI의 국장직을 수행했던 후버(Hoover) 국장이 대표적인 예이다.

① 지시적 위임형
② 협상형
③ 재량적 실험가형
④ 관료적 기업가형

⎡ 정답 및 해설 ⎤
집행자가 결정자를 설득 및 강제한다는 것은 집행자의 권한이 많은 것을 의미함 → 따라서 보기는 관료적 기업가형에 대한 내용임

정답 ④

Section 03   정책집행의 영향요인

01 회독 ☐☐☐   2017. 국가 7

정책학습(policy learning)에 대한 설명으로 옳지 않은 것은?

① 버크랜드(Birkland)가 제안한 사회적 학습은 하울렛과 라메쉬의 외생적 학습과 비슷한 의미로 이해할 수 있다.
② 하울렛과 라메쉬(Howlett & Ramesh)의 내생적 학습은 정책문제의 정의 또는 정책목적 자체에 대한 의문제기를 포함한다.
③ 로즈(Rose)의 교훈얻기(도출)학습은 다른 지역의 효과적인 프로그램을 조사하여 이를 창도자의 관할지역에 도입할 경우 어떤 결과가 나올지 미리 평가하는 것이다.
④ 정책학습의 주체는 정책집행의 대상이 되는 개인이나 조직일 수도 있고 정책을 결정하거나 집행하는 개인, 조직 또는 정책창도연합체(advocacy coalition)일 수도 있다.

⎡ 정답 및 해설 ⎤
② 하울렛과 라메쉬(Howlett & Ramesh)의 외생적 학습에 대한 내용임

① 버크랜드(Birkland)가 제안한 사회적 학습은 정책목표(정책문제)에 대한 국민의 태도, 그리고 정부활동의 본질과 그 타당성까지 검토하는 것을 뜻함 → 이는 하울렛과 라메쉬의 외생적 학습과 유사한 개념임
③ 로즈의 교훈얻기 학습은 벤치마킹을 의미함
④ 정책학습의 주체는 정책집행의 대상, 정책을 결정하거나 집행하는 자(혹은 집단), 또는 정책참여자 집단(정책창도연합체)일 수도 있음

정답 ②

CHAPTER 06 정책평가

Section 01 정책평가 기준 및 설계

01 회독 ☐☐☐

2008. 지방 7

진실험적 방법과 준실험적 방법에 대한 설명으로 옳지 않은 것은?

① 진실험적 방법은 실험집단과 통제집단의 동질성을 확보해 행하는 실험이다.

② 실험집단과 통제집단을 서로 동질적인 것으로 구성하기 위해서는 대상들을 이들 두 집단에 무작위적으로 배정하지 않아야 한다.

③ 진실험 설계에서 실험집단과 통제집단은 관찰 기간에 동일한 시간과 관련 과정을 경험해야 한다.

④ 준실험적 방법에는 비동질적 통제집단 설계 등이 있다.

정답 및 해설

실험집단과 통제집단을 서로 동질적인 것으로 구성하기 위해서는 대상들을 이들 두 집단에 무작위적으로 배정해야 함 → 표본의 무작위 배정은 곧 표본의 동질성 확보를 의미함

① 진실험적 방법은 무작위 배정(운에 의한 표본배정)을 통해 실험집단과 통제집단의 동질성을 확보해 행하는 실험임

③ 진실험 설계에서 실험집단과 통제집단은 실험적 변수의 처리를 제외하고 관찰 기간에 동일한 시간과 관련 과정을 경험해야 함

④ 준실험적 방법에는 비동질적 통제집단 설계 등이 있음

　■ 비동질적 통제집단 설계: 실험집단과 통제집단에 실험대상을 배정할 때, 사전측정을 통해 비슷한 점수를 받은 대상자끼리 짝을 지어 배정한 후 실험하는 방식

정답 ②

---

02 회독 ☐☐☐

2018. 국가 7

정책평가의 내적타당성과 외적타당성에 대한 설명으로 옳은 것은?

① 역사요인, 성숙요인, 회귀요인은 모두 외적타당성 저해 요인이다.

② 준실험이 갖는 약점은 주로 외적타당성보다는 내적타당성에 관한 것이다.

③ 실험대상자들이 실험의 대상으로 자신들이 관찰되고 있다는 사실을 알게 되어 평소와는 다른 행동을 함으로써 발생하는 효과는 내적타당성의 저해 요인이다.

④ 정책집행과 정책효과 사이의 인과관계를 정확히 파악할 수 있는 평가는 외적타당성을 갖추었다고 볼 수 있다.

정답 및 해설

준실험은 진실험에 비해 온전한 실험이 아니므로 준실험이 갖는 약점은 주로 내적타당성에 관한 것임

① 역사요인, 성숙요인, 회귀요인은 모두 내적타당성 저해 요인임

③ 실험대상자들이 실험의 대상으로 자신들이 관찰되고 있다는 사실을 알게 되어 평소와는 다른 행동을 함으로써 발생하는 효과(호손효과)는 외적타당성의 저해 요인임

④ 정책집행과 정책효과 사이의 인과관계를 정확히 파악할 수 있는 평가는 내적타당성을 갖추었다고 볼 수 있음

정답 ②

03 회독 ☐☐☐ 2016. 지방 7

정책평가의 논리와 방법에 대한 설명으로 옳지 않은 것은?

① 내적타당성이란 다른 요인들이 작용한 효과를 제외하고 오로지 정책 때문에 발생한 순수한 효과를 정확히 추출해 내는 것과 관련되는 개념이다.

② 내적타당성을 위협하는 성숙요인이란 순전히 시간의 경과 때문에 발생하는 조사 대상 집단의 특성 변화를 말한다.

③ 진실험설계의 주요 형태 중 하나인 단일집단 사전사후측정 설계는 동일한 정책 대상 집단에 대한 사전측정과 사후측정을 통해 정책효과를 추정하는 방식이다.

④ 결과변수에 영향을 미친다고 생각되는 제3의 변수들을 식별하여 통계분석모형에 포함시킨 후 정책효과를 추정하는 것은 비실험적 설계의 한 예이다.

(정답 및 해설)

비실험설계의 주요 형태 중 하나인 단일집단 사전사후측정 설계는 동일한 정책 대상 집단에 대한 사전측정과 사후측정을 통해 정책효과를 추정하는 방식임

■ 진실험: 연구자가 무작위 배정을 통해 표본의 동질성을 확보 후 내적타당성 저해요인을 인위적으로 모두 통제하여 온전한 인과관계를 드러내는 완벽한 실험 → 동질적 통제집단 설계 혹은 통제집단 사전사후측정설계라 불리기도 함

① 내적타당성이란 인과관계의 정확성을 뜻함
② 내적타당성을 위협하는 성숙요인이란 순전히 시간의 경과 때문에 발생하는 표본의 특성 변화를 의미함
④ 비실험은 온전하지 못한 실험상황을 극복하기 위해 통계적 통제에 의한 평가, 인과모형에 의한 평가 등을 활용함 → 즉, 연구자의 경험을 통해 실험의 타당성을 높이려는 것임

참고

㉠ 통계적 통제: 결과변수에 영향을 미친다고 생각되는 제3변수들을 식별하여 통계분석모형에 포함시킨 후 정책효과를 추정하는 것

㉡ 인과모형에 의한 추론: 인과적 모델링에 의해서 인과모형을 작성하고 경로분석을 통하여 변수들 간의 인과관계 경로에 관한 가설을 검증하는 것

정답 ③

Section 02 정책평가 설계 시 고려할 변수: 제3의 변수를 중심으로

01 회독 ☐☐☐ 2010. 국회 8 수정

정책평가에 있어서 평가 대상 프로그램과 성과 간의 상관관계가 일부 존재하기는 하나 실제보다 과대 혹은 과소 추정되는 경우가 발생할 수 있다. 이때 정책평가자가 가장 우려해야 할 변수는?

① 허위변수 ② 혼란변수
③ 선행변수 ④ 왜곡변수

(정답 및 해설)

지문의 내용은 독립변수와 종속변수 간의 관계는 있으나 제3의 변수 때문에 어느 정도의 관계가 있는지 파악이 안 된다는 것임
→ 이처럼 변수 간에 혼란스러운 관계를 일으키는 변수는 혼란변수(교란변수)임

①③④

허위변수	① 원래 독립변수와 종속변수 간에 관계가 없으나, 독립변수와 종속변수의 관계가 있는 것처럼 보이게 만드는 변수 → 정책평가 시 가장 주의해야 할 변수 ② 즉, 독립변수인 정책수단의 효과가 전혀 없을 때, 숨어서 정책효과를 가져오는 변수로 정책수단과 정책효과 사이의 인과관계를 완전히 왜곡하는 요인 ③ 독립변수와 종속변수 모두에게 영향을 미치며 이들 사이의 공동변화를 설명하는 제3의 변수
왜곡변수	독립변수와 종속변수의 관계를 상쇄하거나 반대로 변화시키는 변수
혼란변수	독립변수가 종속변수에 미치는 강도에 영향(두 변수 간의 관계를 과소 혹은 과대평가)을 미치는 변수 → 독립변수와 종속변수 모두에게 영향을 미치며 이들 사이의 공동변화를 설명하는 제3의 변수

정답 ②

Section 03 인과관계에 대한 검토: 타당도와 신뢰도를 중심으로

01 회독 ○○○ 2013. 해경간부

정책평가에 있어서 특정한 정책과 그 효과 간에 진정한 인과관계가 존재하는지를 검토하는 것을 무엇이라 하는가?

① 구성적 타당성
② 통계적 결론의 타당성
③ 내적타당성
④ 외적타당성

02 회독 ○○○ 2006. 국가 7 수정

정책평가의 내적타당성 저해요인에 대한 설명 중 옳지 않은 것은?

① 역사요인: 시간의 흐름에 따라 자연스럽게 나타나는 실험 전과 실험 후의 표본상태의 차이를 정책효과로 잘못 평가하는 경우에 발생한다.
② 회귀요인: 실험집단의 구성에 있어서 극단치가 포함되어 있는 경우 그 효과는 재실험을 통하여 감소되는 경향이 있다.
③ 도구요인: 실험집단과 비교집단의 측정 수단을 달리하거나 정책실시 전과 후의 정책효과 측정수단이 다른 경우에 발생한다.
④ 상실요인: 정책집행 기간 중 대상집단의 일부가 탈락해서 남아 있는 대상이 처음과 다른 경우에 발생한다.

정답 및 해설

내적타당도는 정확한 인과관계의 정도를 의미함

① ② ④

외적 타당도	특정 상황, 시기 및 집단에서 얻은 연구결과의 일반화 범위
통계적 결론의 타당도	정책수단과 이로 인한 변화 사이에 관련이 있는지에 대한 통계적인 의사결정의 타당성 → 통계학에서 말하는 제1종 오류와 제2종 오류를 범할 경우 통계적 결론의 타당성은 낮아지는 바 정책효과의 측정을 위해 충분히 정밀한 연구 설계가 이루어진 정도를 의미함
구성 타당도	추상적인 개념을 잘 측정했는가(조작화)를 나타내는 개념 → 연구에서 이용된 이론적 개념과 이를 측정하는 측정 수단 간의 일치정도

정답 ③

정답 및 해설

선지는 성숙요인에 대한 내용임 → 역사요인은 우연한 사건으로 인해 내적인 타당도가 떨어지는 경우를 의미함

② ③ ④

상실요인	실험 기간에 조사집단의 일부 또는 전부의 변동으로 인해 실험결과에 영향을 끼치는 현상
측정수단요인 (도구요인)	측정수단의 변화로 인해 나타나는 오류 → 사전·사후측정 시 사용도구가 다른 경우
회귀인공요소 (통계적 회귀· 회귀효과)	① 연구대상에 대한 측정과정에서 극단치가 나왔을 때, 결국 평균값으로 회귀하는 현상 ② 따라서 연구과정에서 표본에 대한 극단적인 데이터가 나왔을 때 이를 연구결과에 반영할 경우 정확한 인과관계 추정에 악영향을 줄 수 있음

정답 ①

Section **04** 정책변동

01 회독 □□□ 　　　　　　　　2018. 국가 7

호그우드(Hogwood)와 피터스(Peters)의 정책변동에 대한 설명으로 옳지 않은 것은?

① 정책혁신은 기존의 조직과 예산을 활용하여 이전에 관여한 적이 없는 새로운 정책분야에 개입하는 것이다.

② 정책종결은 현존하는 정책을 완전히 소멸시키는 것으로 정책수단이 되는 사업과 지원 예산을 중단하고 이들을 대체할 다른 수단을 결정하지 않은 경우이다.

③ 과속차량 단속이라는 목표를 변경하지 않고 기존에 경찰관이 현장에서 직접 단속하는 수단을 무인 감시카메라 설치를 통한 단속으로 대체하는 것은 정책승계 중 선형적(linear) 승계에 해당한다.

④ 정책유지는 현재의 정책을 기본적으로 유지하면서 정책수단의 부분적인 변화만 이루어지는 경우를 말한다.

정답 및 해설

정책혁신은 기존에 없던 새로운 정책의 채택을 의미함 → 따라서 기존의 조직과 예산을 활용할 수가 없음

②③④

정책유지	① 본래의 정책목표를 달성하기 위해 기본적인 골자는 유지하지만 실질적인 정책내용은 변하지 않음 → 즉, 정책의 기본적 성격이나 정책목표·수단 등이 큰 폭의 변화 없이 모두 그대로 유지되지만, 정책의 구체적 내용에 있어서 부분적 대체나 완만한 변동은 있을 수 있음 ② 사례 　㉠ 저소득층 자녀에 대한 교육비 보조를 그 바로 상위계층의 자녀에게 확대 　㉡ 정부미 방출정책은 유지하면서 추곡수매 예산액을 축소하는 경우 등
정책승계	① 정책의 기본적인 골자를 변화시키는 것(실제 정책과정에서 가장 많이 나타나는 유형): 기존의 정책 → 새로운 정책 ② 즉, 정책변동의 유형 중 정책평가로부터 얻은 정보가 정책채택 단계에서 다시 활용되는 경우로, 정책목표는 유지하면서 정책수단을 새로운 수단으로 대체하는 것 ③ 정책승계의 유형 　㉠ 선형적 승계: 정책목표를 변경시키지 않는 범위 내에서 정책내용을 완전히 새로운 것으로 바꾸는 것; 과속차량 단속이라는 목표를 변경하지 않고 기존에 경찰관이 현장에서 직접 단속하는 수단을 무인 감시카메라 설치를 통한 단속으로 대체 　㉡ 비선형적 승계: 유지, 대체, 종결 또는 추가 등이 복합적으로 나타나는 것 　㉢ 정책통합: 유사한 둘 이상의 정책이 하나로 통합되는 것 　㉣ 정책분할: 하나의 정책이 둘 이상으로 분할되는 것 　㉤ 부분종결: 일부 정책은 유지되고 일부의 정책은 폐지되는 것 → 정책축소 　㉥ 부수적(파생적·우발적) 승계: 타 분야의 정책변동에 연계하여 우발적인 변화가 나타나는 형태의 정책승계 → 새로운 정책의 채택으로 기존 정책의 승계가 일어나는 것
정책종결	정책목표를 달성하기 위한 전반적인 정책수단을 소멸(기존의 정책 소멸)시키고 이를 대체할 다른 정책을 마련하지 않는 것

정답 ①

조직론

CHAPTER **01** 조직구조론

Section 01 조직구조의 변수

01 회독 ☐☐☐
2013. 지방 9

조직구조에 대한 설명으로 옳지 않은 것은?

① 공식화(formalization)의 수준이 높을수록 조직구성원의 재량이 증가한다.

② 통솔범위(span of control)가 넓은 조직은 일반적으로 저층구조의 형태를 보인다.

③ 집권화(centralization)의 수준이 높은 조직의 의사결정권한은 조직의 상층부에 집중된다.

④ 명령체계(chain of command)는 조직 내 구성원을 연결하는 연속된 권한의 흐름으로, 누가 누구에게 보고하는지를 결정한다.

02 회독 ☐☐☐
2015. 지방 7

조직의 구조적 특성에 대한 설명으로 옳지 않은 것은?

① 복잡성은 조직의 분화 정도를 의미하며, 단위 부서 간에 업무를 세분화하는 것을 수직적 분화라고 한다.

② 공간적 분화는 조직의 시설과 구성원이 물리적으로 분리되어 있는 정도를 의미한다.

③ 공식화는 일반적으로 업무수행 방식에 대한 공식적 규정의 수준을 의미한다.

④ 집권화는 의사결정 권한이 조직의 고위층에 집중되어 있는 정도를 의미한다.

〔정답 및 해설〕

공식화의 수준(규칙의 수)이 높을수록 구성원의 재량이 감소함

② 통솔범위는 적절한 부하의 수를 의미함 → 한 사람이 관리하는 부하의 수가 많을수록 하나의 계층에 존재하는 구성원이 증가하는바 통솔범위(span of control)가 넓은 조직은 일반적으로 저층구조의 형태를 보임

③ 집권화(centralization)는 의사결정권이 조직의 상층부에 집중된 것을 뜻함

④ 명령체계(chain of command)는 조직의 보고체계를 의미함

정답 ①

〔정답 및 해설〕

복잡성은 조직의 분화 정도를 의미하며, 단위 부서 간에 업무를 세분화하는 것은 수평적인 분화라고 함 → 수직적인 분화는 계층의 수를 의미함

② 공간적 분화는 조직의 물리적인 시설(사무실, 공장, 창고 등)과 구성원이 지역적으로 분산되어 있는 정도를 의미함

③ 공식화는 일반적으로 업무수행 방식에 대한 표준화 정도를 의미함

④ 집권화는 의사결정 권한이 조직의 상층부에 집중되어 있는 정도를 의미함

정답 ①

03 회독 ☐☐☐

조직의 구조적 특성을 나타내는 지표로서 기본변수가 아닌 것은?

① 의사결정 권한의 집중 정도
② 수직적·수평적 분화의 정도
③ 행동을 표준화하는 문서화·규정화의 정도
④ 조직의 투입을 산출로 전환하는 데 필요한 지식 및 기술(skills)의 정도

〔정답 및 해설〕

조직의 투입을 산출로 전환하는 데 필요한 지식 및 기술(skills)은 상황변수 중 기술을 의미함

① 집권화에 대한 내용임
② 복잡성에 대한 내용임
③ 공식화에 대한 내용임

정답 ④

04 회독 ☐☐☐

조직기술을 과제다양성과 분석가능성의 정도에 따라 범주화할 때 이에 대한 설명으로 옳지 않은 것은?

① 일상기술은 과제다양성이 낮고 분석가능성이 높아 표준화 가능성이 크다.
② 비일상기술은 과업의 다양성이 높고 성공적인 방법을 발견하는 탐색절차가 복잡하여 통제·규격화된 조직구조가 필요하다.
③ 장인기술은 발생하는 문제가 일상적이지 않아 분권화된 의사결정구조가 필요하다.
④ 공학기술은 과제다양성이 높지만 분석가능성도 높아 일반적 탐색과정에 의하여 문제가 해결될 수 있다.

〔정답 및 해설〕

비일상기술은 과업의 다양성(예외적인 사건이 발생할 가능성)이 높고 성공적인 방법을 발견하는 탐색절차(분석의 가능성)가 복잡하여 유연한 조직구조가 필요함

① 일상기술은 과제다양성이 낮고 분석가능성이 높아 기계적 구조에 적합한 기술유형임
③ 장인기술을 활용하는 조직은 발생하는 문제가 일상적이지 않아 해당 분야에 오랜 경험을 지닌 장인에게 재량을 부여해서 업무를 처리함
④ 공학기술은 과제다양성이 높지만 공학기술을 통해 이를 해결할 수 있는바 일반적 탐색과정에 의하여 문제가 해결될 수 있음

■ 페로우의 기술유형과 조직구조

구분		분석의 가능성 : 대안탐색의 가능성	
		높음	낮음
과업의 다양성 : 예외의 수	다수	공학적인 기술	비일상적인 (비정형화된) 기술
		① 다소 기계적 조직: 다소 높은 공식화·집권화	① 유기적 조직: 낮은 공식화·집권화
		② 중간의 통솔범위	② 좁은 통솔범위
	소수	일상적인(정형화된) 기술	장인(기예적) 기술
		① 기계적 조직: 높은 공식화·집권화	① 다소 유기적 조직: 다소 낮은 공식화·집권화
		② 넓은 통솔범위	② 중간의 통솔범위

정답 ②

05 회독 ☐☐☐　2016. 국가 7

조직구조에 대한 설명으로 옳지 않은 것은?

① 수평적 분화가 심할수록 전문성을 가진 부서 간 커뮤니케이션과 업무 협조가 용이하다.

② 수직적 분화는 조직의 종적인 분화로서 책임과 권한의 계층적 분화를 말한다.

③ 공간적(장소적) 분화는 조직의 구성원과 물리적인 시설이 지역적으로 분산된 정도를 말한다.

④ 조직구조의 복잡성은 조직이 얼마나 나누어지고 흩어져 있는가의 분화 정도를 말한다.

정답 및 해설

수평적 분화가 심할수록, 즉 부서의 수나 업무의 수가 증가할수록 업무를 수행하는 사람 간의 커뮤니케이션과 업무 협조가 어려워짐

② 수직적 분화는 계층의 수를 의미함

③ 공간적 분화는 조직의 물리적인 시설(사무실, 공장, 창고 등)과 구성원이 지역적으로 분산된 정도임

④ 조직구조의 복잡성은 일반적으로 수평적·수직적 분화 정도를 뜻함

정답 ①

06 회독 ☐☐☐　2014. 국가 7

조직구조 및 유형의 특성에 대한 설명으로 옳은 것은?

① 애드호크라시는 공식화 정도가 높고 분권화되어 있으며, 수직적 분화가 심한 특징을 보여주고 있다.

② 공식화는 자원배분을 포함한 의사결정 권한이 조직의 상하 직위 간에 어떻게 분배되어 있는가를 의미한다.

③ 복잡성은 조직이 얼마나 나누어지고 흩어져 있는가의 분화 정도를 말하며, 수평적·수직적·공간적 분화 등으로 세분화할 수 있다.

④ 집권화는 업무수행 방식이나 절차가 표준화되어 있는 정도를 의미하며 직무기술서, 내부규칙, 보고 체계 등의 명문화 정도로 측정할 수 있다.

정답 및 해설

복잡성은 조직의 분화정도를 나타내며, 수평적·수직적·공간적 분화 등으로 세분화할 수 있음

① 애드호크라시는 공식화 정도가 낮고 분권화되어 있으며, 수직적 분화가 적은 특징을 보여주고 있음

② 집권화는 자원배분을 포함한 의사결정 권한이 조직의 상하 직위 간에 어떻게 분배되어 있는가를 의미함

④ 공식화는 업무수행 방식이나 절차가 표준화되어 있는 정도를 의미하며 직무기술서, 내부규칙, 보고 체계 등의 명문화 정도로 측정할 수 있음

정답 ③

07 회독 ☐☐☐
2017. 국가 7

조직구조에 대한 설명으로 옳은 것은?

① 공식화의 수준이 높을수록 조직구성원들의 재량이 증가한다.

② 통솔범위가 넓은 조직은 일반적으로 고층구조를 갖는다.

③ 고객에 대한 신속한 서비스 제공 요구는 집권화를 촉진한다.

④ 복잡성은 '조직이 얼마나 나누어지고 흩어져 있는가'의 분화 정도를 말한다.

정답 및 해설

복잡성은 조직의 분화정도를 나타내며, 수평적·수직적·공간적 분화 등으로 세분화할 수 있음

① 공식화의 수준이 높을수록 조직구성원들의 자율과 재량이 제약됨

② 통솔범위를 좁게 잡으면 계층의 수가 늘어나고, 넓게 잡으면 계층의 수가 줄어듦

③ 고객에 대한 신속한 서비스 제공 요구는 분권화를 촉진함
→ 일선에서의 대응성은 분권화를 통해 촉진할 수 있음

정답 ④

08 회독 ☐☐☐
2016. 교행 9

조직상황 요인과 조직구조 간의 관계를 설명한 것으로 옳지 않은 것은?

① 조직 규모가 커질수록, 분권화 정도가 높은 조직구조가 적합하다.

② 조직 환경이 불확실할수록, 분권화 정도는 높고 공식화 정도는 낮은 조직구조가 적합하다.

③ 조직이 방어적 전략을 추구할수록, 공식화 정도는 낮고 분권화 정도는 높은 조직구조가 적합하다.

④ 조직이 비일상적인 기술을 사용할수록, 분권화 정도는 높고 공식화 정도는 낮은 조직구조가 적합하다.

정답 및 해설

조직이 방어적 전략(현상유지 전략)을 추구할수록 공식화 정도는 높고, 집권화 정도가 높은 조직구조가 적합함

참고 반면에 조직이 공격적 전략(혁신 전략)을 추구할수록 공식화 정도는 낮고 분권화 정도는 높은 유연한 조직구조가 필요함

①②④
▣ 상황변수와 기본변수 간 관계

구분		복잡성	공식화	집권화
규모	조직의 규모↑	+	+	−
환경	불확실성↑	+	−	−
기술	비일상적 기술↑	+	−	−

정답 ③

Section 02 　조직구조 형성의 고전적 원리

01 　회독 ☐☐☐ 　　　　　　　　　　2013. 국가 7

조직관리에서 수직적 연결을 위한 조정기제가 아닌 것은?

① 계층제
② 규칙과 계획
③ 수직정보시스템
④ 임시작업단(task force)

정답 및 해설

임시작업단은 각 부서에서 전문인력을 충원하여 형성한 조직이
므로 수평적인 연결기제임

①②③

> ㉠ 수직적 연결기제 : 수직적 연결은 하위계층과 최고관리
>   층 간 활동을 조정하는 연결장치를 의미함 → 즉, 상위계
>   층의 관리자가 하위계층의 관리자를 통제하고 하위계층
>   간 활동을 조정하는 것을 목적으로 함
> ㉡ 수직적 연결을 위한 구조적 장치
>   ⓐ 계층제(상명하복을 통한 갈등 조정 등), 규칙과 계획
>   (계층 간 권한을 규율하는 규칙과 계층조정을 위한
>   계획), 계층직위의 추가(계층의 직위를 추가하면 통솔
>   의 범위가 축소되는 바 조정이 용이해짐), 수직정보시
>   스템(계층 간 전산에 기초한 의사소통) 등이 있음
>   ⓑ 참고 : 계획은 규칙보다 장기적인 정보임

정답 ④

CHAPTER 02 조직유형론

Section 01 조직의 유형

01 회독 □□□ 2010. 지방 9

계층제적 조직구조의 한계를 극복하고자 다양하게 시도되고 있는 조직모형에 대한 설명으로 옳지 않은 것은?

① 사업구조는 각 기능의 조정이 사업부서 내에서 이루어지므로 기능구조보다 분권적인 조직구조를 갖고 있다.

② 매트릭스구조는 단일의 권한체계를 통하여 불안정하고 급변하는 조직환경에 대응하고자 고안된 조직구조이다.

③ 팀구조는 특정한 업무과정에서 일하는 개인을 팀으로 모아 의사소통과 조정을 쉽게 하는 조직구조이다.

④ 네트워크구조는 핵심기능을 제외한 기능들을 외부기관과의 계약관계를 통하여 수행하는 조직구조이다.

02 회독 □□□ 2010. 서울 9

사업구조(divisional structure)에 대한 설명과 가장 거리가 먼 것은?

① 산출물에 기반한 사업부서화방식이다.

② 사업부서들은 자율적으로 운영되므로 각 기능의 조정은 부서 내에서 이루어진다.

③ 규모의 경제에 따른 효율성을 확보할 수 있다.

④ 기능구조보다 환경변화에 신축적이고 대응적일 수 있다.

⑤ 성과에 대한 책임성의 소재가 분명해져 성과관리에 유리하다.

정답 및 해설

매트릭스 구조는 이원적 권한체계를 통해 불안정하고 급변하는 조직환경에 대응하고자 고안된 조직구조임

① 사업구조는 사업부서 장에게 주어진 자율성을 기초로 각 기능의 조정이 사업부서 내에서 이루어지므로 기능구조보다 분권적인 조직구조를 갖고 있음
③ 팀구조는 팀의 핵심업무를 수행하기 위해 의사소통과 조정을 쉽게 하는 수평적 조직구조임
④ 네트워크구조는 조직의 자체기능은 핵심역량 위주(기획 및 조정)로 편성하고 여타 기능은 외부기관들과 계약관계를 통해 수행하는 조직구조임

정답 ②

정답 및 해설

③ 기능구조에 대한 내용임 → 기능구조는 복잡성이 증대하는 과정에서 업무의 세분화를 통해 일의 능률성을 촉진함(규모의 경제)

① 사업구조는 사업별로 부서화 후 하나의 부서 내에 필요한 모든 기능을 포함한 조직유형임
② 사업부서들은 사업별로 자율적인 운영을 하는바 각 기능의 조정은 부서 내에서 이루어 짐
④ 사업구조는 사업부서 내 기능 간 조정이 용이하므로 기능구조에 비해 환경변화에 좀 더 신축적이고, 대응적임
⑤ 사업구조는 산출물 단위로 조직평가를 하기 때문에 성과에 대한 책임성의 소재가 분명해져 성과관리에 유리함

정답 ③

03 회독 ☐☐☐

매트릭스 구조에 대한 설명으로 옳지 않은 것은?

① 기능부서의 신속한 대응성과 사업부서의 전문성에 대한 필요에 의해 결합된 조직이다.

② 기능부서 통제 권한의 계층은 수직적으로 흐르고, 사업부서 간 조정 권한의 계층은 수평적으로 흐르게 된다.

③ 조직구성원은 동시에 두 명의 상관에게 보고하는 체계를 가진다.

④ 개인들이 다양한 경험을 할 수 있기 때문에 전문 기술의 개발과 더불어 넓은 시야를 갖출 수 있는 기회가 된다.

어떠한 조직도 배타적으로 기계적 또는 유기적 구조에 해당되는 것은 아니다. 두 가지 구조의 양극단 사이에 대안적 구조들이 위치하고 있다. 이들 대안적 구조에 대한 설명으로 가장 적절하지 않은 것은?

① 기능구조 - 기본적으로 수평적 조정의 필요가 낮을 때 가장 효과적이다.

② 사업구조 - 기능 간 조정이 극대화될 수 있는 조직구조이다.

③ 매트릭스구조 - 각 부서는 자기완결적 기능단위로 기능간 조정이 용이하다.

④ 팀구조 - 조직구성원을 핵심업무과정 중심으로 조직하는 방식이다.

⑤ 네트워크구조 - 유기적 조직유형의 하나로 정보통신기술의 확산으로 채택된 새로운 조직구조 접근법이다.

(정답 및 해설)

매트릭스 구조는 기능부서의 전문성과 사업부서의 신속한 대응성에 대한 필요에 의해 결합된 조직임

② 매트릭스 조직은 기존의 기능부서 조직에 프로젝트팀의 장점인 유연성·자율성·전문성·혁신성을 배합하고, 기능별로 분화된 수직적 지시·감독 체계에 수평적 지시·감독 체계가 작동하도록 설계한 조직유형임

③ 매트릭스 조직은 이원적 권한체계를 지니는바 조직구성원은 동시에 두 명의 상관에게 보고해야 함

④ 조직 내 구성원은 다양한 경험(사업구조와 기능구조의 경험)을 통해 전문기술의 개발과 더불어 더 넓은 시야와 목표관을 가질 수 있음

정답 ①

(정답 및 해설)

③ 사업구조에 대한 내용임

① 기능구조 - 기본적으로 기능부서 간 업무 분담이 잘 되어 있을 때(수평적 조정의 필요 낮을 때) 가장 효과적임

② 사업구조 - 적당한 규모이므로 기능 간 조정이 극대화될 수 있는 조직구조임

④ 팀구조 - 조직구성원을 핵심업무과정 중심으로 조직하는 수평적 구조임

⑤ 네트워크구조 - 유기적 조직유형의 하나로 정보통신기술을 활용해서 조직의 통합을 유도함

정답 ③

PART — 03

05 회독 □□□ 2011. 국가 9

매트릭스 구조에 대한 설명으로 옳은 것은?

① 산출물에 기초한 사업부서화 방식의 조직구조이다.

② 기능구조와 사업구조의 화학적 결합을 시도하는 조직구조이다.

③ 조직구성원을 핵심업무를 중심으로 배열하는 조직구조이다.

④ 핵심기능 이외의 기능은 외부기관들과 계약관계를 통해 수행하는 조직구조이다.

정답 및 해설

매트릭스 구조는 기능구조와 사업구조를 혼합한 조직구조(기능구조와 사업구조의 화학적 결합을 시도)로써 기능부서의 전문성과 사업부서의 대응성을 결합한 조직임

① 사업구조에 대한 내용임
③ 팀조직에 대한 내용임
④ 네트워크 조직에 대한 내용임

정답 ②

06 회독 □□□ 2006. 국가 7

네트워크 조직의 특성으로 옳지 않은 것은?

① 기능부서의 기술적 전문성과 사업부서의 신속한 대응성이 동시에 요구되면서 등장한 조직형태이다.

② 정보통신망에 의하여 조정되므로 직접 감독에 필요한 많은 지원과 관리인력이 불필요하게 된다.

③ 환경변화에 신축적이고 신속한 대응이 가능해진다.

④ 조직 내 개인들은 도전적인 과업을 수행하면서 직무의 확충에 따라 직무동기가 유발된다.

정답 및 해설

① 매트릭스 구조에 대한 내용임

② 네트워크 조직은 외부의 조직을 정보통신망으로 조정하는바 직접 감독에 필요한 많은 지원과 관리인력이 불필요하게 됨

③ 네트워크 조직은 유기적인 조직에 해당함

④ 네트워크 조직은 수직적·수평적 통합을 지향(낮은 수준의 복잡성)하므로 조직 내 개인들은 도전적인 과업을 수행하면서 직무의 확충에 따라 직무동기가 유발됨

참고

㉠ 직무확충 : 동일 직무에 다른 과업을 병행하는 것으로써 직무확장과 직무충실로 구분할 수 있음

㉡ 직무확장(job enlargement) : 기존의 직무에 수평적으로 연관된 직무요소 또는 기능들을 추가하는 수평적 직무 재설계의 방법; 수평적 전문화의 수준이 낮아지는 것

㉢ 직무충실(job enrichment) : 직무를 맡는 사람의 책임성과 자율성을 높이고, 직무수행에 관한 환류가 원활히 이루어지도록 직무를 재설계하는 방법 → 수직적 전문화의 수준이 낮아지는 것

정답 ①

07 회독 ☐☐☐

민츠버그(H. Mintzberg)가 제시한 조직구조 유형에 대한 설명으로 옳은 것은?

① 기계적 관료제(machine bureaucracy)는 막스 베버의 관료제와 유사하다.

② 임시조직(adhocracy)은 대개 단순하고 반복적인 문제를 해결하기 위해 생성된다.

③ 폐쇄체계(closed system)적 관점에서 조직유형을 분류하였다.

④ 사업부 조직(divisionalized organization)은 기능별·서비스별 독립성으로 인해 조직 전체 공통관리비의 감소효과가 크다.

정답 및 해설

기계적 관료제의 대표적인 예는 막스 베버의 관료제임

② 임시조직은 비일상적인 일을 해결하기 위해 생성됨

③ 민츠버그는 환경요인을 고려한 까닭에 개방체제적 관점에서 조직유형을 분류했음 → 예를 들어, 애드호크라시는 동태적이고 복잡한 환경에 적합한 조직유형임

④ 사업부 조직은 기능별·서비스별 독립성으로 인해 조직관리비가 증가할 수 있음

정답 ①

08 회독 ☐☐☐

조직구조모형에 대한 설명으로 옳지 않은 것은?

① 사업구조(divisional structure)에서는 자율적으로 운영되는 부서 간의 조정가능성은 증진되지만 부서 내 조정은 어려워진다.

② 네트워크구조(network structure) 내의 개인들은 도전적인 과업을 수행하면서 직무의 확장과 확충에 따라 직무동기가 유발되는 장점이 있다.

③ 기능구조(functional structure)에서는 기능적 통합을 통하여 규모의 경제를 제고할 수 있다.

④ 매트릭스구조(matrix structure)에서는 조직구성원들을 부서간에 공유함으로써 자원 활용의 효율성을 제고할 수 있다.

정답 및 해설

사업부서 간의 조정은 어렵지만, 사업부서 내 조정은 용이함 → 사업구조는 지나친 분업화를 지양하는 조직임

② 네트워크 조직은 수직적·수평적 통합을 지향(낮은 수준의 복잡성)하므로 조직 내 개인들은 도전적인 과업을 수행하면서 직무의 확충에 따라 직무동기가 유발됨

③ 기능구조는 유사한 기능을 통합하여 분업을 촉진하는바 규모의 경제를 제고할 수 있음

④ 매트릭스구조는 조직구성원을 기능구조와 사업구조의 장이 공유함으로써 자원 활용의 효율성을 제고할 수 있음

정답 ①

09 회독 ☐☐☐

2011. 국가 7

민츠버그(H. Mintzberg)의 조직유형론에 대한 설명으로 옳지 않은 것은?

① 단순구조(simple structure)는 집권화되고 유기적인 조직 구조로서, 단순하고 동태적인 환경에서 주로 발견된다.

② 기계적 관료제(machine bureaucracy)는 단순하고 안정적인 환경에 적절한 조직 형태로서, 주된 조정방법은 작업과정의 표준화이다.

③ 전문적 관료제(professional bureaucracy)는 수평·수직적으로 분권화된 조직 형태로서, 복잡하고 안정적인 환경에 적합하다.

④ 사업부제 조직(divisionalized form)은 기능부서 간의 중복으로 인한 자원 낭비를 방지할 수 있으며, 사업부 내 과업의 조정은 산출물의 표준화를 통해 이루어진다.

정답 및 해설

사업부제 조직(divisionalized form)은 기능부서 간의 중복으로 인한 자원낭비를 야기할 수 있으며, 사업부 내 과업의 조정은 산출물의 표준화를 통해 이루어짐

①②③
■ **민츠버그 조직유형**

분류	단순구조	기계적 관료제구조	전문적 관료제구조	사업부제구조 (할거적 구조)	애드호크라시
조정수단 (관리방식)	직접감독	업무표준화 (작업과정 표준화)	지식/기술의 표준화	산출물의 표준화	상호조정
핵심부문 (핵심인력)	전략층 (최고관리층) (전략적 정점)	기술구조	핵심운영층	중간관리층	지원 스태프
상황 요인					
역사 규모 기술 환경(개방체제) 권력	신생조직 소규모 단순 단순, 동태적 최고 관리자	오래된 조직 대규모 비교적 단순 단순, 안정 기술관료	가변적 가변적 복잡 복잡, 안정 전문가	오래된 조직 대규모 가변적 단순, 안정 중간 관리층	신생조직 가변적 매우 복잡 복잡, 동태적 전문가
구조 요인					
전문화 공식화 통합/조정 집권/분권	낮음 낮음 낮음 집권화	높음 높음 낮음 제한된 수평적 분권화	높음(수평적) 낮음 높음 수평·수직적 분권화	중간 높음 낮음 제한된 수직적 분권화	높음(수평적) 낮음 높음 선택적 분권화
예	신생 조직	행정부	종합병원·대학교	재벌조직	연구소

정답 ④

10 회독 ☐☐☐

학자와 조직유형 간 관계를 연결한 것으로 옳지 않은 것은?

① Parsons - 강압적 조직, 공리적 조직, 규범적 조직
② Mintzberg - 단순구조, 기계적 관료제, 전문적 관료제, 할거적 구조(사업구조), 임시체제
③ Blau & Scott - 호혜적 조직, 기업조직, 봉사조직, 공익조직
④ Cox, Jr. - 획일적 조직, 다원적 조직, 다문화적 조직

정답 및 해설

강압적 조직, 공리적 조직, 규범적 조직으로 구분한 학자는 Etzioni임 → Parsons는 조직의 기능을 중심으로 경제조직, 정치조직, 통합조직 및 형상(현상) 유지 조직으로 구분하였음

② Mintzberg : 민단기전사애 → 단순구조, 기계적 관료제, 전문적 관료제, 사업구조, 애드호크라시
③ Blau & Scott

조직유형	예시	수혜자	중점
호혜조직	종교단체, 정당, 근로조합 등	구성원	구성원의 참여와 통제에 의한 민주적 절차 수립; 이를 위해 과두제 현상이 나타나지 않게 해야 함
기업조직	기업체, 제조회사, 은행, 보험회사 등	소유주	능률의 극대화
봉사조직 (서비스조직)	병원·학교	고객	고객에 대한 봉사와 절차 사이의 갈등해결
공익조직	정부기관, 군대조직, 경찰조직 등	일반국민	국민의 외부통제를 위한 민주적 장치

④ Cox, Jr.

조직유형	조직 내 문화의 수	갈등 여부
획일적 조직	조직 내 하나의 문화	갈등 ×
다원적 조직	조직 내 다양한 문화	갈등 ○ (다른 문화에 대해 배타적)
다문화적 조직	조직 내 다양한 문화	갈등 × (집단 내외 갈등 모두 없음)

정답 ①

11 회독 ⃞⃞⃞ 2008. 국가 9

지식정보사회를 반영하는 새로운 조직 형태를 설명한 것 중 옳지 않은 것은?

① 후기기업가조직(post-entrepreneurial organization)은 신속한 행동, 창의적 탐색, 더 많은 신축성, 직원과 고객과의 밀접한 관계 등을 강조하는 조직 형태이다.
② 삼엽조직(shamrock organization)은 소규모 전문직 근로자들, 계약직 근로자들, 신축적인 근로자들로 구성된 조직형태이다.
③ 혼돈조직(chaos organization)은 혼돈이론, 비선형동학, 복잡성 이론 등을 적용한 조직형태이다.
④ 공동화조직(hollowing organization)은 조정, 기획 등의 기능을 제3자에게 위임 또는 위탁하여 업무를 축소한 조직 형태이다.

정답 및 해설

공동화조직은 조정, 기획 등의 중요한 기능은 직접 담당하고, 그 외 부수적인 행정서비스 기능은 제3자에게 위임 또는 위탁하는 조직 형태임 → 참고로, 공동화 조직은 네트워크 조직을 의미함

①②

삼엽조직	① 조직의 규모를 소규모로 유지하면서 산출의 극대화가 가능하도록 설계 ② 이를 위해, 세 가지 형태의 근로자 집단으로 조직을 구성 → 전문직 근로자(정규직), 계약직 근로자, 비정규직(신축적인)근로자; 미래 정보화 사회에서는 이 세 부문이 조직의 필수적 요소라는 것 ③ 특히 이 중에서도 정규직원을 소규모로 유지하면서 산출의 극대화를 도모함
후기기업가조직	① 조직의 대규모를 유지하면서도 유연함을 강조 ② 신속한 행동, 창의적 탐색, 신축성, 직원과 고객과의 밀접한 관계 등을 강조하는 조직형태 ③ 후기기업가조직은 거대한 규모(코끼리 : 대규모 계층제)를 유지하면서도 날렵하게 움직일 수 있는 유연성(생쥐 : 네트워크 조직)을 강조함

③ 혼돈조직은 자연과학에서 비롯된 카오스(혼돈)이론, 비선형동학, 복잡성 이론 등을 정부조직에 적용한 조직형태임
참고 카오스(혼돈)이론, 비선형동학, 복잡성 이론 등은 세상을 정밀한 복잡계로 바라보는 이론임

정답 ④

12 회독 ⃞⃞⃞ 2011. 지방 7 수정

조직의 이중순환고리 학습(double-loop learning)에 대한 설명으로 옳은 것은?

① 모건(G. Morgan)의 홀로그래픽(holographic) 조직설계를 위해 개발된 '학습을 위한 학습 원칙'과 관련성이 높다.
② 개방적인 조직보다는 폐쇄적인 조직에서 발생할 가능성이 높다.
③ 학습효과는 빠르고 국소적으로 나타난다.
④ 기존의 운영규범 및 지식체계에서 조직구성원의 행동 오류를 발견하고 이를 약간씩 수정하는 것이다.

정답 및 해설

이중순환고리학습은 기존의 운영규범 및 지식체계에 의문을 제기하는 근본적인 학습활동임 → 이는 모건(G. Morgan)의 홀로그래픽(holographic) 조직설계를 위해 개발된 '학습을 위한 학습 원칙'과 유사한 개념임

②③④ 단일순환고리학습에 대한 내용임
■ 이중순환고리학습과 단일순환고리학습

이중순환고리학습	① 운영규칙의 적절성 자체에 의문을 제기하는 근본적인 학습활동 → 모건(G. Morgan)의 홀로그래픽(holographic) 조직설계를 위해 개발된 '학습을 위한 학습 원칙'과 관련성이 높음 ② 따라서 학습효과는 장기간에 걸쳐 폭넓게 나타남 → 조직은 이러한 이중순환학습의 능력을 개발함으로써 스스로 진화할 수 있음
단일순환고리학습	① 단일순환고리 학습은 기존의 운영규범 및 지식체계에서 오류를 발견하고 이를 조금씩 수정해가는 것임 → 기존 운영규범이 옳다는 전제하에 구성원의 행동 오류를 수정하는 것 ② 따라서 학습효과는 빠르고 국소적으로 나타나며 개방적인 조직보다는 폐쇄적인 조직(운영규칙에 대한 의문제기×)에서 발생할 가능성이 높음

정답 ①

13 회독 ☐☐☐

다음 중 보조기관에 해당하지 않는 기관은?

① 차관보
② 차관
③ 과장
④ 실장

정답 및 해설

차관보는 보좌기관임

②③④

> **정부조직법 제2조【중앙행정기관의 설치와 조직 등】** ③ 중앙행정기관의 보조기관은 이 법과 다른 법률에 특별한 규정이 있는 경우를 제외하고는 차관·차장·실장·국장 및 과장으로 한다. 다만, 실장·국장 및 과장의 명칭은 대통령령으로 정하는 바에 따라 본부장·단장·부장·팀장 등으로 달리 정할 수 있으며, 실장·국장 및 과장의 명칭을 달리 정한 보조기관은 이 법을 적용할 때 실장·국장 및 과장으로 본다.
> ⑤ 행정각부에는 대통령령으로 정하는 특정 업무에 관하여 장관과 차관을 직접 보좌하기 위하여 차관보를 둘 수 있다.

정답 ①

CHAPTER 03 조직관리기법

Section 01 조직관리기법 : 관료제에 대한 보정

01 회독 ☐☐☐

2013. 국가 9

정부 성과평가에 대한 설명으로 옳지 않은 것은?

① 성과평가는 개인의 성과를 향상시키기 위한 방법을 모색하기 위해서 사용될 수 있다.
② 총체적 품질관리(Total Quality Management)는 개인의 성과평가를 위한 도구로 도입되었다.
③ 관리자와 구성원의 적극적인 참여는 성과평가 성공에 있어서 중요한 역할을 한다.
④ 조직목표의 본질은 성과평가 제도의 운영과 직접 관련성을 갖는다.

[정답 및 해설]

개인의 성과평가를 위한 도구로 도입한 것은 MBO임 → 총체적 품질관리(Total Quality Management)는 고객만족을 위한 서비스 품질 제고를 1차적 목표로 삼고, 구성원의 광범위한 참여를 통해 경영과 업무, 직장환경, 조직구성원의 자질까지도 품질 개념에 넣어 관리해 나가려는 총체적 품질관리철학임

① 성과평가는 환류를 통해 개인의 학습으로 이어질 수 있는바 개인의 성과를 향상시키기 위한 방법을 모색하기 위해서 사용될 수 있음
③ 관리자와 구성원 모두가 적극적으로 참여해서 조직을 관리할 경우 성공적인 성과평가를 달성할 수 있음
④ 일반적으로 성과의 기준은 조직의 목표를 바탕으로 설정됨

[정답] ②

02 회독 ☐☐☐

2017. 경정승진

균형성과표(BSC; Balanced Score Card)에 대한 설명으로 가장 적절하지 않은 것은?

① 재무적 관점의 성과지표는 민간부문에서 특히 중시하는 것으로 대표적인 후행지표이다.
② 내부프로세스 관점의 대표적 성과지표에는 의사결정 과정의 시민참여, 적법절차, 커뮤니케이션 구조 등이 있다.
③ 학습과 성장 관점의 성과지표에는 학습동아리 수, 내부 제안 건수, 직무만족도 등이 있다.
④ BSC는 정부실패와 시장실패 등의 위기를 극복하기 위하여 비재무적 지표보다는 재무적 지표관리의 중요성을 강조한다.

[정답 및 해설]

BSC는 재무적 지표는 물론 비재무적 지표를 포함한 균형 있는 지표관리의 중요성을 강조함

① 재무적 관점의 성과지표, 즉 매출 등은 민간부문에서 특히 중시하는 것으로 대표적인 후행지표임
②③

업무처리 관점	성과지표 : 의사결정 과정에 대한 시민참여, 적법절차, 공개, 커뮤니케이션 구조 등이 있음
학습·성장 관점	① 다른 세 관점이 추구하는 성과목표를 달성하는 데 기본 토대를 형성함 → 이러한 면에서 학습과 성장의 관점은 민간부문과 정부부문이 큰 차이를 둘 필요가 없는 부분임 ② 성과지표 : 직무만족도, 학습동아리의 수, 공무원의 능력 향상을 위해 전문적 직무교육 강화, 내부 제안 건수 등

[정답] ④

03 회독 ☐☐☐ 2014. 지방 9

균형성과표의 성과지표에 대한 설명 중 옳지 않은 것은?

① 고객 관점에서의 성과지표에는 고객만족도, 정책순응도, 민원인의 불만율, 신규 고객의 증감 등이 있다.
② 내부프로세스 관점의 성과지표에는 의사결정 과정의 시민참여, 적법절차, 커뮤니케이션 구조 등이 있다.
③ 재무적 관점의 성과지표는 전통적인 선행지표로서 매출, 자본 수익률, 예산 대비 차이 등이 있다.
④ 학습과 성장 관점의 성과지표에는 학습동아리 수, 내부 제안 건수, 직무만족도 등이 있다.

04 회독 ☐☐☐ 2008. 국가 9 수정

우리나라 정부에서 추진하고 있는 BSC(Balanced Score Card) 성과평가에 대한 설명으로 옳은 것은?

① MBO와 보완하여 사용하는 성과평가
② NGO가 개발하여 적용하는 성과평가
③ PPBS의 수단으로 사용하는 성과평가
④ ZBB를 대체하여 적용하는 성과평가

정답 및 해설

재무적 관점의 성과지표는 전통적인 후행지표임 → BSC는 결과를 예측해 주는 선행지표(학습과 성장)와 그로 인해 나타날 수 있는 결과인 후행지표(재무적 관점) 간 균형을 추구함

①②④

■ **균형성과표 4대 관점**

재무적 관점	① 민간부문에서 특히 중시하는 것으로 전통적인 후행지표임 ② 성과지표 : 매출, 자본 수익률, 예산 대비 차이, 공기업 재정 운영의 효율성을 제고하기 위한 직원 보수조정 등이 있음
고객 관점	성과지표 : 고객만족도, 정책순응도, 민원인의 불만율, 신규 고객의 증감 등이 있음
업무처리 관점	성과지표 : 의사결정 과정에 대한 시민참여, 적법절차, 공개, 커뮤니케이션 구조 등이 있음
학습 · 성장 관점	① 다른 세 관점이 추구하는 성과목표를 달성하는 데 기본 토대를 형성함 → 이러한 면에서 학습과 성장의 관점은 민간부문과 정부부문이 큰 차이를 둘 필요가 없는 부분임 ② 성과지표 : 직무만족도, 학습동아리의 수, 공무원의 능력 향상을 위해 전문적 직무교육 강화, 내부 제안 건수 등

정답 ③

정답 및 해설

BSC는 MBO의 단점, 즉 개인의 성과평가 혹은 계량적인 평가에 치중하는 면을 비판하면서 등장한 조직관리 기법으로서 단기적 관점과 장기적 관점, 재무적 지표와 비재무적 지표 간의 균형있는 평가를 지향함 → 따라서 BSC는 MBO의 단점을 보완한 조직관리기법임

정답 ①

05 회독 ☐☐☐ 2014. 지방 7

총체적 품질관리(TQM)에 대한 설명으로 옳지 않은 것은?

① 품질관리가 서비스 생산 및 공급이 이루어지는 과정의 매 단계에서 이루어진다.

② 계획과 문제해결의 주된 방법은 집단적 과정이다.

③ TQM의 관심은 내향적이어서 고객의 필요에 따라 목표를 설정하는 것을 강조한다.

④ 산출물의 일관성 유지를 위해 과정통제 계획과 같은 계량화된 통제 수단을 활용한다.

06 회독 ☐☐☐ 2017. 국가 7

SWOT 분석에 대한 설명으로 옳지 않은 것은?

① 조직 내적 특성과 외부환경의 조합에 따른 맞춤형 대응 전략 수립에 도움이 된다.

② 조직 외부환경은 기회와 위협으로, 조직 내부 자원·역량은 강점과 약점으로 구분한다.

③ 다양화 전략은 조직의 강점을 활용하여 위협을 회피하거나 최소화하는 전략이라고 볼 수 있다.

④ 기존 프로그램의 축소 또는 폐지는 약점·기회를 고려한 방어적 전략이라고 볼 수 있다.

07 회독 ☐☐☐

목표관리제(MBO), 조직발전(OD), 총체적 품질관리(TQM), 리엔지니어링(RE)에 관한 다음 설명 중 가장 옳지 않은 것은?

① 목표관리제(MBO)는 역할모호성 및 역할갈등을 감소시키고 일과 사람의 조화 수준을 높인다.

② 조직발전(OD)은 외부의 전문가들이 참여하는 하향적 관리방식으로 문제해결 역량을 개선하려는 지속적이고 장기적인 노력이다.

③ 총체적 품질관리(TQM)는 기능적 조직에 적합하며 개인의 성과평가를 위한 도구로 도입되었다.

④ 리엔지니어링(RE)은 프로세스의 변화뿐만 아니라 조직구조나 문화 등 다양한 측면에서 변화가 요구된다.

───

정답 및 해설

총체적 품질관리(TQM)는 탈관료제 조직에 적합하며 고객에 대한 서비스 품질 향상을 목표로 도입되었음

① 목표관리제(MBO)는 능동적인 관점에서 구체적 목표를 설정함으로써 역할모호성 및 역할갈등을 감소시키고 일과 사람의 조화 수준을 높임

② 조직발전(OD)은 외부 전문가의 참여를 통해 구성원의 행동변화를 유도하는 하향적 관리방식(강제성 ×)이기 때문에 문제해결 역량을 개선하려는 지속적이고 장기적인 노력임

④ 리엔지니어링, 즉 BPR은 조직성과의 점증적인 개선이 아니라 이전과 비교하여 단절적이라 할 정도의 과감한 변화를 목표로 함 → 이에 따라 업무, 조직, 조직문화까지 개혁의 대상으로 함

정답 ③

───

08 회독 ☐☐☐

조직발전(Organization Development)에 대한 기술 중 잘못된 것으로만 묶인 것은?

┌─────────────────────────────────────┐
ㄱ. 조직발전은 조직의 실속, 효과성, 건강성을 높이기 위한 조직 전반에 걸친 계획된 노력을 의미한다.

ㄴ. 조직발전은 조직구성원의 행태 변화를 통하여 조직의 생산성과 환경에의 적응 능력을 향상시키는 것을 목표로 한다.

ㄷ. 조직발전에서 인간에 대한 가정은 맥그리거(McGregor)의 X이론이다.

ㄹ. 조직발전에서 가정하는 조직은 폐쇄체제 속에서 복합적 인과관계를 가진 유기체이다.

ㅁ. 조직발전에서 추구하는 변화는 조직문화의 변화를 포함한다.
└─────────────────────────────────────┘

① ㄱ, ㄴ, ㄷ   ② ㄴ, ㄷ, ㄹ

③ ㄷ, ㄹ   ④ ㄹ, ㅁ

───

정답 및 해설

ㄷ. (×) 조직발전은 조직의 변화를 유도하는 것이지, 이를 강제하지 않음 → 따라서 조직발전에서 인간에 대한 가정은 Y이론적 인간관임

ㄹ. (×) 조직발전에서 가정하는 조직은 개방체제 속에서 복합적 인과관계를 가진 유기체임

ㄱ. (○) 조직발전은 변화하는 환경에 적응하기 위한 조직 전반에 걸친 계획된 노력을 의미함

ㄴ. (○) 조직발전은 환경적응 등을 위해 조직구성원의 행태 변화를 유도함 → 조직문화의 변화 포함

정답 ③

09 회독 □□□　　　　　　　2017. 지방 7

행정개혁으로서의 리엔지니어링(BPR)에 대한 설명으로 옳은 것은?

① 조직의 점진적 변화가 필요할 때 사용되며, 조직문화는 개혁의 대상이 아니다.

② 조직 개선을 위한 논의는 구조, 기술, 형태 등과 같은 변수를 중심으로 이루어진다.

③ 공공부문과 민간부문의 리엔지니어링 환경은 차이가 없다.

④ 고객만족 가치를 창출하는 프로세스 개선에 초점을 둔다.

[정답 및 해설]

리엔지니어링(Business Process Re-engineering)은 NPM에 영향 아래 도입한 기업의 관리기법 중의 하나임 → 따라서 고객의 만족을 목표로 하며, 이를 위해 조직의 능률적인 프로세스 개선에 초점을 둠

① BPR은 조직성과의 점증적인 개선이 아니라 이전과 비교하여 단절적이라 할 정도의 과감한 변화를 목표로 함 → 이에 따라 업무, 조직, 조직문화까지 개혁의 대상으로 함

② BPR은 특정 변수 중심이 아니라 일 처리 흐름과 연관된 다양한 측면을 개선함

③ 행정과 경영은 다양한 측면에서 차이점이 있음(예 형평성 추구 등)

정답 ④

CHAPTER **04** 조직구조 안정화 메커니즘

Section 01 조직문화

01 회독 ☐☐☐ 2015. 국가 7

행정문화란 행정체제의 구성원들이 공유하는 가치와 신념, 그리고 태도와 행동 양식의 총체라고 할 수 있다. 호프스테드(Hofstede)의 문화 차원을 근거로 하였을 때 한국문화의 특성으로 보기 어려운 것은?

① 개인주의
② 온정주의
③ 권위주의
④ 안정주의

정답 및 해설

호프스테드에 따르면 한국문화의 특성은 집단주의, 온정주의, 권위주의, 안정주의 등으로 나타났음

② 온정주의는 호프스테드와 트롬페나르 두 학자의 연구 결과에서 나온 한국문화의 특성임
  ■ 온정주의: 한국은 여성성향이 강한 것으로 나타남 → 여성성향은 행정에서 과업지향의 근무행태보다 온정주의 내지 인간관계를 강조하는 행태로 나타남

③④

참고

호프스테드는 각국 행정문화의 특성을 권력 거리, 개인주의·집단주의, 남성성·여성성, 불확실성 회피 등의 관점에서 구별하였음 → 연구 결과에서 한국문화의 특성은 권위주의(권력 거리가 큼), 집단주의(개인주의보다 집단주의 성향이 강함), 안정주의(불확실성 회피성향이 강함) 등이 강한 것으로 나타났음

정답 ①

Section 02 리더십

01 회독 ☐☐☐ 2010. 지방 7

리더십에 대한 이론과 그에 대한 설명으로 옳지 않은 것은?

① 자질이론 − 지도자의 특성으로 지능과 인성뿐 아니라 육체적 특징을 들고 있다.
② 행태이론 − 상이한 지도유형이 구성원의 과업 성과에 어떤 영향을 주는가를 분석한다.
③ 권력·영향력 이론 − 특정 상황에 따른 각 지도자 행태의 효과성에 관심을 갖는다.
④ 상황 리더십이론 − 모든 조직에 적용할 수 있는 가장 효과적인 지도자 유형은 존재하지 않는다고 본다.

정답 및 해설

권력·영향력 이론은 리더가 보유한 권한의 정도에 따른 조직의 생산성을 설명하는 이론임 → 선지는 상황 리더십이론에 대한 내용임

① 자질이론 − 지도자의 타고난 특성으로 지능과 인성뿐 아니라 육체적 특징을 들고 있음
② 행태이론 − 리더의 행동이 조직성과에 어떤 영향을 주는가를 분석함
④ 상황 리더십이론 − 상황에 맞는 행동이 존재한다는 관점이므로 모든 조직에 적용할 수 있는 가장 효과적인 지도자 유형은 없음을 강조함

정답 ③

02 [회독] ☐☐☐

리더십에 대한 연구 중 그 성격이 다른 것은?

① 르윈(Lewin), 리피트(Lippitt), 화이트(White)는 리더십의 유형을 권위형, 민주형, 방임형으로 분류한다.

② 리더십에 대한 미시간대학교(University of Michigan)의 연구에서는 직원중심형과 생산중심형으로 구분한다.

③ 블래이크(Blake)와 무튼(Mouton)은 조직발전에 활용할 목적으로 관리유형도(Managerial Grid)라는 개념적 도구를 사용한다.

④ 허시(Hersey)와 블랜차드(Blanchard)는 인간관계중심적 행태와 임무중심적 행태를 기준으로 리더십 유형을 구분한다.

03 [회독] ☐☐☐

커와 저미어(S.Kerr & J.Jermier)가 주장한 '리더십 대체물 접근법'에 대한 설명으로 옳은 것만을 모두 고른 것은?

ㄱ. 구조화되고 일상적이며 애매하지 않은 과업은 리더십의 대체물이다.
ㄴ. 조직이 제공하는 보상에 대한 무관심은 리더십의 대체물이다.
ㄷ. 부하의 경험, 능력, 훈련 수준이 높은 것은 리더십의 중화물이다.
ㄹ. 수행하는 과업의 결과에 대한 환류(feedback)가 빈번한 것은 리더십의 대체물이다.

① ㄱ, ㄷ ② ㄱ, ㄹ
③ ㄴ, ㄷ ④ ㄴ, ㄹ

(정답 및 해설)

④의 내용은 리더십 상황론이며, 다른 선지는 행태론적 리더십에 해당함 → 전통적 리더십은 특성론, 행태론, 권력 및 영향력 접근, 상황론으로 구분할 수 있으며, 이 중에서 행태론은 미시간 대학의 연구, 오하이오 대학의 연구, 관리그리드 모형, 아이오와 대학의 연구로 구분할 수 있음

① 아이오와 대학연구를 주도한 르윈(Lewin), 리피트(Lippitt), 화이트(White)는 리더십의 유형을 권위형, 민주형, 방임형으로 분류하고 있음

② 리더십에 대한 미시간대학교(University of Michigan)의 연구에서는 리더의 행동을 직원중심형과 생산중심형으로 구분한 후, 직원중심 행동이 조직의 생산성에 더 큰 영향을 미친다고 보았음

③ 블래이크(Blake)와 무튼(Mouton)은 관리유형도를 통해 단합형 리더가 조직의 생산성에 가장 효과적임을 밝혔음

(정답) ④

(정답 및 해설)

커와 저미어는 리더의 행동을 제약하는 상황요인으로서 대체물 혹은 중화물을 제시하였음 → 전자는 리더십을 의미없게 만드는 요인이며, 후자는 리더십을 약화시키는 요인임

ㄱ. (○) 구조화되고 일상적이며 애매하지 않은 과업, 즉 체계적인 과업구조는 리더십의 대체물임

ㄹ. (○) 부하가 수행하는 과업의 결과에 대한 환류(feedback)가 빈번하게 되면 부하의 직무 숙지도가 높아지므로 리더의 행동을 대체할 수 있음

ㄴ. (✕) 조직이 제공하는 보상에 대한 무관심은 리더십의 중화물로 작용함

ㄷ. (✕) 부하의 경험, 능력, 훈련 수준이 높은 것은 리더십의 대체물로 작용함

(정답) ②

04 회독 ☐☐☐　　　　　　　　　2013. 국가 7

변혁적 리더십(transformational leadership)의 특징이 아닌 것은?

① 리더는 부하의 욕구와 직무수행에 필요한 자원을 정확히 파악하여 그에 대한 보상과 지원을 제공하고, 부하는 그에 상응하는 노력을 통하여 리더가 제시한 과업 목표를 달성한다.
② 부하의 변화 측면에 초점을 맞추어 재량권을 부여하고 부하를 리더로 키운다.
③ 부하의 자기실현과 존중감 등 높은 수준의 욕구 실현에 관심을 갖는다.
④ 조직이 나아갈 비전을 제시하고 구성원들로 하여금 비전을 공유할 수 있도록 만든다.

정답 및 해설

① 거래적 리더십의 내용임 → 거래적 리더십이란 부하가 가치 있다고 생각하는 것을 교환함으로써 추종자에게 영향력을 행사하는 리더십임

②③④
■ **변혁적 리더십의 특징**

구분	내용
카리스마적(위광적) 리더십	① 리더가 난관을 극복하고 현재 상황에 대한 각성을 확고하게 표명함으로써 부하에게 자긍심과 신념을 심어줌 ② 즉, 리더가 특출한 성격과 능력으로 추종자들의 강한 헌신과 리더와의 일체화를 이끌어내는 리더십 → 솔선수범을 통해 존경과 신뢰를 얻음 ③ 변혁적 리더십은 카리스마적 리더십을 기반으로 하는바 카리스마적 리더십과 중첩되는 면이 있음
영감적 리더십	리더가 부하로 하여금 도전적인 목표와 임무, 그리고 미래에 대한 비전을 열정적으로 받아들이고 추구하도록 격려 → 비전제시 및 공유
개별적 배려	① 리더가 부하에게 특별한 관심을 보이고 각 부하의 특정한 요구를 이해해 줌으로써 부하에 대한 개인적인 존중을 표현(자긍심과 신념을 심어줌)하는 것 ② 즉, 리더는 구성원 개개인의 니즈에 관심을 가지면서 잠재력 개발을 도움 → 부하의 자아실현과 존중감 등 높은 수준의 욕구 실현에 관심을 둠 ③ 리더는 조직의 혁신을 위해 부하의 변화에 초점을 두고 재량권을 부여하면서 부하를 리더로 키움
지적 자극: 촉매적 리더십	리더가 부하로 하여금 형식적 관례(conventional practice)와 사고(thinking)를 다시 생각하게 함으로써 새로운 관념을 형성하는 것

정답 ①

05 회독 ☐☐☐ 2017. 지방 7

리더십에 대한 설명으로 옳은 것은?

① 피들러(Fiedler)는 리더십 유형을 결정하는 조건으로 부하의 성숙도를 중요시한다.

② 번스(Burns)의 거래적 리더십은 영감, 개인적 배려에 치중하고 조직에서 변화를 주도하는 리더십이다.

③ 하우스(House)의 참여적 리더는 부하들과 상담하고 의사결정 전에 부하들의 의견을 반영하려고 한다.

④ 블레이크와 머튼(Blake & Mouton)은 직원지향적 리더십이 가장 이상적인 리더십 유형이라고 규정한다.

정답 및 해설

아래의 표 참고

■ **하우스와 에반스의 리더십 유형**

리더십의 유형	특징	상황
지시적 리더십	자신이 원하는 바를 부하들에게 알려주고, 부하들이 해야 할 작업의 일정을 계획하고 과업 수행 방법을 지도함 → 과업을 구조화하고 과업요건을 명확히 하는 리더십	부하들의 역할모호성이 높은 경우
지원적 리더십	부하들의 욕구에 관심을 보이면서 목표달성에 필요한 부분을 지원하는 리더십	• 부하가 단조롭고 지루한 업무를 수행하는 경우 • 부하들이 자신감이 결여되거나 실패에 대한 공포가 높은 경우
참여적 리더십	부하들과 상담하고 의사결정 전에 부하들의 의견을 반영하는 리더십	부하들이 구조화되지 않은 과업을 수행하는 경우
성취지향적 리더십	도전적 목표를 설정하고 부하들의 최고의 성과를 기대하는 리더십	

① 허시와 블랜차드(Hersey & Blanchard)는 리더십 유형을 결정하는 조건으로 부하의 성숙도를 중시함

② 번스(Burns)의 변혁적 리더십은 영감, 개인적 배려에 치중하고 조직에서 변화를 주도하는 리더십임 → 번즈(Burns)가 '변혁적 리더십'이라는 용어를 처음 사용하였음

④ 블레이크와 머튼(Blake & Mouton)은 리더십 유형을 무기력형, 컨트리클럽형, 과업형, 중도형, 단합형으로 나누었음 → 블레이크와 머튼에 따르면 단합형이 가장 이상적인 리더십 유형임

정답 ③

06 회독 ☐☐☐

리더십이론에 대한 설명으로 옳은 것만을 모두 고른 것은?

ㄱ. 피들러(Fiedler)의 상황적합이론(contingency theory of leadership)에서는 상황변수로 '리더와 부하의 관계', '직위권력', '과업구조' 세 가지를 들고 있다.
ㄴ. 허시와 블랜차드(Hersey & Blanchard)의 경로-목표이론(path-goal theory of leadership)에서는 상황변수로 부하의 능력과 의욕으로 구성되는 성숙도를 채택하였다.
ㄷ. 하우스(House)는 리더십을 거래적 리더십(transactional leadership)과 변혁적 리더십(transformational leadership)으로 구분하였다.
ㄹ. 블레이크와 모튼(Blake & Mouton)의 관리격자(managerial grid) 모형에 따르면 무기력형, 컨트리클럽형, 과업형, 중도형, 팀형이라는 기본적인 리더십 유형이 도출된다.

① ㄱ, ㄴ 　　　　② ㄱ, ㄹ
③ ㄴ, ㄷ 　　　　④ ㄷ, ㄹ

정답 및 해설

ㄱ. (○) 피들러(Fiedler)의 상황적합이론(contingency theory of leadership)에서는 상황변수로 '리더와 부하의 관계(부하충성도)', '직위권력(리더가 보유한 권한)', '과업구조(과업구조의 체계성)' 세 가지를 들고 있음

ㄹ. (○) 블레이크와 모튼(Blake & Mouton)의 관리격자(managerial grid) 모형은 무관심형(무기력형), 친목형(컨트리클럽형), 과업형, 타협형(중도형), 단합형(팀형성형·팀형)이라는 리더십 유형을 제시하고 있는데, 이 중에서 가장 이상적인 리더십은 단합형임

ㄴ. (×) 허시와 블랜차드(Hersey & Blanchard)의 상황론적 리더십론에서는 상황변수로 부하의 능력과 의욕으로 구성되는 성숙도를 채택하였음 → 경로목표이론은 하우스와 에반스가 제시한 상황론적 리더십론임

참고 **부하의 성숙도 : 직무상의 성숙도와 심리적 성숙도**

(1) 직무상의 성숙도 : 부하의 과업 관련 기술과 기술적 지식의 정도
(2) 심리적 성숙도 : 부하의 자신감과 자존심의 정도

ㄷ. (×) 하우스(House)는 경로목표이론을 제시하였음 → 번즈(Burns)가 '변혁적 리더십'이라는 용어를 처음 사용하였고, 바스(Bass)는 개념의 조작화를 시도하면서 연구를 본격화했음

정답 ②

Section 03 조직 내 권력, 갈등관리, 의사소통(의사전달)

01 회독 ☐☐☐   2018. 국가 9

프렌치(J. French)와 라벤(B. Raven)의 권력유형 분류에서 권력의 원천이 아닌 것은?

① 상징(symbol)
② 강제력(coercion)
③ 전문성(expertness)
④ 준거(reference)

정답 및 해설

상징은 프렌치와 레이븐이 분류한 권력의 원천이 아님

②③④
■ 프렌치(J. French)와 라벤(B. Raven)의 권력유형

권력의 유형	내용
합법적 권력	① 권한과 유사한 의미 → 상사가 보유한 권한에 기초한 권력으로써 일반적으로 직위가 가진 권한이 많을수록 합법적인 권력이 커짐 ② 일반적으로 합법적 권력의 합법성 한계는 직위의 공식적인 속성과 비공식적인 규범 및 전통에 의해 결정됨
보상적 권력	타자에게 보상을 제공할 수 있는 능력에 기초한 권력; 승진, 급여 등
강압적 권력	① 다른 사람을 처벌할 수 있는 능력을 가지거나, 육체적 또는 심리적으로 다른 사람에게 위해를 가할 수 있는 권력 ② 사회에서 발생하는 '왕따 현상'은 대개 강압적 권력에 기초함
준거적 권력	① 자신보다 뛰어나다고 생각하는 사람을 닮고자 할 때 발생하는 권력 ② 공식적인 지위와 관련이 없을 수 있으며, 카리스마와 유사한 개념임
전문적 권력	① 다른 사람이 필요로 하는 전문적인 기술이나 지식에 기초한 권력 ② 지식이 부족한 무능한 상관도 있는바 조직의 공식적 지위와 일치하지 않을 수 있음

참고 `합법적 권력, 보상적 권력은 일반적으로 직위와 관련있는 권력

참고 정보화 사회와 권력 : 정보화 사회에서 조직은 피라미드형 구조에서 수평적 구조로 전환

(a) 권력의 분산이 이루어질 수 있음
(b) 혹은 정보화로 인한 권력의 오용문제도 발생; 권력자가 수집한 정보를 악용한다는 것

정답 ①

02 회독 □□□ 2017. 경찰간부

조직의 갈등과 갈등관리에 관한 설명으로 옳지 않은 것은?

① 수평적 갈등은 목표의 분업구조, 과업의 상호의존성, 자원의 제한 등이 중요한 원인으로 작용한다.

② 조직의 상황에 따라 갈등을 용인하고, 나아가 갈등을 조성 또는 조장하는 것은 조직 갈등관리 전략 중의 하나이다.

③ Thomas의 갈등해소 전략 중 타협형 갈등관리는 갈등 당사자 간의 관계를 좋은 상태로 유지하면서 상호 간의 이익을 추구하는 상생(win-win) 전략이다.

④ 갈등의 주체 간 목표의 차이로 인해 발생되는 갈등은 상위의 목표를 제시하거나 계층제 또는 권위에 의해 갈등을 해결하는 것이 효과적이다.

03 회독 □□□ 2010. 국가 7 수정

의사전달의 장애요인에 대한 설명으로 옳지 않은 것은?

① 어의상 문제, 의사전달 기술의 부족 등 매체의 불완전성으로 인해 의사전달의 장애가 발생할 수 있다.

② 수신자의 선입관은 발신자의 의도를 왜곡할 수 있다.

③ 환류의 차단은 의사전달의 정확성을 제고할지 모르나 신속성이 우선되는 상황에서는 장애가 될 수 있다.

④ 시간의 압박, 의사전달의 분위기, 계서제적 문화는 의사전달에 영향을 미칠 수 있다.

〔정답 및 해설〕

타협형 갈등관리는 양보와 획득을 통하여 자신과 상대방 이익의 중간 정도를 만족시키려는 전략(절충)임 → 한편, 당사자 모두의 만족을 극대화하려는 전략(win-win전략)은 협동전략임

① 수평적 갈등, 즉 동일한 계층 내 부서 간 갈등은 목표의 분업구조, 과업의 상호의존성(협업의 정도), 자원의 제한 등이 중요한 원인으로 작용함

② 조직의 상황에 따라 갈등을 용인하고, 나아가 갈등을 조성 또는 조장하는 것은 조직 갈등관리 전략 중 상호작용론적 견해에 해당함

④ 갈등의 주체 간 목표의 차이로 인해 발생되는 갈등은 상위의 목표를 제시하거나 계층제 또는 권위, 목표 수준의 차별화를 통해 해결할 수 있음

정답 ③

〔정답 및 해설〕

환류(수신자가 발신자가 보낸 정보에 응답하는 것)의 차단은 의사전달의 정확성을 손상시키지만, 신속성은 제고할 수 있음

①②④ 의사전달 매체의 불완전함, 수신자의 편견, 시간의 압박, 계서적 문화로 인한 고압적인 분위기 형성 등은 의사전달에 영향을 미칠 수 있음

정답 ③

Section 01 사람, 동기부여 및 학습을 중심으로

01 회독 ☐☐☐ 2017. 국가 7

매슬로(Maslow)의 욕구단계이론에 대한 설명으로 옳은 것은?

① 가장 낮은 안전의 욕구부터 시작하여 다섯 가지의 위계적 욕구 단계가 존재한다.

② 안전의 욕구와 사회적 욕구는 앨더퍼(Alderfer)의 ERG이론의 첫 번째 욕구 단계인 존재욕구에 해당한다.

③ 어느 한 단계의 욕구가 완전히 충족되어야만 다음 단계의 욕구를 추구하게 되는 것은 아니다.

④ 사회적 욕구는 어떤 일을 행함으로써 느끼게 되는 자신감, 성취감 등을 의미한다.

정답 및 해설

매슬로에 따르면 인간은 어느 한 단계의 욕구가 어느 정도 충족되면, 다음 단계의 욕구를 추구함

① 가장 낮은 생리적 욕구부터 시작하여 다섯 가지의 위계적 욕구 단계가 존재함(생안사존자의 체계)

② ERG론에서 머슬로의 사회적 욕구는 관계욕구에 해당함

④ 자아실현 욕구는 어떤 일을 행함으로써 느끼게 되는 자신감, 성취감 등을 의미함; 사회적 욕구는 다수의 집단 속에서 사람들과 인간관계를 유지하고 싶은 욕구임(애정, 소속감 등)

정답 ③

02 회독 ☐☐☐ 행정사 2016. 수정

허즈버그(Herzberg)가 제시한 동기요인이 아닌 것은?

① 성취감
② 책임감
③ 보수
④ 승진

정답 및 해설

보수는 위생요인, 즉 불만족을 통제하는 요인에 해당함

①②④

동기요인	성취감(자아실현), 책임감, 안정감, 자기존중감, 상사의 인정, 승진(승진으로 인해 일에 대한 책임감 제고), 직무 자체에 대한 보람, 성장 및 발전, 직무충실(책임감·자율성↑) 등
위생요인	대인관계, 작업조건, 조직의 방침과 관행(조직정책), 임금(보수), 지위, 상관의 감독방식, 직무확장, 신분보장 등 ■ 직무확장: 수평적으로 업무의 범위를 넓혀 단조로움 등 불만을 없애주는 역할을 함

정답 ③

03 [회독] ☐☐☐　　　　　　　　　　2010. 서울 7

Herzberg의 욕구총족요인 이원론에 대한 설명으로 가장 거리가 먼 것은?

① 조직구성원에게 만족을 주는 요인과 불만족을 주는 요인은 상호독립적이다.
② 동기요인이 없을 경우, 구성원에게 불만족을 초래하지만 이것이 잘 갖추어졌다고 직무수행동기를 유발하는 것은 아니다.
③ 환경에 관한 것으로 직무에 불만족을 느끼게 하거나 혹은 예방하는데 작용하는 요인을 위생요인이라고 한다.
④ 만족의 반대는 불만족이 아니라 만족이 없는 상태이다.

04 [회독] ☐☐☐　　　　　　　　　　2010. 국가 7

동기부여이론에 대한 설명으로 옳지 않은 것은?

① Maslow는 개인의 욕구는 학습되는 것이므로 개인마다 그 욕구의 계층에 차이가 많이 난다고 주장했다.
② Alderfer의 ERG이론은 Maslow와는 달리 순차적인 욕구 발로뿐만 아니라 욕구 좌절로 인한 욕구 발로의 후진적·하향적 퇴행을 제시하고 있다.
③ Herzberg의 욕구총족요인 이원론에 대해 직무요소와 동기 및 성과 간의 관계가 충분히 분석되어 있지 않다는 비판이 있다.
④ Locke의 목표설정이론은 인간의 행동이 의식적인 목표와 성취 의도에 의해 결정된다고 가정한다.

05 회독 ☐☐☐

2011. 수탁 9

해크먼(J. Hackman)과 올드햄(G. Oldham)의 직무특성 모델에 대한 설명으로 옳지 않은 것은?

① 잠재적 동기지수(Motivating Potential Score : MPS) 공식에 의하면 제시된 직무특성들 중 직무정체성과 직무중요성이 동기부여에 가장 중요한 역할을 한다.

② 허즈버그의 욕구충족요인이원론보다 진일보한 것으로 이해할 수 있다.

③ 직무정체성이란 주어진 직무의 내용이 하나의 제품 혹은 서비스를 처음부터 끝까지 완성시킬 수 있도록 구성되어 있는지에 관한 것이다.

④ 이 모델은 기술다양성, 직무정체성, 직무중요성, 자율성, 환류 등 다섯 가지의 핵심 직무특성을 제시한다.

정답 및 해설

잠재적 동기지수(Motivating Potential Score : MPS) 공식에 의하면 제시된 직무특성들 중 자율성과 환류가 동기부여에 가장 중요한 역할을 함

■ **잠재적 동기지수를 구하는 공식**

$$잠재적\ 동기지수 = \frac{기술\ 다양성 + 직무\ 정체성 + 직무\ 중요성}{3} \times 자율성 \times 환류$$

② 직무특성론은 직무수행자의 성장욕구수준이라는 개인차를 고려하고 구체적으로 직무의 특성, 심리상태변수, 성과변수 등의 관계를 제시했다는 면에서 허즈버그의 욕구충족이원론의 한계를 어느 정도 극복하였음

③ 직무정체성이란 직무의 범위, 즉 주어진 직무의 내용이 하나의 제품 혹은 서비스를 처음부터 끝까지 완성시킬 수 있도록 구성되어 있는지에 관한 것임

④ 직무특성모델은 기술다양성, 직무정체성, 직무중요성, 자율성, 환류 등 다섯 가지의 핵심 직무특성을 제시하고 있음

■ **해크먼과 올드햄이 제시한 다섯 가지 직무특성**

구분	내용
기술다양성	직무수행에 필요한 기술의 종류
직무정체성	직무내용의 완결성 정도 : 직무의 범위
직무중요성	직무가 조직의 내외 사람의 일과 삶에 영향을 미치는 정도 → 직무의 영향력
※ 기술다양성, 직무정체성, 직무중요성은 직무수행자가 느끼는 직무에 대한 의미에 영향을 미침	
자율성	직무수행 시 자율성을 보유하고 있는 정도로써 직무에 대해 개인이 느끼는 책임감으로 이어짐
환류	일련의 성과정보로서 직무수행성과에 대한 지식으로 이어짐

정답 ①

06 회독 □□□ 2008. 지방 7

동기이론에 대한 설명으로 옳지 않은 것은?

① 매클리랜드(McClelland)는 성공적인 기업가가 되게 하는 요인이 어떤 물질적인 것이 아닌 성취욕구라는 점을 입증하고자 했다.

② 직무특성이론은 직무의 특성이 직무수행자의 성장욕구 수준에 부합될 때 동기유발에 긍정적인 성과를 내게 된다고 본다.

③ 허즈버그(Herzberg)의 욕구충족이론은 조직구성원에게 불만족을 주는 요인과 만족을 주는 요인은 상호 독립되어 있다고 제시한다.

④ 기대이론에 의하면 인간은 자신의 투입에 대한 산출의 비율보다 비교대상의 투입에 대한 산출의 비율이 크거나 작다고 지각하면 이에 따른 긴장을 해소하기 위한 방향으로 동기가 유발된다.

07 회독 □□□ 2003. 서울 9 수정

기대이론모형에서 기대치는 무엇인가?

① 노력과 목표달성간의 관계에 대한 인식

② 실적과 보상간의 관계에 대한 인식

③ 보상이 자신에게 얼마나 만족스러울 것인가에 대한 믿음

④ 보상의 정도

정답 및 해설

④는 애덤스의 공정성 이론에 대한 내용임 → 기대이론은 유인가, 기대감, 수단성의 정도에 따라 인간의 동기부여가 달라진다고 봄

① 매클리랜드(McClelland)는 개인이 사회문화적으로 학습한 욕구를 일반적으로 성취욕구, 권력욕구, 친교욕구로 분류한 뒤, 성공적인 기업가가 되게 하는 요인이 어떤 물질적인 것이 아닌 성취욕구라는 점을 입증하고자 했음

② 직무특성이론은 직무특성과 인간의 성장욕구 수준과의 관계를 설명하고 있음

③ 허즈버그(Herzberg)의 욕구충족이론은 조직구성원에게 불만족을 주는 요인과 만족을 주는 요인은 상호 분리되어 작동한다는 것을 주장함

정답 ④

정답 및 해설

기대이론에서 기대감은 노력과 성과 간의 관계에 대한 믿음임

② 수단성에 대한 내용임

③ 유인가에 대한 내용임

정답 ①

08 [회독] ○○○　　　　　　　　　　　2018. 국가 7

동기이론 중 과정이론에 해당하는 것만을 모두 고르면?

> ㄱ. 동기부여의 강도를 산정하는 기본 개념으로 유인가(valence), 수단성(instrumentality), 기대감(expectancy)을 제시하였다.
> ㄴ. 직무가 조직화되는 방법에 따라 조직원의 노력 정도가 달라진다는 점에 착안하여 모든 직무를 다섯 가지 핵심 직무 차원으로 구분했다.
> ㄷ. 개인은 업적에 따라 보상을 받게 되며 이때 주어지는 보상은 공평한 것으로 지각되어야 하는데, 개인이 불공평하다고 인식하면 만족을 줄 수 없게 된다고 본다.
> ㄹ. 인간의 욕구를 존재, 관계, 성장의 3단계로 나누고 '좌절-퇴행' 접근법을 주장한다.
> ㅁ. 인간은 미성숙 상태에서 성숙 상태로 발전하는 과정에서 성격 변화를 경험한다고 주장한다.

① ㄱ, ㄴ, ㄷ　　　　　② ㄱ, ㄹ, ㅁ
③ ㄴ, ㄷ, ㄹ　　　　　④ ㄴ, ㄷ, ㅁ

[정답 및 해설]

동기부여이론은 내용이론과 과정이론으로 구분할 수 있는데, 과정이론은 브룸의 기대이론(ㄱ), 해크먼과 올드햄의 직무특성론(ㄴ), 애덤스의 공정성이론(ㄷ) 등이 있음

ㄹ.과 ㅁ.은 모두 내용이론 중 성장인 모형에 속함

ㄹ. (×) 인간의 욕구를 존재, 관계, 성장의 3단계로 나누고 '좌절-퇴행' 접근법을 주장한 것은 앨더퍼의 ERG이론임

ㅁ. (×) 인간은 미성숙 상태에서 성숙 상태로 발전하는 과정에서 성격 변화를 경험한다고 주장한 것은 아지리스의 미성숙·성숙론임

[정답] ①

CHAPTER 06 환경과 조직 : 환경을 고려한 조직이론을 중심으로

Section 01 개방체제이론 (거시조직이론)

01 회독 □□□ 2008. 지방 7

조직이론에 대한 설명으로 옳지 않은 것은?

① 자원의존이론(resource-dependence theory)에서는 조직의 변화가 환경의 선택에 의해서 이루어진다고 설명한다.

② 시스템이론(system theory)은 조직을 하나의 개방체계로 보고 조직과 외부 환경과의 상호작용을 강조한다.

③ 구조적 상황이론(structural contingency theory)에서는 조직이 처해 있는 상황이 다르면 효과적인 조직설계 및 관리방법도 달라져야 한다고 주장한다.

④ 혼돈이론(chaos theory)은 급격한 환경변화 속에서 유연하게 대응할 수 있는 체제 관리 원칙들을 제시하고 있다.

02 회독 □□□ 2012. 지방 7

조직군생태이론에 대한 설명으로 옳지 않은 것은?

① 조직은 환경을 선택하는 능동적인 존재이다.

② 조직변화는 종단적 분석에 의해서만 검증 가능하다고 전제한다.

③ 조직이 생겨나고 없어지는 원인을 환경적 적합도에서 찾는다.

④ 전략적 선택이나 집단적 행동의 중요성을 경시한다.

정답 및 해설

자원의존이론은 조직이 자원을 조달하고 활용하여 환경을 극복할 수 있다고 보았음(환경의 영향은 일부 인정) → 임의론적 관점

② 체제이론은 조직을 환경과 상호작용하는 개방체제로 간주하면서 체제의 안정과 균형을 설명함
③ 구조적 상황이론은 모든 환경에 적합한 유일 최선의 조직은 없다고 간주함
④ 혼돈이론(chaos theory)은 이중순환고리 학습 등 급격한 환경변화 속에서 유연하게 대응할 수 있는 체제 관리 원칙들을 제시하고 있음

정답 ①

정답 및 해설

조직군생태학 이론에서 조직은 환경의 지배를 받는 수동적인 존재임

② 조직군 생태학 이론은 조직이 선택되거나 도태되는 현상을 '시간의 흐름'에 따라 설명함
③ 조직군 생태학이론은 조직이 생겨나고 없어지는 원인을 환경적소, 즉 환경적합도에서 찾음
④ 조직군생태학 이론은 환경의 중요성을 강조하는바 환경을 극복하기 위한 조직관리자의 전략적 선택이나 집단적 행동의 중요성을 경시함 → 선지에서 집단적인 행동의 중요성을 강조하는 이론은 공동체생태학이론임

정답 ①

03 회독 ☐☐☐

현대 조직이론에 대한 설명으로 옳지 않은 것은?

① 거래비용이론 − 탐색·거래·감시비용 등을 포함하는 거래비용의 절감을 위해 외부화 전략뿐만 아니라 내부화 전략도 가능하다.

② 조직군생태론 − 조직군을 분석단위로 하며, 개별 조직은 외부환경의 선택에 좌우되는 수동적인 존재이다.

③ 상황론 − 조직구조를 상황요인으로 강조하면서 이러한 상황에 적합한 조직의 기술과 전략 등을 처방한다.

④ 제도적 동형화론 − 조직의 장이 생성되어 구조화되면, 내부조직뿐만 아니라 새로 진입하려는 조직들도 유사해지는 경향을 나타낸다.

PART ─ 03

정답 및 해설

상황론적 조직이론은 상황 요인으로 조직의 환경, 기술, 규모를 제시함(조직구조 ✕) → 즉, 상황론은 상황 요인과 조직구조 변수의 관계를 설명하고 특정 상황에 적합한 조직구조를 처방하고자 노력하였음

① 거래비용이론 − 거래비용의 절감을 위해 자체생산 및 외부생산 등의 전략을 제시하고 있음

② 조직군생태론 − 조직군을 분석단위로 하며, 결정론적 관점의 이론임

④ 제도적 동형화론 − 제도화이론에서 조직은 그 정당성과 생존을 확보하기 위하여 제도적 환경(사회문화적 규범이나 가치체계 등)에 부합되게끔 적응하도록 압력을 받음 → 따라서 조직은 제도적 환경에 비추어 적절하거나 문제의 소지가 없는 것으로 간주되는 조직 형태나 구조를 닮아감

 정답 ③

CHAPTER **07** 조직이론 : 조직이론의 전개를 중심으로

조직이론의 변천과 발달

01 회독 ○○○   2015. 국회 9 수정

다음 중 고전적 조직이론(classic organization theory)의 특징에 대한 설명으로 가장 옳지 않은 것은?

① 기계론적 조직관에 입각하고 있다.
② 공조직과 사조직의 관리는 완전히 다르다는 공사행정 이원론에 입각하고 있다.
③ 공식적인 조직구조를 강조한다.
④ 과학적 관리론과 밀접한 관련을 가지고 있다.

정답 및 해설

고전적 조직이론은 관리주의를 의미하는바 공사행정일원론의 입장임

①③④
■ Waldo의 조직이론 분류

구분	고전적 조직이론	신고전적 조직이론	현대적 조직이론
초점	조직구조	인간	환경
행정이론	관리주의	인간관계론	생태론·비교행정론·체제론 등
조직관	폐쇄체제	폐쇄체제	개방체제
행정이념	기계적 능률성	사회적 능률성	가치의 다원화
인간관	경제적·합리적 인간	사회·심리적 인간	① 자아실현인(심리적 존재) ② 복잡인
조직구조	공식적·합리적 구조	비공식적 구조	동태적·유기적 구조
Scott의 분류	폐쇄·합리적 이론	폐쇄·자연적 이론	① 개방·합리적 이론 🔳 체제이론, 구조적 상황론 등 ② 개방·자연적 이론 🔳 혼돈이론, 자원의존이론 등

① 인간관계론을 전기와 후기로 구분하는 견해도 있음
   ㉠ 전기 인간관계론은 인간을 사회인으로 간주하며, 후기는 사회인을 포함하여, 심리적인 존재임을 강조
   ㉡ 후기 인간관계론은 조직 내 인간의 성격과 사회적 관계를 보다 본격적으로 연구하였음
   ㉢ 후기 인간관계론은 인간의 사회심리적 욕구를 충족시키기 위해서 의사결정 등 조직의 주된 활동에 개인을 참여시켜야 한다는 점을 강조 → 이 때문에 '참여관리론'이라고도 부름
② 개방·합리적 이론과 개방·자연적 이론의 차이점
   ㉠ 개방·자연적 조직이론은 개방·합리적 조직이론과 마찬가지로 조직환경의 중요성을 강조
   ㉡ 다만, 개방·합리적 조직이론에 비해 불확실성의 증대 및 환경의 강한 영향력 등을 주장 → 무질서와 비합리성 탈피를 위한 처방적인 측면 부족
   ㉢ 개방·자연적 이론의 예시 : 쓰레기통 모형, 혼돈이론, 조직군생태학이론, 자원의존이론 등

정답 ②

PART

04

인사행정

CHAPTER 01 인사행정의 기초

Section 01 인사행정제도

01 회독 ☐☐☐
2009. 국가 9

공무원 인사제도에 대한 설명으로 옳지 않은 것은?

① 직업공무원제란 젊은 인재들을 공직에 적극적으로 유치하기 위하여 만든 것으로 공직에 근무하는 것을 명예롭게 생각하면서 일생 동안 공무원으로 근무하도록 하기 위한 것이다.

② 직업공무원제를 올바르게 수립하기 위해서는 공직에 대한 높은 사회적 평가가 있어야 한다.

③ 엽관주의는 민주주의 원칙에 반하는 것으로서 민주주의의 진전과 함께 소멸되고 있다.

④ 우리나라의 공무원인사제도는 기본적으로 계급제의 구조를 가지고 있다.

02 회독 ☐☐☐
2007. 서울 9

다음 중 엽관주의와 관련이 없는 것은?

① 정당에 대한 충성 및 공헌도에 의한 임용

② 개인의 능력과 자격 중심의 인사

③ 행정의 계속성, 안정성, 지속성 위협

④ 대통령의 정책구현 용이

⑤ 행정의 능률성 저하

[정답 및 해설]

엽관주의는 민의를 반영한 행정을 하지 못할 때 공무원을 경질할 수 있는 제도이므로 행정의 민주성을 제고할 수 있음

① 직업공무원제는 잠재력이 있는 젊은 사람들을 공직에 임명한 후 이들로 하여금 명예심을 가지면서 일생 동안 공무원으로 근무하도록 하기 위한 제도임

② 잠재력이 있는 젊은 사람을 공직에 유치하기 위해서는 공직에 대한 높은 사회적 평가가 있어야 함

④ 우리나라는 기본적으로 계급제의 틀에 직위분류제를 가미하고 있음

정답 ③

[정답 및 해설]

②는 실적주의의 내용임

① 엽관주의는 정당충성도를 기준으로 공무원을 임용함

③ 엽관주의는 공무원의 신분보장을 허용하지 않는바 행정의 계속성, 안정성, 지속성을 위협할 수 있음

④ 엽관주의는 정당충성도를 기준으로 공무원을 임용하기 때문에 대통령의 국정지도력을 강화시킴

⑤ 엽관주의는 개인의 능력이 아닌 정당충성도를 중시하는 까닭에 행정의 능률성을 저하시킬 수 있음

정답 ②

03 회독 ☐☐☐

다음 중 엽관제에 대한 설명으로 옳지 않은 것은?

① 엽관제의 강화는 행정의 민주성을 증진시키는 데 도움이 된다.
② 엽관제는 집권 정치인들이 공무원을 통솔하는 데 도움이 된다.
③ 엽관제의 확립은 행정의 전문화에 도움이 된다.
④ 엽관제의 발전은 정당정치의 발달과 관련이 깊다.

04 회독 ☐☐☐

엽관주의와 실적주의에 대한 설명으로 옳지 않은 것은?

① 엽관주의는 행정의 민주화에 공헌한다는 장점이 있다.
② 실적주의는 공무원의 정치적 중립을 강조한다.
③ 잭슨(Jackson) 대통령이 암살당한 사건은 미국에서 실적주의 도입의 배경이 되었다.
④ 엽관주의는 공직의 상품화를 가져올 가능성이 있다.

정답 및 해설

엽관제는 정당에 대한 충성도를 기준으로 공무원을 임용하기 때문에 행정의 전문화를 저해함

① 엽관주의는 민의를 반영한 행정을 하지 못할 때 공무원을 경질할 수 있는 제도이므로 행정의 민주성을 제고할 수 있음
② 엽관제는 정당충성도를 기준으로 공무원을 임용하는바 집권 정치인들이 공무원을 통솔하는 데 도움이 됨
④ 엽관제는 선거에서 승리한 정당이 모든 공직을 차지하는 제도임 → 따라서 국민이 원하는 정책을 파악하고 이를 정당의 기치로 내세우는 정당정치의 발달에 공헌함

정답 ③

정답 및 해설

가필드 대통령이 엽관주의자에게 암살당한 사건(1881)은 미국에서 실적주의 도입의 배경이 되었음

① 엽관주의는 민의를 반영한 행정을 하지 못할 때 공무원을 경질할 수 있는 제도이므로 행정의 민주성을 제고할 수 있음
② 실적주의는 공무원의 능력을 기준으로 공무원을 임용하는 제도이므로 공무원의 정치적 중립을 강조함
④ 엽관주의는 다소 추상적인 기준(정당충성도)에 따라 공무원을 채용하는바 공직의 상품화를 가져올 가능성이 있음

정답 ③

05 회독 □□□

엽관주의와 실적주의에 대한 설명으로 옳은 것만을 모두 고르면?

ㄱ. 엽관주의는 실적 이외의 요인을 고려하여 임용하는 방식으로 정치적 요인, 혈연, 지연 등이 포함된다.
ㄴ. 엽관주의는 정실 임용에 기초하고 있기 때문에 초기부터 민주주의의 실천 원리와는 거리가 멀었다.
ㄷ. 엽관주의는 정치지도자의 국정지도력을 강화함으로써 공공정책의 실현을 용이하게 해준다.
ㄹ. 실적주의는 정치적 중립에 집착하여 인사행정을 소극화·형식화시켰다.
ㅁ. 실적주의는 국민에 대한 관료의 대응성을 높일 수 있다는 장점이 있다.

① ㄱ, ㄷ   ② ㄴ, ㄹ

③ ㄴ, ㅁ   ④ ㄷ, ㄹ

정답 및 해설

ㄷ. (○) 엽관주의는 정당에 대한 충성도를 기준으로 공무원을 임용하기 때문에 대통령의 국정지도력을 강화함으로써 공공정책의 실현을 용이하게 해줌

ㄹ. (○) 실적주의는 자격 혹은 능력 등을 기준으로 공무원을 임용하는바(정당충성도 고려 ×) 해당 기준에 부합하지 않는 사람은 공무원이 될 수 없음 → 따라서 실적주의는 인사행정을 형식화·소극화시켰음

ㄱ, ㄴ. (×) 정실주의에 대한 내용임

▪ 정실(情實)주의

정실이란 사사로운 정이나 관계에 끌리는 것을 뜻함
① 은혜적 정실주의 : 18세기 중엽 이전의 국왕중심기에는 국왕이 혈연 혹은 개인적인 친분(지연)을 고려하거나, 반대파 의회를 견제하기 위하여 자기편이 되는 의원에게 고액의 연금과 종신직의 관직을 주는 인사관행으로 확립된 제도
② 정치적 정실주의 : 명예혁명 이후 의회의 권력이 강해짐; 이후 내각책임제를 계기로 관리임명권이 의회로 넘어간 후에 그들의 지지자를 관직에 임용함 → 미국의 엽관주의와 유사

ㅁ. (×) 관료의 대응성을 높일 수 있는 인사행정제도는 대표관료제 혹은 엽관주의임

정답 ④

06 회독 □□□

실적주의의 주요 구성요소로 보기 어려운 것은?

① 공직취임의 기회균등

② 공무원 인적구성의 다양화

③ 신분보장과 정치적 중립

④ 실적에 의한 임용

정답 및 해설

②의 내용은 대표관료제를 의미함

① 공직취임의 기회균등 : 실적주의에서 모든 사람은 공개경쟁시험을 치를 수 있는 기회를 부여받음

③ 신분보장과 정치적 중립 : 실적주의는 능력에 따라 공무원을 임용하고 그들의 신분을 보장하는 인사행정제도임

④ 실적에 의한 임용 : 실적주의는 시험성적과 같은 실적에 따라 공무원을 임용함

정답 ②

07 회독 ☐☐☐

다음 중 실적주의의 장점이 아닌 것은?

① 행정의 대응성 확보
② 공직 취임의 기회균등 보장
③ 공무원의 신분보장
④ 행정의 전문화 촉진

정답 및 해설

대응성 확보는 대표관료제 혹은 엽관주의의 장점임

② 공직 취임의 기회균등 보장 : 실적주의에서 모든 사람은 공
개경쟁시험을 치를 수 있는 기회를 부여받음
③ 공무원의 신분보장 : 실적주의에서 공무원은 정치적인 해고
로부터 자유로움
④ 행정의 전문화 촉진 : 실적주의는 시험성적과 같은 실적에
따라 공무원을 임용하는바 행정의 전문화를 촉진할 수 있음

정답 ①

08 회독 ☐☐☐

직업공무원제에 대한 설명으로 옳지 않은 것은?

① 공무원집단이 환경적 요청에 민감하지 못하고 특권집
단화 우려가 있다.
② 직업공무원제가 성공적으로 확립되기 위해서는 공직에
대한 사회적 평가가 높아야 한다.
③ 직업공무원제는 행정의 계속성과 안정성 및 일관성 유
지에 유리하다.
④ 직업공무원제는 일반적으로 전문행정가 양성에 유리하
기 때문에 행정의 전문화 요구에 부응한다.

정답 및 해설

직업공무원제는 일반적으로 일반행정가 양성에 유리하기 때문
에 행정의 전문화 요구에 부응하기 어려운 인사행정제도임

① 직업공무원제도는 폐쇄형 체제이기 때문에 환경적 요청에
민감하지 못하고 공무원의 특권집단화 우려가 있음
② 젊고 잠재력 있는 인재를 채용하기 위해서는 공직에 대한
사회적 평가가 높아야 함
③ 직업공무원제는 공무원에게 정년을 보장하는바 행정의 계속
성과 안정성 및 일관성 유지에 유리함

정답 ④

09 회독 ☐☐☐ 2017. 국가 9

대표관료제에 대한 설명으로 옳지 않은 것은?

① 엽관주의의 폐단을 시정하기 위해 등장하였다.
② 관료의 국민에 대한 대응성과 책임성을 향상시킨다.
③ 형평성을 제고할 수 있으나 역차별의 문제가 발생할 수 있다.
④ 우리나라도 대표관료제를 반영한 임용정책을 시행하고 있다.

10 회독 ☐☐☐ 2013. 지방 7

대표관료제 이론이 상정하는 효과를 모두 고른 것은?

ㄱ. 다양한 집단을 참여시킴으로써 정부관료제를 민주화하는 데 기여한다.
ㄴ. 공무원 신분보장을 통해 행정의 안정성과 계속성을 확보한다.
ㄷ. 기회균등 원칙을 보장함으로써 사회적 형평성을 제고한다.
ㄹ. 정당의 대중화와 정당정치 발달에 기여한다.
ㅁ. 국민의 다양한 요구에 대한 대응성을 제고한다.

① ㄱ, ㄴ, ㄷ　　　　② ㄱ, ㄷ, ㅁ
③ ㄴ, ㄷ, ㄹ　　　　④ ㄷ, ㄹ, ㅁ

정답 및 해설

대표관료제는 킹슬리(D. Kingsley)가 1944년에 처음 사용한 개념이며, 이는 실적주의의 폐단을 시정하기 위해 등장하였음 → 엽관주의의 폐단을 시정하기 위해 등장한 것은 실적주의임

② 엽관주의는 관료의 국민에 대한 민주성·대응성과 행정 책임성을 향상시킴
③ 대표관료제는 사회 내 모든 계층을 채용하는 과정에서 역차별의 문제를 야기할 수 있음
④ 우리나라도 대표관료제를 반영한 임용정책을 시행하고 있음

■ **우리나라에서의 대표관료제 실천 노력**

> 국공립대 여성 교수 채용목표제, 여성관리자 임용 확대 5개년 계획, 장애인 고용촉진 및 직업재활법, 인재지역할당제(지방인재 채용), 저소득층 채용, 이공계전공자, 양성평등채용목표제 등

정답 ①

정답 및 해설

ㄱ. (○) 대표관료제는 다양한 계층의 사람을 공무원으로 임용하여 민주성을 제고하려는 인사행정제도임
ㄷ. (○) 대표관료제는 모든 사람이 공무원이 될 수 있는 실질적인 기회균등 원칙을 보장함으로써 사회적 형평성을 제고함
ㅁ. (○) 공무원은 출신 집단의 입장을 대변하기 때문에 정부는 다양한 계층의 요구에 대한 대응성을 확보할 수 있음

ㄴ. (×) 공무원 신분 보장을 통해 행정의 안정성과 계속성을 확보하는 것은 실적주의 혹은 직업공무원 제도임
ㄹ. (×) 정당의 대중화와 정당정치 발달에 기여하는 것은 엽관주의임

정답 ②

11 회독 ○○○ 2009. 국회 8

인사제도의 변화에 관한 설명으로 옳지 않은 것은?

① 엽관제는 관료집단에 대한 정치적 통제를 용이하게 한다.
② 영국의 실적주의는 1870년 추밀원령에 의해 제도적인 기틀을 마련하였다.
③ 대표관료제는 기회의 평등보다 결과의 평등을 강조한다.
④ 팬들턴법과 4년 임기법으로 미국의 실적주의가 더욱 강화되었다.
⑤ 계급제는 탄력적인 인사관리를 통해 일반행정가 육성에 기여할 수 있다.

정답 및 해설

4년 임기법은 엽관주의 확립의 기반이 된 법임(1820)

■ 4년 임기법 : 미국의 5대 대통령 먼로 대통령이 공무원의 임기를 대통령의 임기와 일치시켜 양자가 정치적 운명을 같이하도록 만든 제도

① 엽관제는 정당에 대한 충성도를 기준으로 공무원을 임용하는바 관료집단에 대한 정치적 통제를 용이하게 함
② 영국의 실적주의는 1870년 추밀원령(2차 추밀원령)에 의해 제도적인 기틀을 마련하였음
③ 대표관료제는 일종의 할당제이므로 기회의 평등보다 결과의 평등을 강조함
⑤ 계급제는 조직 내 탄력적인 인사관리를 통해 일반행정가 육성에 기여할 수 있음

정답 ④

Section 02 공무원 관리의 방향

01 회독 ○○○ 2017. 국가 9

전략적 인적자원관리에 대한 설명으로 옳지 않은 것은?

① 장기적이며 목표·성과 중심적으로 인적 자원을 관리한다.
② 개인의 욕구는 조직의 전략적 목표달성을 위해 희생해야 한다는 입장이다.
③ 인사업무 책임자가 조직의 전략수립에 적극적으로 관여한다.
④ 조직의 전략 및 성과와 인적자원관리활동 간의 연계에 중점을 둔다.

정답 및 해설

전략적 인적자원관리는 구성원에 대한 권한부여 및 자율성 확대를 통해 개인의 욕구충족을 유도함

①③④
■ **인적자원관리와 전략적 인적자원관리**

구분	인적자원관리(HRM)	전략적 인적자원관리(SHRM)
분석 초점	개인의 심리적 측면 : 직무만족, 동기부여, 조직시민행동 증진 등	조직의 전략 및 성과와 인적자원관리 활동과의 연계
관점	미시적 관점 : 인적자원관리 기능의 부분 최적화 추구 → 분업강조	거시적 관점 : 인적자원관리 기능 간의 연계 및 수직·수평적 통합을 통한 전체 최적화 추구 → 조정 및 통합 강조
범위	단기적 : 인사관리상의 단기적 문제해결	장기적 : 조직의 전략수립에의 관여 및 인적자원의 육성
기능	조직의 목표달성과 무관하거나 부수적·기능적·도구적 수단적 역할	• 조직전략 수립에 적극적 관여 • 조직의 목표달성에 있어 적극적·핵심적 역할 수행
역할	통제 메커니즘 마련	• 권한부여 및 자율성 확대를 통해 개인의 욕구충족 유도 • 인적자본의 체계적 육성 및 개발

정답 ②

01 회독 □□□ 2012. 국회 8

비독립단독형 중앙인사기관에 관한 설명으로 옳지 않은 것은?

① 미국의 인사관리처(OPM)는 이 유형에 속한다.
② 인사행정의 공정성과 중립성이 저해될 가능성이 있다.
③ 인사행정의 책임소재가 분명해진다.
④ 정부 인적자원을 안정적, 합리적으로 관리하기 어렵다.
⑤ 인사정책의 결정이 지나치게 지연되는 경우가 많다.

정답 및 해설

⑤ 독립합의형(위원회형)의 단점에 해당함 → 위원회형은 다수의 합의를 지향하기 때문에 인사정책의 결정이 지나치게 지연되는 경우가 많음

① 비독립단독형의 예시 : 미국의 인사관리처(OPM), 일본의 총무청 인사국(총무성), 영국의 내각 사무처, 공무원 장관실, 한국의 인사혁신처 등
② 비독립단독형은 인사행정기관이 행정부에 속해 있으므로 인사행정의 공정성과 중립성이 저해될 가능성이 있음
③ 비독립단독형은 관료제 형태이므로 인사행정의 책임소재가 분명해짐
④ 비독립단독형은 기관장의 교체 등으로 인해 인사행정의 일관성·계속성이 결여될 수 있음

정답 ⑤

CHAPTER 02 공직구조의 형성

Section 01 공직구조의 유형: 공무원을 일정한 기준에 따라 분류

01 회독 □□□ 2011. 국가 9

직위분류제에 대한 설명으로 옳은 것을 모두 고르면?

> ㄱ. 과학적 관리운동은 직위분류제의 발달에 많은 자극을 주었다.
> ㄴ. 직무의 종류, 곤란성과 책임도가 상당히 유사한 직위의 군은 직렬이다.
> ㄷ. 조직 내에서 수평적 이동이 용이하여 유연한 인사행정이 가능하다.
> ㄹ. 사회적 출신배경에 관계없이 담당 직무의 수행능력과 지식·기술을 중시한다.

① ㄱ, ㄴ
② ㄱ, ㄹ
③ ㄴ, ㄷ
④ ㄷ, ㄹ

정답 및 해설

ㄱ.(○) 과학적 관리론과 실적제의 발달은 조직 내 작업분석 및 개방형 측면에 있어서 직위분류제의 발전에 기여함

ㄹ.(○) 직위분류제는 직무의 특성을 강조하는바 사회적 출신배경에 관계없이 담당 직무의 수행능력과 지식·기술을 중시함

ㄴ.(×) 직무의 종류 및 곤란성과 책임도가 유사한 직위의 군은 직급임 → 직렬은 일의 종류는 유사하되, 난이도는 상이한 직급의 군임

ㄷ.(×) 일반행정가를 지향하는 계급제에 대한 내용임

정답 ②

02 회독 □□□ 2015. 국가 9

직위분류제에 있어서 직무의 난이도와 책임의 경중에 따라 직위의 상대적 수준과 등급을 구분하는 것은?

① 직무평가(job evaluation)
② 직무분석(job analysis)
③ 정급(allocation)
④ 직급명세(class specification)

정답 및 해설

직무의 난이도와 책임의 경중에 따라 직위의 상대적 수준과 등급을 구분하는 단계는 직무평가 단계임

②③④

■ 직위분류제 수립단계

> ① 직무조사: 데이터 수집(전수조사)·직무기술서 작성 등
> ② 직무분석: 일의 종류 파악 → 직렬·직류 등
> ③ 직무평가: 난이도 파악 → 등급·직급 등

구분	비계량적 비교	계량적 비교
직무와 직무(상대평가)	서열법 - 직관적인 비교	요소비교법 - 기준직무(Key job)
직무와 척도(절대평가)	분류법 - 등급기준표	점수법 - 직무평가표

> ④ 직급명세서 작성: 각 직위의 직급별 특성을 설명한 것으로 직급명, 직책의 개요, 최저자격 요건, 채용 방법, 보수액 등이 명시됨
> ⑤ 정급: 해당 직위에 배정

정답 ①

03 회독 □□□ 2015. 국회 9 수정

다음 중 직위분류제에 대한 설명으로 가장 옳지 않은 것은?

① 보수체계는 직무분석을 통해 결정된다.
② 상대적으로 직업훈련의 필요성이 계급제보다 덜하다.
③ 전문성 확보는 계급제보다 유리하다.
④ 직무조사는 분류될 직위의 직무에 대한 객관적인 정보 수집이다.

04 회독 □□□ 2010. 국가 9

현행 국가공무원법상의 용어에 대한 설명으로 정확하지 않은 것은?

① 직급은 직무의 곤란성과 책임도가 상당히 유사한 직위의 군을 말한다.
② 직위는 한 명의 공무원에게 부여할 수 있는 직무와 책임을 말한다.
③ 직렬은 직무의 종류는 유사하고 그 책임과 곤란성의 정도가 서로 다른 직급의 군을 말한다.
④ 직류는 같은 직렬 내에서 담당 분야가 같은 직무의 군을 말한다.

05 회독 ☐☐☐ 2013. 지방 7

직위분류제 분류구조와 관련된 개념을 바르게 연결한 것은?

> ㉠ 한 사람의 공무원에게 부여할 수 있는 직무와 책임
> ㉡ 직무의 종류는 다르지만, 그 곤란성·책임 수준 및 자격 수준이 상당히 유사하여 동일한 보수를 지급할 수 있는 모든 직위를 포함하는 것
> ㉢ 직렬 내에서 담당 분야가 동일한 직무의 군
> ㉣ 직무의 종류가 유사한 직렬의 군

	㉠	㉡	㉢	㉣
①	직위	등급	직류	직군
②	직렬	등급	직군	직류
③	직위	직급	직류	직군
④	직렬	직급	직군	직류

정답 및 해설

㉠ 직위: 한 사람의 공무원에게 부여할 수 있는 직무와 책임
㉡ 등급: 직무의 종류는 다르지만, 그 곤란성·책임 수준 및 자격 수준이 상당히 유사하여 동일한 보수를 지급할 수 있는 모든 직위를 포함하는 것
㉢ 직류: 직렬 내에서 담당 분야가 동일한 직무의 군
㉣ 직군: 직무의 종류가 유사한 직렬의 군

정답 ①

06 회독 ☐☐☐ 2011. 국가 7

직무평가 방법에 대한 설명으로 ㉠과 ㉡을 바르게 연결한 것은?

> ㉠에서는 등급기준표를 미리 정해놓고 각 직무를 등급 정의에 비추어 어떤 등급에 배치할 것인가를 결정해 나간다. 미리 정한 등급 기준이 있다는 점에서 ㉡과 구분되지만, 양자는 직무를 포괄적으로 취급하고 수량적인 분석이 아닌 개괄적 판단에 의지한다는 점에서 서로 유사하다.

	㉠	㉡
①	분류법	서열법
②	분류법	요소비교법
③	서열법	분류법
④	요소비교법	분류법

정답 및 해설

보기에서 명시된 방법 모두 개괄적 판단에 의지하기 때문에 비계량적 방법임 → ㉠은 등급기준표를 활용하므로 분류법이고 ㉡은 등급기준표를 사용하지 않는바 서열법에 해당함

■ **직무평가방법**

구분	비계량적 비교	계량적 비교
직무와 직무 (상대평가)	서열법 – 직관적인 비교	요소비교법 – 기준직무(Key job)
직무와 척도 (절대평가)	분류법 – 등급기준표	점수법 – 직무평가표

정답 ①

07 회독 ☐☐☐

직무평가방법과 설명이 바르게 연결된 것은?

> 가. 서열법(job ranking)
> 나. 분류법(classification)
> 다. 점수법(point method)
> 라. 요소비교법(factor comparison)

> ㄱ. 직무 전체를 종합적으로 판단해 미리 정해놓은 등급 기준표와 비교해가면서 등급을 결정한다.
> ㄴ. 대표가 될 만한 직무들을 선정하여 기준직무(key job)로 정해놓고 각 요소별로 평가할 직무와 기준 직무를 비교해가며 점수를 부여한다.
> ㄷ. 비계량적 방법을 통해 직무기술서의 정보를 검토한 후 직무 상호 간에 직무전체의 중요도를 종합적으로 비교한다.
> ㄹ. 직무평가표에 따라 직무의 세부 구성요소들을 구분한 후 요소별 가치를 점수화하여 측정하는데, 요소별 점수를 합산한 총점이 직무의 상대적 가치를 나타낸다.

① 가-ㄱ, 나-ㄴ, 다-ㄷ, 라-ㄹ
② 가-ㄱ, 나-ㄷ, 다-ㄹ, 라-ㄴ
③ 가-ㄷ, 나-ㄴ, 다-ㄱ, 라-ㄹ
④ 가-ㄷ, 나-ㄱ, 다-ㄹ, 라-ㄴ

정답 및 해설

ㄱ. 분류법에 대한 내용임   ㄴ. 요소비교법에 대한 내용임   ㄷ. 서열법에 대한 내용임   ㄹ. 점수법에 대한 내용임

■ **직무평가 방법**

서열법 (직관적 평가)	가장 단순한 직무평가 방법으로 직무기술서의 정보를 검토한 후 직무 상호 간에 직무 전체의 중요도를 종합적으로 비교하여 평가 → 직위의 수가 많을수록 평가가 어려움
분류법	① 직무 전체를 종합적으로 판단한다는 점에서는 서열법과 동일함 → 단, 미리 정해놓은 등급기준표와 비교해서 등급을 결정 ② 분류법은 직위의 등급을 정하고, 분류기준에 의거한 등급기준표의 작성이 필요함 → 정부 부문에서 일반적으로 사용
점수법	① 계량적인 척도를 도입하여 평가가 비교적 쉽고 명료하며, 직무평가에 있어 가장 보편적으로 사용함 → 일반적으로 사기업에서 이용 ② 직무를 구성하는 하위 요소를 여러 개로 나누어 각 요소별 가치를 점수화하여 측정 → 이를 위해 직무평가표를 준비한 후 각 요소별 점수를 합산하여 직무의 상대적인 가치를 파악함 ③ 점수법은 한정된 평가요소만을 사용하는 것이 아니라, 분류대상 직위의 직무에 공통적이며 중요한 특징을 평가요소로 사용하고 이를 계량적으로 표현하기 때문에 관계인들이 평가의 결과를 쉽게 수용함
요소비교법	① 점수법과 마찬가지로 직무를 요소별로 계량화하여 측정함 → 다만 등급화한 척도에 따라 직무를 평가하는 게 아니라, 조직 내에서 대표가 될 만한 기준 직무(key job)를 정한 후 요소별로 평가할 직무와 기준 직무를 비교하면서 점수를 부여 ② 가장 늦게 고안된 객관적이고 정확한 방법으로 점수법의 임의성을 보완하기 위해 개발된 계량적 방법 → 즉, 요소비교법은 점수법과 다르게 직무를 요소별로 계량화하여 측정할 때 점수가 아닌 임금액으로 산정하는바 평가와 동시에 임금액을 산출할 수 있음

정답 ④

08 회독 ○○○ 2013. 국가 7

직위분류제의 출발에 영향을 미친 것을 모두 고르면?

ㄱ. 과학적 관리론
ㄴ. 종신고용 보장
ㄷ. 보수의 형평성 요구
ㄹ. 실적주의(merit system) 요구

① ㄱ, ㄷ
② ㄴ, ㄹ
③ ㄱ, ㄷ, ㄹ
④ ㄱ, ㄴ, ㄷ, ㄹ

09 회독 ○○○ 2008. 지방 7 수정

계급제와 직위분류제의 장단점에 대한 설명으로 옳지 않은 것은?

① 계급제는 부서 간 교류와 협조에 용이하다.
② 직위분류제는 조직 내 인적자원의 교류 및 활용에 주는 제약이 상대적으로 크다.
③ 직위분류제는 직무중심적 동기유발을 촉진하여 행정의 전문화를 저해하게 된다.
④ 계급제는 인사의 탄력성과 융통성을 증진시켜 준다.

정답 및 해설

ㄱ. (○) 과학적 관리론: 직위분류제는 작업분석의 측면(정교한 분업화)에서 과학적 관리론의 영향을 받았음
ㄷ. (○) 보수의 형평성 요구: 직위분류제는 연공서열에 따라 봉급을 주는 연공급의 한계를 극복하고자 했음 → 즉 보수의 형평성을 제고하기 위해 직무급(직무의 난이도에 기초한 급여체계)을 도입함
ㄹ. (○) 실적주의(merit system) 요구: 실적제는 개방형 측면에서 직위분류제의 발전에 기여함

ㄴ. (×) 종신고용 보장은 계급제와 관련된 내용임 → 계급제는 직업공무원제 수립에 기여하는 제도임

정답 ③

정답 및 해설

직위분류제는 직무의 특징을 중심으로 직위를 배정하는 바 행정의 전문화를 촉진함

①④ 계급제는 일반행정가를 지향하므로 부서 간 교류와 협조에 용이함 → 인사의 탄력성과 융통성 증진

② 직위분류제는 전문행정가를 지향하므로 조직 내 인적 자원의 교류 및 활용에 주는 제약이 상대적으로 큼

정답 ③

10 회독 ☐☐☐

개방형 또는 폐쇄형 인사제도에 대한 설명으로 옳은 것은?

① 개방형은 재직자의 승진 기회가 많고 경력 발전의 기회가 많다.

② 폐쇄형은 조직에 대한 소속감이 높고 공무원의 사기가 높다.

③ 개방형은 공무원의 신분보장이 강화됨으로써 행정의 안정성을 유지할 수 있다.

④ 폐쇄형은 국민의 요구에 민감하게 대응하며 행정에 대한 민주적 통제가 보다 용이하다.

(정답 및 해설)

폐쇄형은 외부 인력을 조직의 중간계층에 유입하지 않음 → 따라서 폐쇄형 체제에서 공무원은 일반적으로 조직에 대한 소속감과 사기가 높음

① 폐쇄형은 재직자의 승진기회가 많고 경력 발전의 기회가 많음

③ 폐쇄형은 공무원의 신분보장이 강화됨으로써 행정의 안정성을 유지할 수 있음

④ 폐쇄형은 공무원의 특권의식을 강화시킬 수 있는바 국민의 요구에 둔감할 수 있음 → 반면에 개방형은 국민의 요구에 따라 필요한 인력을 외부에서 자유롭게 충원할 수 있으므로 행정에 대한 민주적 통제가 보다 용이함

정답 ②

11 회독 ☐☐☐

인사제도에 대한 설명으로 옳지 않은 것은?

① 직위분류제는 동일직무에 동일보수를 원칙으로 한다.

② 한국의 공무원제도는 계급제적 토대 위에 직위분류제적 요소가 가미된 혼합형 인사체계이다.

③ 특정직 공무원은 직업공무원제의 적용을 받는다.

④ 비교류형 인사체계는 교류형에 비해 기관 간 승진기회의 형평성 확보에 유리하다.

(정답 및 해설)

기관 간 승진의 수요가 다를 수 있기 때문에 비교류형 인사체계는 교류형에 비해 기관 간 승진기회의 형평성 확보에 불리함

■ 교류형 : 담당업무의 성격이 같은 범위 내에서 기관 간 이동이 자유스러운 인사체제

① 직위분류제는 직무급에 기초하므로 동일직무에 동일보수를 원칙으로 함

② 한국의 공무원제도는 영국처럼 계급제적 토대 위에 직위분류제적 요소가 가미된 혼합형 인사체계임

③ 특정직 공무원과 일반직 공무원은 직업공무원제의 적용을 받음

정답 ④

12 회독 ☐☐☐

다음과 같은 방식으로 직무를 평가하는 방법은?

> 저는 각 답안지를 직관으로 평가하면서 우수한 순서대로 나열한 후 학점을 줍니다. 구체적으로 어떤 기준에서 그렇게 학점을 주었냐고 하면 금방 답하기는 어렵지만, 어쨌든 이러한 과정에서 중요한 것은 상대성입니다.

① 서열법
② 분류법
③ 점수법
④ 요소비교법

정답 및 해설

직관으로 평가한다는 것은 비계량적 방법을 의미함 → 아울러 보기에서 등급기준표를 활용한다는 내용이 없으므로 정답은 서열법임

②③④

분류법	① 직무 전체를 종합적으로 판단한다는 점에서는 서열법과 동일함 → 단, 미리 정해놓은 등급기준표와 비교해서 등급을 결정
	② 분류법은 직위의 등급을 정하고, 분류기준에 의거한 등급기준표의 작성이 필요함 → 정부 부문에서 일반적으로 사용
점수법	① 계량적인 척도를 도입하여 평가가 비교적 쉽고 명료하며, 직무평가에 있어 가장 보편적으로 사용함 → 일반적으로 사기업에서 이용
	② 직무를 구성하는 하위 요소를 여러 개로 나누어 각 요소별 가치를 점수화하여 측정 → 이를 위해 직무평가표를 준비한 후 각 요소별 점수를 합산하여 직무의 상대적인 가치를 파악함
	③ 점수법은 한정된 평가요소만을 사용하는 것이 아니라, 분류대상 직위의 직무에 공통적이며 중요한 특징을 평가요소로 사용하고 이를 계량적으로 표현하기 때문에 관계인들이 평가의 결과를 쉽게 수용함
요소비교법	① 점수법과 마찬가지로 직무를 요소별로 계량화하여 측정함 → 다만 등급화한 척도에 따라 직무를 평가하는 게 아니라, 조직 내에서 대표가 될 만한 기준 직무(key job)를 정한 후 요소별로 평가할 직무와 기준 직무를 비교하면서 점수를 부여
	② 가장 늦게 고안된 객관적이고 정확한 방법으로 점수법의 임의성을 보완하기 위해 개발된 계량적 방법 → 즉, 요소비교법은 점수법과 다르게 직무를 요소별로 계량화하여 측정할 때 점수가 아닌 임금액으로 산정하는바 평가와 동시에 임금액을 산출할 수 있음

정답 ①

Section 02 우리나라 공무원의 종류

01 회독 ☐☐☐
2016. 국가 7

( ) 안에 들어갈 말을 바르게 나열한 것은?

> 국가공무원법 상 행정각부의 차관은 (㉠) 공무원 중 (㉡) 공무원이다.

	㉠	㉡
①	경력직	일반직
②	경력직	특정직
③	특수경력직	별정직
④	특수경력직	정무직

02 회독 ☐☐☐
2016. 국회 8

다음 중 우리나라의 고위공무원단에 대한 설명으로 옳지 않은 것은?

① 고위공무원단의 일부는 공모직위 제도에 의해 충원된다.
② 고위공무원단 제도는 지방자치단체의 지방공무원에 대해서는 도입되지 않고 있다.
③ 고위공무원단은 계급제가 아닌 직무등급제를 기반으로 운영된다.
④ 고위공무원단의 대상은 일반직공무원이며 별정직공무원은 그 대상에 제외된다.
⑤ 고위공무원단의 성과연봉은 전년도 근무성과에 따라 결정된다.

정답 및 해설

고위공무원단의 대상은 일반직공무원, 별정직공무원 등을 포함하고 있음

①

공모직위	① 전체 고위공무원단 직위 총수의 30% 범위 내에서는 공모직위로 채용 ② 기관 내 공무원 vs 다른 부처 공무원

② 고위공무원단은 국가직 공무원에 도입된 제도임
③ 고위공무원단은 계급제가 아닌 직무등급제를 기반으로 가급, 나급 고공단으로 분류됨
⑤ 고위공무원단의 성과연봉은 전년도 근무성과에 따라 결정됨

> 공무원 보수규정 제39조 【성과연봉의 지급】 ① 연봉제 적용대상 공무원의 성과연봉은 전년도의 업무실적 평가 결과에 따라 지급한다.

정답 ④

정답 및 해설

행정 각 부의 차관은 특수경력직 공무원 중 정무직 공무원임

정답 ④

03 회독 ☐☐☐

2011. 지방 9

우리나라 고위공무원단 제도에 대한 설명으로 옳지 않은 것은?

① 국가의 고위공무원을 범정부적 차원에서 효율적으로 인사관리를 하기 위하여 도입하였다.

② 개방형 임용 방법, 직위공모 방법, 자율임용 방법을 실시한다.

③ 국가공무원으로 보하는 부시장, 부지사, 부교육감 등은 해당되지 않는다.

④ 원칙적으로 직무성과급적 연봉제를 적용한다.

〔정답 및 해설〕

고위공무원단에는 국가공무원으로 보하는 부시장, 부지사, 부교육감 등이 포함됨

① 국가의 고위공무원을 범정부적 차원에서 효율적으로 인사관리를 하기 위하여 도입하였음

> **국가공무원법 제2조의2【고위공무원단】** ① 국가의 고위공무원을 범정부적 차원에서 효율적으로 인사관리하여 정부의 경쟁력을 높이기 위하여 고위공무원단을 구성한다.

②

개방형 직위	① 전체 고위공무원단 직위 총수의 20% 범위 내에서는 개방형으로 충원 ② 민간 vs 공직 내부
공모 직위	① 전체 고위공무원단 직위 총수의 30% 범위 내에서는 공모직위로 채용 ② 기관 내 공무원 vs 다른 부처 공무원
공모직위, 개방형 직위 임용 시 선발의 공정성 및 객관성 제고를 위해 선발심사 및 선발시험위원회를 둠	
부처자율 직위	① 나머지 50%는 부처자율직위로 채용 ② 부처자율인사 직위는 부처 장관이 자율적으로 임용 방법을 결정하는 방식인데, 일반적으로 내부 공무원 승진과 외부경력자 채용 방식이 있음

④ 원칙적으로 직무성과급적 연봉제를 적용함

> **공무원 보수규정 제63조【고위공무원의 보수】** ① 고위공무원에 대해서는 별표 31에 따라 직무성과급적 연봉제를 적용한다. 다만, 대통령경호처 직원 중 고위공무원단에 속하는 별정직공무원에 대해서는 호봉제를 적용한다.
> ② 직무성과급적 연봉제를 적용하는 고위공무원의 기본연봉은 개인의 경력 및 누적성과를 반영하여 책정되는 기준급과 직무의 곤란성 및 책임의 정도를 반영하여 직무등급에 따라 책정되는 직무급으로 구성한다.

정답 ③

04 회독 ☐☐☐ 　　　　　　　　　　　　　2017. 국가 7

고위공무원단제도에 대한 설명으로 옳은 것은?

① 고위공무원단으로 관리되는 풀(pool)에는 일반직공무원뿐만 아니라 외무공무원도 포함된다.

② 적격심사에서 부적격 결정을 받은 경우에 한해서만 직권면직이 가능하므로 제도 도입 전보다 고위공무원의 신분보장이 강화되었다.

③ 고위공무원단 직무등급이 2009년 2등급에서 5등급으로 변경됨에 따라 계급 중심의 인사관리로 회귀할 가능성이 높아졌다.

④ 고위공무원단의 구성은 소속 장관별로 개방형 직위 30%, 공모 직위 20%, 기관 자율 50%로 이루어져 있다.

05 회독 ☐☐☐ 　　　　　　　　　　　　　2011. 국가 9

우리나라 국가공무원 제도에 대한 설명으로 옳지 않은 것은?

① 현재 시행하고 있는 고위공무원단 제도는 일반직 공무원만을 대상으로 하고 있다.

② 계급제를 기본으로 직위분류제적 요소를 가미하여 운영하고 있다.

③ 예산의 범위 안에서 기구, 정원, 보수 및 예산에 관한 자율성을 가지되 그 결과에 대하여 책임을 지는 총액인건비제를 운영할 수 있다.

④ 결원이 발생하였을 때 정부 내 공개모집을 통하여 해당 기관 내부 또는 외부의 공무원 중에서 적격자를 임용할 수 있는 공모직위제도를 운영할 수 있다.

정답 및 해설

아래의 표 참고

■ **공무원의 유형과 고위공무원단**

구분		고위공무원단 (국가직)	고위공무원단 기타 내용
경력직	일반직	○	① 고공단에는 광역지자체 부시장, 부지사 및 부교육감이 포함됨 ② 감사원과 서울특별시는 고공단 제도 적용 ×; 감사원은 2007년 7월부터 고위감사위원제도를 운영하고 있으며, 서울특별시 행정부시장은 국가직이지만 차관급이므로 정무직에 해당함
경력직	특정직	○ (외무공무원)	
특수 경력직	정무직	×	
특수 경력직	별정직	○	

② 직권면직은 강제퇴직제도의 유형임 → 따라서 고위공무원의 신분보장이 약화되었음

③ 고위공무원단 제도는 담당하는 직무의 난이도와 책임도에 따라 직무를 2개 등급(가급, 나급)으로 구분하고 있음 → 2009년에 5등급에서 2등급으로 변경함

④ 고위공무원 직위는 개방형 직위 20%, 공모 직위 30%, 부처 자율인사 직위 50%로 구분하여 운영되고 있음

정답 ①

정답 및 해설

② 우리나라와 영국은 인사관리에 있어서 계급제를 기본으로 직위분류제적 요소를 가미하였음

③ 우리나라는 현재 총액인건비제도를 운영하고 있음 → 총액인건비제도는 노무현 정부에서 중앙행정기관 및 지방자치단체에 처음으로 도입(2007년 1월 시행)되었으며, 이후 공공기관으로 확대되었음

④ 우리나라는 현재 공모직위제도를 운영하고 있음

국가공무원법 제28조의5【공모 직위】① 임용권자나 임용제청권자는 해당 기관의 직위 중 효율적인 정책 수립 또는 관리를 위하여 해당 기관 내부 또는 외부의 공무원 중에서 적격자를 임용할 필요가 있는 직위에 대하여는 공모 직위(公募 職位)로 지정하여 운영할 수 있다.

정답 ①

CHAPTER 03 공무원 임용 및 능력발전

Section 01   임용의 종류

01   회독 ☐☐☐   2014. 사복 9

정부 내의 인적자원을 효율적으로 활용하기 위한 배치전환의 본질적인 용도와 가장 거리가 먼 것은?

① 선발에서의 불완전성을 보완하여 개인의 능력을 촉진한다.
② 조직구조 변화에 따른 저항을 줄이고 비용을 절감한다.
③ 부서 간 업무협조를 유도하고 구성원 간 갈등을 해소한다.
④ 징계의 대용이나 사임을 유도하는 수단으로 사용한다.

정답 및 해설

배치전환을 징계의 대용이나 사임을 유도하는 수단으로 사용하는 것은 배치전환의 부정적 용도에 해당함

①②③
■ 배치전환의 용도

적극적(본질적) 용도	① 수평적 이동을 통해 다양한 부서 간 소통이 이루어질 수 있는바 할거주의의 폐단을 타파하고 부처 간 협력조성(소통을 통해 구성원 간 갈등해소)을 위한 기반을 마련해 줄 수 있음 → 다만 빈번한 자리이동은 직무의 능률을 저해하는바 전직과 전보의 적절성을 위해 최저 재임기간을 채워야 함; 아울러 전직의 경우에는 시험에 합격한 경우로 한정함으로써 전직의 남용을 차단하고 있음 ② 우리나라와 같이 중앙인사기관이 일괄적으로 신규공무원을 채용하여 각 부처에 임명하는 경우 원하는 곳에 첫 발령을 받기가 쉽지 않음; 이는 시험 전에 생각했던 기관이나 적성에 맞는 기관이 아닌 곳에 임명될 가능성이 높다는 것 → 따라서 배치전환은 선발에서의 불완전성을 보완하여 개인의 능력을 촉진하거나 조직구조 변화에 따른 저항을 줄이고 비용을 절감할 수 있음 ③ 기타 • 업무량이나 기술의 변화에 따른 재배치의 필요에 대응하는 것 • 조직의 침체 방지
소극적(부정적) 용도	① 징계에 갈음하는 수단으로 사용하는 것 ② 부하의 과오를 덮어주기 위해 사용하는 것 ③ 사임을 강요하기 위해 사용하는 것 ④ 파벌조성 등을 위해 사용하는 것

정답 ④

Section 02 선발실험의 실효성 확보조건

01 회독 ☐☐☐
2018. 국가 7

공무원 임용시험의 효용성을 측정하는 기준에 대한 설명으로 옳지 않은 것은?

① 시험의 타당성은 시험이 측정하고자 하는 것을 실제로 얼마나 정확하게 측정했는가를 의미하며 그 종류에는 기준타당성, 내용타당성, 구성타당성 등이 있다.

② 내용타당성은 시험성적이 직무수행실적과 얼마나 부합하는가를 판단하는 타당성으로 두 요소 간 상관계수로 측정된다.

③ 측정 대상을 일관성 있게 측정하는 정도를 신뢰성이라고 하며 같은 사람이 여러 번 시험을 반복하여 치르더라도 결과가 크게 변하지 않을 때 신뢰성을 갖게 된다.

④ 신뢰도를 측정하는 방법으로는 재시험법(test-retest)과 동질이형법(equivalent forms) 등이 사용된다.

> **정답 및 해설**
>
> ②는 기준타당성에 대한 내용임 → 기준타당성은 시험성적이 직무수행 실적과 얼마나 부합하는가를 판단하는 타당성으로 두 요소 간 상관계수로 측정함
>
> ■ 내용타당성 : 직무내용과 시험의 내용이 일치하는 정도
>
> ① 시험의 타당성 유형
>
> | | |
> |---|---|
> | 내용타당성 | 시험의 내용이 실제 직무에 관한 내용을 평가하고 있는가를 다루는 타당성 → 직위의 의무와 책임을 시험이 어느 정도 측정할 수 있는지의 여부 |
> | 구성타당성 | 채용시험이 이론적으로 추정하는 능력요소(추상적인 개념)를 얼마나 정확하게 측정할 수 있는가를 살펴보는 타당성 |
>
> ③ 신뢰성은 측정의 일관성을 나타냄
>
> ④ 신뢰도 측정방법
>
> | | |
> |---|---|
> | 재시험법 | 시험을 본 응시자에게 일정한 시간이 지난 뒤에 다시 같은 문제로 시험을 보게 하여 두 점수 간의 일관성을 살펴보는 것 → 시험의 종적 일관성을 조사함 |
> | 동질이형법 | 내용과 난이도가 비슷하면서도 형태는 다른 두 개의 시험유형을 동일한 통제집단을 대상으로 시험을 보게 한 후, 시험성적 간의 상관관계를 분석하는 방법 |
>
> **정답** ②

02 회독 ☐☐☐
2008. 국가 7

채용시험의 구성타당성(construct validity)에 관한 설명으로 옳은 것은?

① 채용시험이 이론적으로 추정된 능력요소를 얼마나 정확하게 측정할 수 있는가.

② 채용시험이 장래의 직무수행에 필요한 능력요소를 얼마나 정확하게 예측할 수 있는가.

③ 채용시험이 특정한 직위의 직무수행에 필요한 능력요소를 어느 정도까지 측정할 수 있는가.

④ 채용시험이 개인 간의 능력 차이를 어느 정도까지 식별할 수 있는가.

> **정답 및 해설**
>
> 구성타당도는 추상적인 개념(예 이론적으로 추정한 능력요소)을 제대로 측정했는지 여부를 보는 개념임
>
> ② 기준타당도에 대한 내용임
> ③ 내용타당도에 대한 내용임
> ④ 난이도에 대한 내용임
>
> **정답** ①

03 회독 ○○○

선발시험의 타당성과 신뢰성에 대한 설명으로 옳은 것은?

① 시험의 신뢰성은 시험과 기준의 관계이며, 재시험법은 시험의 횡적 일관성을 조사하는 것이다.

② 동시적 타당성 검증에서는 시험합격자를 대상으로 시험성적과 일정 기간을 기다려야 나타나는 근무실적을 시차를 두고 수집하여 비교하는 것이다.

③ 내용타당성은 직무에 정통한 전문가 집단이 시험의 구체적 내용이나 항목이 직무의 성공적 임무 수행에 얼마나 적합한지를 판단하여 검증하게 된다.

④ 현재 근무하고 있는 재직자에게 시험을 실시한 결과 근무실적이 좋은 재직자가 시험성적도 좋았다면, 그 시험은 구성적 타당성을 갖추었다고 인정할 수 있다.

정답 및 해설

아래의 표 참고

내용타당성	① 시험의 내용이 실제 직무에 관한 내용을 평가하고 있는가를 다루는 타당성 → 직위의 의무와 책임을 시험이 어느 정도 측정할 수 있는지의 여부 ② 직무수행에 필요한 능력요소와 시험의 내용분석(전문가들에 의한 문항검증 등)이 필요함 → 즉, 직무에 정통한 전문가 집단이 시험의 구체적 내용과 직무수행의 적합성 여부를 주관적으로 판단하여 검증함

① 기준타당성은 시험과 기준(직무수행실적)의 관계이며, 재시험법은 시험의 종적 일관성(일정한 시간이 흐른 뒤의 일관성)을 조사하는 것임
 ▣ 시험의 횡적 일관성: 동일한 시험에서 동질적인 둘 이상의 집단을 대상으로 같은 측정도구를 사용해서 얻은 결과가 일정한 값을 보이는 것 → 혹은 동일한 시점에서 두 개의 시험유형을 동일한 집단이 치렀을 때 얻은 결과가 일정한 값을 보이는 것
② 예측적 타당성 검증에서는 시험합격자를 대상으로 시험성적과 일정 기간을 기다려야 나타나는 근무실적을 시차를 두고 수집하여 비교함
 ▣ 동시적 타당성 검증: 재직자를 대상으로 직무실적과 시험의 성적을 비교하는 것
④ 현재 근무하고 있는 재직자에게 시험을 실시한 결과 근무실적이 좋은 재직자가 시험성적도 좋았다면, 그 시험은 기준타당성을 갖추었다고 인정할 수 있음
 ▣ 구성적 타당성: 추상적인 내용을 얼마나 잘 측정했는가를 다루는 개념

정답 ③

04 회독 ☐☐☐　　　　　2008. 지방 7

공무원 선발시험 과목 중 행정학 시험의 타당성을 검증하기 위해 행정학 교수들로 패널을 구성하여 전체적인 문항들을 검증하는 방법과 가장 관련이 있는 것은?

① 기준타당성(criterion-related validity)
② 예측적 타당성(predictive validity)
③ 내용타당성(content validity)
④ 구성개념 타당성(construct validity)

정답 및 해설

문제는 내용타당성에 대한 내용임 → 내용타당도는 채용시험이 특정한 직위의 직무수행에 필요한 능력을 어느 정도까지 측정할 수 있는지를 나타냄; 내용타당도를 확보하기 위해서는 직무수행에 필요한 능력과 시험의 내용에 대한 분석(전문가들에 의한 문항 검증 등)이 필수적임

① 기준타당성(criterion-related validity) : 시험의 성적과 시험을 통해 예측하고자 했던 기준(직무수행실적) 사이의 관계가 얼마나 밀접한지를 분석하는 것
② 예측적 타당성(predictive validity) : 시험합격자를 대상으로 시험성적과 일정 기간을 기다려야 나타나는 근무실적을 시차를 두고 수집하여 비교하는 타당성
④ 구성개념 타당성(construct validity) : 추상적인 내용을 얼마나 잘 측정했는가를 다루는 타당성

정답 ③

05 회독 ☐☐☐　　　　　2015. 국가 7

공무원 평정제도에 대한 설명으로 옳은 것은?

① 근무성적평가 결과는 승진 및 보직 관리에는 이용되지 않고 성과급 지급에만 활용된다.
② 근무성적평정 결과와 공무원채용시험 성적의 일치성이 높을수록 시험의 타당성이 높다고 할 수 있다.
③ 역량평가제는 고위공무원으로 임용된 이후 업무실적을 평가하는 사후평가제도로서 고위공무원의 업무역량 강화에 기여할 수 있다.
④ 다면평가를 계서적 문화가 강한 조직에 적용할 경우 상급자와 하급자 간의 갈등을 최소화할 수 있다.

정답 및 해설

시험성적과 근무실적의 상관성을 보는 것은 타당성(기준타당성)에 대한 내용임

① 근무성적평가 결과는 승진 및 보직 관리, 그리고 성과급 지급에도 활용됨

공무원 성과평가 등에 관한 규정 제22조【평가결과의 활용】
소속 장관은 성과계약등 평가 및 근무성적평가의 결과를 평가대상 공무원에 대한 승진임용·교육훈련·보직관리·특별승급 및 성과상여금 지급 등 각종 인사관리에 반영하여야 한다.

③ 역량평가제는 고위공무원으로 임용되기 전에 실시하는 사전평가제도로서 고위공무원의 업무역량 강화에 기여할 수 있음
④ 다면평가를 계서적 문화가 강한 조직에 적용할 경우 상급자와 하급자 간의 갈등을 촉진할 수 있음

정답 ②

Section 03 공무원의 능력 발전

01 [회독] ☐☐☐ 2009. 국가 7

공무원 교육훈련 방법에 대한 설명으로 옳지 않은 것은?

① 강의(lecture)는 교육 내용을 다수의 피교육자에게 단시간에 전달하는 데 효과적인 방법이다.

② 역할연기(role playing)는 실제 직무상황과 같은 상황을 실연시킴으로써 문제를 빠르게 이해시키고 참여자들의 태도 변화와 민감한 반응을 촉진시킨다.

③ 감수성훈련(sensitivity training)은 어떤 사건의 윤곽을 피교육자에게 알려주고 그 해결책을 찾게 하는 방법이다.

④ 시뮬레이션(simulation)은 업무수행 중 직면할 수 있는 어떤 상황을 가상적으로 만들어 놓고 피교육자가 그 상황에 대처해보도록 하는 방법이다.

[정답 및 해설]

선지는 시뮬레이션 기법 중 하나인 사건처리연습에 해당함

①②③④

강의	① 가장 일반적인 훈련 방법으로써 다수 인원을 대상으로 동일한 정보를 가장 효율적으로 전할 수 있는 방식
	② 정보의 흐름이 일방적이라는 한계점을 지님; 교관의 강의 진행방식에 따라 교육효과에 차이가 생길 수 있음
역할연기	① 실제 업무상황을 부여하고 특정 역할을 직접 연기하도록 하는 방식
	② 보통 자신과 반대되는 입장의 역할부여 → 상관에게 부하의 역할 부여
	③ 역할연기를 통해 인식의 차이를 발견함으로써 상대방에 대한 이해력을 제고할 수 있음
	④ 참고: 정신병 치료를 위한 집단치료법에서 유래함
감수성 훈련 (T집단 훈련)	① 지식의 변화가 아니라 태도와 행동의 변화를 통해 대인 관계기술을 향상시키고 인간관계를 개선하려는 훈련
	② 10명 내외로 소집단을 만들어 서로 진솔하게 자신의 느낌을 말하고 다른 사람이 자신을 어떻게 생각하는지를 귀담아 듣는 것 → 비정형적인 체험
	③ 인위적인 개입 없이 구성원 간 자연스럽게 감정을 주고받을 수 있도록 분위기를 형성해야 하는바 훈련을 진행하기 위한 전문가의 역할이 중요함
	④ 감수성 훈련을 통해 타인에 대한 편견을 줄이고 개방적 태도를 취하는 효과를 가져올 수 있음
모의연습 (시뮬레이션)	업무수행 중 직면할 수 있는 가상적 상황을 만든 후 피교육자가 그 상황에 대처해보도록 하는 방법
	① 사건처리연습: 어떤 사건의 윤곽을 피교육자에게 알려주고 그 해결책을 찾게 하는 방법

[정답] ③

02 회독 ☐☐☐　　　　　　　　2015. 지방 7

교육참가자들이 팀을 구성하여 실제 현안문제를 해결하면서 동시에 문제해결 과정에 대한 성찰을 통해 학습하도록 지원하는 행동학습(learning by doing)으로서, 주로 관리자훈련에 사용되는 교육방식은?

① 멘토링(mentoring)
② 감수성훈련(sensitivity training)
③ 액션러닝(action learning)
④ 워크아웃 프로그램(work-out program)

03 회독 ☐☐☐　　　　　　　　2016. 지방 7

공무원 교육훈련 방법에 대한 설명으로 옳지 않은 것은?

① 현장훈련(on the job training)은 피훈련자가 실제 직무를 수행하면서 직무수행에 관한 지식과 기술을 배우는 방법이다.
② 강의, 토론회, 시찰, 시청각 교육 등은 태도나 행동의 변화를 주된 목적으로 한다.
③ 액션러닝(action learning)은 소규모로 구성된 그룹이 실질적인 업무 현장의 문제를 해결해 내고 그 과정에서 성찰을 통해 학습하도록 하는 행동학습(learning by doing) 교육훈련 방법이다.
④ 감수성훈련(sensitivity training)은 대인관계의 이해와 이를 통한 인간관계의 개선을 목적으로 한다.

정답 및 해설

문제는 액션러닝에 대한 내용임

① 멘토링(mentoring) : 일상적인 근무 중에 상관이 부하에게 직무수행에 관한 기술을 가르쳐 주는 훈련방식 → 직무수행 기술·질문에 대한 답변 등

②④

감수성 훈련 (T집단 훈련)	① 지식의 변화가 아니라 태도와 행동의 변화를 통해 대인 관계기술을 향상시키고 인간관계를 개선하려는 훈련 ② 10명 내외로 소집단을 만들어 서로 진솔하게 자신의 느낌을 말하고 다른 사람이 자신을 어떻게 생각하는지를 귀담아 듣는 것 → 비정형적인 체험 ③ 인위적인 개입 없이 구성원 간 자연스럽게 감정을 주고받을 수 있도록 분위기를 형성해야 하는바 훈련을 진행하기 위한 전문가의 역할이 중요함
워크아웃 프로그램	미국 GE사의 전략적 인적자원 개발프로그램으로서 비효율적인 업무를 제거하고 업무 속에 배어 있는 그릇된 습관을 퇴치하도록 하는 훈련기법

정답 ③

정답 및 해설

강의, 토론회, 시찰, 시청각 교육 등은 지식의 축적을 주된 목적으로 함

① 현장훈련(on the job training)은 피훈련자가 실제 직무를 수행하면서 직무수행에 관한 지식과 기술을 배우는 방법이며, 그 종류에는 멘토링, 직무순환 등이 있음
③ 액션러닝은 이론과 지식 위주의 전통적인 주입식·집합식 강의의 한계를 극복하고 훈련자들의 참여를 통해 실제 문제해결능력 향상을 추구하는 교육훈련임
④ 감수성훈련과 역할연기는 태도나 행동의 변화, 대인관계기술 개발에 가장 효과적인 방법임

정답 ②

04 회독 ☐☐☐   2017. 국가 7

역량기반 교육훈련(CBC : competency-based curriculum)에 대한 설명으로 옳은 것만을 모두 고른 것은?

> ㄱ. 맥클랜드(McClelland)는 우수성과자의 인사 관련 행태를 역량으로 규정하고 이를 중심으로 한 인사관리를 주장하였다.
> ㄴ. 직무분석으로 도출된 직무명세서를 바탕으로 교육과정을 설계하는 직무지향적 교육훈련 방법이다.
> ㄷ. 역량모델은 전체 구성원에게 적용되는 공통역량, 원활한 조직운영을 위한 직무역량, 전문적 직무수행을 위한 관리역량으로 구성된다.
> ㄹ. 피교육자의 능력을 정확히 진단하여 부족한 부분(gap)을 보충하는 교육이 가능하다.

① ㄱ, ㄴ   ② ㄱ, ㄹ
③ ㄴ, ㄷ   ④ ㄷ, ㄹ

정답 및 해설

ㄱ. (○) 역량은 우수한 성과를 전제로 성립하는 개념임 → 따라서 맥클랜드(McClelland)는 우수성과자의 인사 관련 행태를 역량으로 규정하고 이를 중심으로 한 인사관리를 주장하였다.

ㄹ. (○) 역량기반 교육훈련은 조직의 성과향상을 목적으로 장기적인 측면에서 요구되는 역량을 파악하여 교육훈련을 통해 미래에서 요구하는 역량과 구성원이 현재 보유한 역량 간의 격차를 좁혀가는 과정임

ㄴ. (✕) 역량기반 교육훈련은 피훈련자의 역량을 진단하고 이를 토대로 구성원을 교육함으로써 조직의 업무 성과를 극대화하기 위한 것임 → 직무에 대한 지식전달을 강조하는 직무지향적 교육훈련이 아님

참고

㉠ 직무명세서(Job specification) : 직무수행에 필요한 인적 요건이나 특성 → 학력, 전공, 자격증·면허 등
㉡ 직무기술서(Job description) : 직무 그 자체의 특성(과업, 임무, 책임)

ㄷ. (✕) 역량기반 교육훈련은 먼저 실질적인 성과창출에 필요한 역량을 토대로 역량모델을 수립함 → 역량모델은 전체 구성원에게 적용되는 공통역량, 원활한 조직운영을 위한 관리역량, 전문적 직무수행을 위한 직무역량으로 구성됨

정답 ②

CHAPTER **04** 공무원 평가 : 성과관리

01 [회독] □□□   2015. 지방 7

근무성적평정 방법에 대한 설명으로 옳지 않은 것은?

① 도표식 평정척도법(graphic rating scale)에서는 연쇄효과(halo effect)가 나타나기 쉽다.

② 대인비교법(man-to-man comparison)은 평정기준으로 구체적인 인물을 활용한다는 점에서 평정의 추상성을 극복할 수 있다.

③ 산출기록법(production records)은 일정한 시간당 달성한 작업량과 같이 객관적 사실에 기초를 두고 평가하는 방법이다.

④ 체크리스트법(check list)은 피평정자의 근무실적에 큰 영향을 주는 사건들을 평정자로 하여금 기술하게 하는 방법이다.

(정답 및 해설)

④ 중요사건기록법에 대한 내용임 → 중요사건기록법은 근무실적에 큰 영향을 주는 중요 사건들을 평정자가 기술하거나, 중요한 사건에 대한 설명구를 미리 만들어서 평정자가 해당 사건에 표시하는 평정 방법임

① 도표식 평정척도법(graphic rating scale)은 평가요소를 연속적으로 배열하므로 연쇄효과(halo effect)가 나타나기 쉬움

■ **도표식 평정척도법의 예시**

평가요소 : 전문지식 · 사회성	평정척도 : 등급				
• 전문성 : 담당직무 수행에 직접적으로 필요한 이론 혹은 실무지식 보유	5	4	3	2	1
• 사회성 : 직무수행에 있어서 의사소통 여부	매우 미흡	미흡	보통	우수	매우 우수

② 대인비교법(man-to-man comparison)은 쌍쌍비교법과 달리 평정기준으로 구체적인 인물을 활용한다는 점에서 평정의 추상성을 극복할 수 있음

③ 산출기록법(production records)은 사실기록법의 한 종류로서 일정한 시간당 달성한 작업량과 같이 객관적 사실에 기초를 두고 피평정자를 평가하는 방법임

정답 ④

02 회독 ○○○

2005. 경기 9

근무성적평정에 있어서 관대화 오류를 방지하기 위한 방법으로 적절한 방법은?

① 도표식 평정척도법
② 중요사건 기록법
③ MBO에 의한 방법
④ 강제배분법

정답 및 해설

강제배분법은 평정시 성적의 고른 분포를 강제하기 때문에 관대화 오류(평정결과의 분포가 우수한 쪽에 집중되는 현상)를 방지할 수 있음

① 도표식 평정척도법

평가요소 : 전문지식 · 사회성	평정척도 : 등급				
• 전문성 : 담당직무 수행에 직접적으로 필요한 이론 혹은 실무지식 보유	5	4	3	2	1
• 사회성 : 직무수행에 있어서 의사소통 여부	매우 미흡	미흡	보통	우수	매우 우수

② 중요사건 기록법

■ **평가요소 : 비문관리**

일자, 장소	바람직한 행동	일자, 장소	바람직하지 못한 행동
10/1, 사무실	관찰 못 함	10/10, 사무실	비문을 회의실에서 보고 있었음

③ MBO에 의한 방법 : 부하와 상관의 합의를 통해 설정한 구체적인 목표를 평정하는 제도

정답 ④

03 회독 ☐☐☐　　　　　　　　　　　2016. 사회복지 9

평정자가 평정표(평정서)에 나열된 평정요소에 대한 설명 또는 질문을 보고 피평정자에게 해당되는 것을 골라 표시를 하는 평정방법은?

① 도표식평정척도법
② 체크리스트법
③ 산출기록법
④ 직무기준법

정답 및 해설

문제는 체크리스트법에 대한 내용임

■ **체크리스트법**

행태	체크란	가중치
근무시간을 잘 준수한다.		5
책상이 항상 깨끗이 정돈되어 있다.		1

ⓐ 평정자가 체크란에 표시할 때는 가중치를 모르는 상태에서 실시 → 연쇄효과 방지
ⓑ 높은 점수가 바람직한 행동을 나타냄

① 도표식평정척도법

평가요소 : 전문지식·사회성	평정척도 : 등급				
• 전문성 : 담당직무 수행에 직접적으로 필요한 이론 혹은 실무지식 보유	5	4	3	2	1
• 사회성 : 직무수행에 있어서 의사소통 여부	매우 미흡	미흡	보통	우수	매우 우수

③ 산출기록법 : 시간당 수행한 공무원의 업무량을 전체 평정 기간에 계속적으로 조사해 평균치를 측정하거나, 일정한 업무량을 달성하는 데 소요된 시간을 계산해 그 성적을 평정하는 방법
④ 직무기준법 : 직무수행의 기준을 미리 설정하고 직무수행실적과 기준을 비교하는 방법
　　ⓐ 직무기준은 각 직무에 대한 최소한의 실적 수준을 의미함
　　ⓑ 직무기준은 피평정자의 의견을 충분히 반영해야 함

정답 ②

04 회독 ☐☐☐ 　　　　　　　　2012. 지방 7

근무성적평정 방법과 그 단점에 대한 설명으로 옳지 않은 것은?

① 행태관찰척도법은 도표식평정척도법이 갖는 등급과 등급 간의 모호한 구분과 연쇄효과의 오류가 나타날 수 있다.

② 중요사건기록법은 평정자인 감독자와 피평정자인 부하가 해당 사건에 대해 서로 토론하는 과정에서 피평정자의 태도와 직무 수행을 개선하기 어렵고, 이례적인 행동을 지나치게 강조하게 될 위험이 있다.

③ 강제배분법은 평정자가 미리 정해진 비율에 따라 평정대상자를 각 등급에 분포시키고, 그다음에 역으로 등급에 해당하는 점수를 부여하는 역산식 평정을 할 가능성이 높다.

④ 체크리스트평정법은 평정요소에 관한 평정항목을 만들기가 힘들 뿐만 아니라, 질문 항목이 많을 경우 평정자가 곤란을 겪게 된다.

Section 02　　근무성적평정의 오류

01 회독 ☐☐☐ 　　　　　　　　2010. 국가 9

평정자인 A팀장은 피평정자인 B팀원이 성실하다는 것을 이유로 창의적이고 청렴하다고 평정하였다. A팀장이 범한 오류에 가장 가까운 것은?

① 연쇄효과(halo effect)
② 근접효과(recency effect)
③ 관대화 경향(tendency of leniency)
④ 선입견과 편견(prejudice)

정답 및 해설

중요사건기록법은 평정자인 감독자와 피평정자인 부하가 해당 사건에 대해 서로 토론하는 과정에서 피평정자의 태도와 직무수행을 개선하기 쉽지만, 자칫 이례적인 행동을 지나치게 강조할 수 있음

① 행태관찰척도법도 도표식평정척도법의 성격이 강해지면(행태관찰척도법을 제대로 구현하지 못하면) 집중화·관대화 경향이 나타날 수 있음; 혹은 도표식평정척도법이 갖는 등급과 등급 간의 모호한 구분과 연쇄효과의 오류가 나타날 수 있음

③ 강제배분법은 고른 성적분포를 강제하는 평정방법임 → 만약에 평정자가 항목별 점수측정을 미리 하지 않았을 경우, 평정자는 정해진 비율에 따라 평정대상자를 각 등급에 분포시키고, 그다음에 역으로 등급에 해당하는 점수를 부여하는 역산식 평정을 할 가능성이 높음

④ 체크리스트평정법은 공무원을 평가하는 데 적합한 표준행동목록을 살펴보고, 평정자가 이 목록에서 피평정자가 해당하는 부분을 체크하는 방식임 → 다만, 체크리스트법은 평정요소에 관한 평정항목을 만들기가 어렵고, 질문 항목이 많을 경우 평정자가 곤란을 겪게 됨

정답 ②

정답 및 해설

문제는 특정 평정에 대한 평정자의 판단이 연쇄적으로 다른 평정에 영향을 준 것이므로 연쇄효과에 대한 내용임

② 근접효과(recency effect) : 피평정자의 평가에 있어서 최근의 실적이나 능력을 중심으로 평가하는 것

③ 관대화 경향(tendency of leniency) : 평정결과의 분포가 우수한 쪽에 집중되는 현상

④ 선입견과 편견(prejudice) : 평정대상자의 개인적 특성인 성, 연령, 종교, 교육수준, 출신학교 등에 대해 평정자가 평소 가지고 있는 편견을 평정에 반영하는 것 → 유형화·정형화·집단화의 오류와 같은 표현

정답 ①

02 회독 ☐☐☐

2013. 서울 9

다음의 근무성적평정 상의 오류 중 '어떤 평정자가 다른 평정자들보다 언제나 좋은 점수 또는 나쁜 점수를 주게 됨'으로써 나타나는 것은?

① 집중화 경향
② 관대화 경향
③ 시간적 오류
④ 총계적 오류
⑤ 규칙적 오류

정답 및 해설

문제는 평정자가 일정한 규칙성을 지닌 채로 평정의 오류를 범하는 것이므로 규칙적 오류에 해당함

①②

분포상의 오류	집중화 경향	① 평정자가 모든 피평정자들에게 대부분 중간 수준의 점수를 주는 심리적인 경향 ② 평정자가 피평정자를 잘 모를 때 많이 발생함
	관대화 경향	① 평정결과의 분포가 우수한 쪽에 집중되는 현상 ② 즉, 실제수준보다 관대하게 평가하는 경향으로써 평정대상자와의 불편한 인간관계를 피하려는 동기로부터 유발되는 면이 있음
	엄격화 경향	평가기준을 엄격하게 적용함으로써 실제 수준보다 낮은 평가결과를 만들어낸 현상
	대안	강제배분법

③ 시간적 오류

시간적 오류	근접효과 (근접오류·막바지효과)	① 피평정자의 평가에 있어서 최근의 실적이나 능력을 중심으로 평가하는 것 ② 시간적 근접오류를 방지하기 위해 독립된 평가센터(제3의 중립적 평가기관), 목표관리제 평정, 중요사건기록법 등이 활용됨
	최초효과 (첫머리 효과)	전체 기간의 업적을 평가하는 게 아니라 피평가자의 초기성과에 영향을 크게 받는 현상

④ 총계적 오류: 평정자의 평정기준이 일정하지 않아서 관대화 및 엄격화 경향이 불규칙적으로 나타나는 것

정답 ⑤

Section 03 다면평가제도

01 회독 ☐☐☐

2013. 지방 7

다면평가제에 대한 설명으로 옳지 않은 것은?

① 공무원의 국민에 대한 충성심을 강화하는 데 기여할 수 있다.
② 작업집단의 팀워크 발전에 기여할 수 있다.
③ 우리나라에서는 평가자를 행정기관 내부자에 국한한다.
④ 피평가자를 업무 목표의 성취보다 원만한 대인관계 유지에 급급하게 만들 우려가 있다.

정답 및 해설

다면평가제도는 행정기관 외부에 있는 고객도 평가자로 인정함

■ 다면평가제도 틀잡기

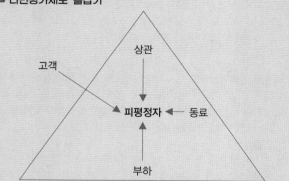

① 다면평가제도는 고객을 평정자로 인정하기 때문에 공무원의 국민에 대한 충성심을 강화하는 데 기여할 수 있음
② 다면평가제도는 조직구성원들과 원만한 관계를 증진하도록 동기를 부여함으로써 조직 내 상하 간, 동료 간 의사소통을 원활히 할 수 있음 → 작업집단의 팀워크 발전에 기여
④ 피평정자를 능력보다 인간관계에 따른 친밀도로 평가할 수 있음 → 이는 피평가자로 하여금 업무목표의 성취보다 원만한 대인관계 유지에 급급하게 만들 수 있음

정답 ③

02 회독 ☐☐☐

성과평가제도에 대한 설명으로 옳은 것은?

① 일반직공무원의 근무성적평정은 크게 5급 이상을 대상으로 한 '성과계약 등 평가'와 6급 이하를 대상으로 한 '근무성적평가'로 구분된다.

② '성과계약 등 평가'는 정기평가와 수시평가로 나눌 수 있으며, 정기평가는 6월 30일과 12월 31일 기준으로 연 2회 실시한다.

③ 다면평가는 평가의 객관성과 공정성을 제고할 수 있으나 각 부처가 반드시 이를 실시해야 하는 것은 아니다.

④ 역량평가제도는 5급 신규 임용자를 대상으로 업무수행에 필요한 충분한 역량을 보유하고 있는지를 평가한다.

정답 및 해설

다면평정법은 소수인의 주관과 편견, 개인 편차를 줄이고 객관성과 공정성을 높일 수 있는 평정제도로서 다면평가 결과는 역량개발, 교육훈련, 승진, 전보, 성과급 지급 등에 활용 가능함

공무원 성과평가 등에 관한 지침(인사혁신처 예규)
2. 다면평가(영 제28조)
  (1) 다면평가를 실시하는 경우, 평가자 집단은 다면평가 대상 공무원의 실적, 능력 등을 잘 아는 업무유관자로 구성하며, 소속 공무원의 인적 구성을 대표하도록 구성하여야 함
    ※ 업무유관자 : 동일부서 근무자, 타부서 업무연관자 등을 의미
  (2) 다면평가 결과는 역량개발, 교육훈련, 승진, 전보, 성과급 지급 등에 활용 가능

---

① 일반직공무원의 근무성적평정은 4급 이상을 대상으로 한 '성과계약 등 평가'와 5급 이하를 대상으로 한 '근무성적평가'로 구분할 수 있음

② 근무성적평가평가는 정기평가와 수시평가로 나눌 수 있으며, 정기평가는 6월 30일과 12월 31일 기준으로 연 2회 실시함
  ※ 성과계약 등 평가는 매년 12월 31일을 기준으로 연 1회 실시함

④ 역량평가제도는 고위공무원으로 신규채용되려는 사람 또는 4급 이상 공무원이 고위공무원단 직위로 승진임용되거나 전보되려는 사람을 대상으로 신규채용, 승진임용 또는 전보 전에 실시하여야 함

정답 ③

CHAPTER 05 공무원 동기부여

Section 01 사기(Morale)

01 회독 ☐☐☐ 2007. 대구 7

제안제도에 대한 설명 중 틀린 것은?

① 저렴한 비용으로 행정관리 개선이 가능하다.

② 정책결정에 관여하는 관리층의 참여가 중요하다.

③ 공무원의 창의력 제고와 관리층과 하급자 간의 의사소통을 촉진시킨다.

④ 지나친 경쟁심리로 인해 인간관계의 악화를 초래한다.

정답 및 해설

제안제도는 모든 구성원의 참여가 중요함

①②③④

> **공무원 제안규정 제18조【인사상 특전】** ① 중앙행정기관의 장은 소속 공무원이 제출한 공무원제안이 채택되고 시행되어 국가 예산을 절약하는 등 행정 운영 발전에 뚜렷한 실적이 있을 경우 그 제안자에게 인사 관계 법령에서 정하는 바에 따라 특별승급의 인사상 특전을 부여할 수 있다. 다만, 공동으로 공무원제안을 제출한 경우에는 주제안자 1명만을 특별승급의 대상자로 한다.

정답 ②

Section 02 공직봉사동기 : 공무원의 동기는 따로 있다?

01 회독 ☐☐☐ 2015. 국가 7

동기유발요인으로 금전적·물질적 보상보다 지역공동체나 국가, 인류를 위해 봉사하려는 이타심에 주목하는 이론은?

① 페리(Perry)의 공공서비스동기이론

② 스키너(Skinner)의 강화이론

③ 해크만(Hackman)과 올드햄(Oldham)의 직무특성이론

④ 매슬로우(Maslow)의 욕구계층이론

정답 및 해설

Perry & Wise(1990)는 공직동기를 '공공부문에서 주요하게, 고유하게 나타나는 동기에 반응하는 개인적 경향'이라고 정의하면서 공무원과 회사원은 본질적으로 다르다고 주장함 → 공무원을 회사원처럼 금전적인 보상을 통해 동기부여하는 것을 비판하면서 공직봉사동기를 강조함

■ **공직봉사동기의 유형**

합리적 차원	공무원이 정책형성과정에 참여(정책에 대한 호감)함으로써 사회적인 목적을 달성한다면 자신의 욕구를 충족하게 되어 만족감을 느낀다는 것
규범적 차원	공익에 대한 봉사욕구, 정부에 대한 충성심, 사회적 형평의 추구 등을 포함
정서적 차원 (감성적 차원)	동정심과 희생정신을 뜻함 → 동정과 희생은 정책의 중요성을 인지하는 진실한 신념에서 기인하며, 이는 선의의 애국심으로 이어짐

② 스키너(Skinner)의 강화이론 : 수동적으로 조건화되는 고전적 조건화와 달리 외부자극에 대한 유기체의 능동적인 반응을 통해 형성되는 조작적 조건화를 연구

③ 해크만(Hackman)과 올드햄(Oldham)의 직무특성이론 : 직무의 특성과 직무수행자의 성장욕구수준(growth need strength)의 관계를 연구 → 즉, 어떤 직무의 특성이 그 직무수행자의 성장욕구수준에 부합할 때 직무수행자가 더 큰 의미와 책임을 느낌(내재적 동기부여)

④ 매슬로우(Maslow)의 욕구계층이론 : 인간의 타고난 욕구를 다섯 가지로 구분(생안사존식)한 뒤 최하위 욕구를 어느 정도 충족해야 상위욕구에 대한 동기부여가 발생한다고 주장

정답 ①

Section 03 공무원에 대한 보상 : 보수와 연금

01 회독 ☐☐☐

2016. 사복 9

공무원 보수에 대한 설명으로 옳지 않은 것은?

① 직능급이란 직무의 난이도와 책임에 따라 결정되는 보수이다.

② 실적급(성과급)은 개인이나 집단의 근무실적과 보수를 연결시킨 것이다.

③ 생활급은 생계비를 기준으로 하는 보수로서 공무원과 그 가족의 기본적인 생활을 보장하기 위한 것이다.

④ 연공급(근속급)은 근속연수와 같은 인적요소를 기준으로 하는 보수이다.

02 회독 ☐☐☐

2016. 지방 7

공무원 보수제도 중 연봉제에 대한 설명으로 옳지 않은 것은?

① 직무성과급적 연봉제는 고위공무원단 소속 공무원에게 적용된다.

② 고정급적 연봉제에서 연봉은 기본연봉과 성과연봉으로 구성된다.

③ 직무성과급적 연봉제에서 기본연봉은 기준급과 직무급으로 구성된다.

④ 성과급적 연봉제와 직무성과급적 연봉제의 성과연봉은 전년도의 업무실적에 따른 평가 결과에 따라 차등 지급된다는 점에서 유사한 면이 있다.

정답 및 해설

직위별로 연봉이 고정되는 고정급적 연봉제에서 연봉은 성과연봉 없이 기본연봉으로만 구성됨

①④
■ **연봉제의 종류**

구분	대상	내용
고정급적	정무직	기본 연봉
직무성과급적	고공단	기본연봉＋성과연봉
성과급적	5급 이상	기본연봉＋성과연봉

③ 직무성과급적 연봉제에서 기본연봉은 기준급과 직무급으로 구성됨

공무원 보수규정 제63조【고위공무원의 보수】 ① 고위공무원에 대해서는 별표 31에 따라 직무성과급적 연봉제를 적용한다. 다만, 대통령경호처 직원 중 고위공무원단에 속하는 별정직공무원에 대해서는 호봉제를 적용한다.
② 직무성과급적 연봉제를 적용하는 고위공무원의 기본연봉은 개인의 경력 및 누적성과를 반영하여 책정되는 기준급과 직무의 곤란성 및 책임의 정도를 반영하여 직무등급에 따라 책정되는 직무급으로 구성한다.

정답 및 해설

① 직무급에 대한 내용임

②③④
■ **공무원 보수(기본급)의 종류**

생활급	생계비
근속급	연공서열에 기초한 급여 → 연공급·속인급
직무급	직무의 난이도에 기초한 급여
직능급	직무수행능력(근속급＋직무급)
성과급	산출물·성과에 기초한 급여

정답 ①

정답 ②

03 회독 ☐☐☐

우리나라 공무원연금제도에 대한 설명으로 옳은 것만을 모두 고른 것은?

> ㄱ. 최초의 공적연금제도로서 직업공무원을 대상으로 하는 특수직역연금제도이다.
> ㄴ. 공무원연금법상 공무원연금 대상에는 군인, 공무원 임용 전의 견습직원 등이 포함된다.
> ㄷ. 사회보험 원리와 부양원리가 혼합된 제도이다.

① ㄱ

② ㄴ, ㄷ

③ ㄱ, ㄷ

④ ㄱ, ㄴ, ㄷ

04 회독 ☐☐☐

우리나라의 국가공무원과 지방공무원에 대한 설명으로 옳은 것은?

① 인사관리에 적용하는 기본법률이 동일하다.

② 고위공무원단제도는 동일하게 시행되고 있다.

③ 모두 공무원연금법의 적용을 받는다.

④ 특별지방행정기관에 소속된 공무원은 국가직이 아니다.

정답 및 해설

ㄱ. (○) 우리나라의 공무원연금제도는 공무원과 그 유족의 노후 소득보장을 도모하는 한편, 장기 재직 등을 유도하기 위해 1960년에 도입되었음 → 이는 최초의 공적연금제도로서 직업공무원을 대상으로 하는 특수직역연금제도임

☑ 공적연금의 종류

공적 연금	국민연금
	특수직역연금 : 공무원연금, 군인연금, 사립 학교 교직원 연금

ㄷ. (○) 공무원연금제도는 사회보험 원리(비용부담은 정부와 공무원이 공동부담)와 부양원리(노후보장)가 혼합된 제도로 운영됨

ㄴ. (×)

> **공무원연금법 제3조【정의】** ① 이 법에서 사용하는 용어의 뜻은 다음과 같다.
> 1. "공무원"이란 공무에 종사하는 다음 각 목의 어느 하나에 해당하는 사람을 말한다.
>   가. 「국가공무원법」, 「지방공무원법」, 그 밖의 법률에 따른 공무원. 다만, 군인과 선거에 의하여 취임하는 공무원은 제외한다.
>   ㉮ 군인은 군인연금법이 따로 있으며, 선거에 의해 취임하는 공무원은 장기간 근속의 담보가 없으므로 국민연금 가입 대상임
>   ㉯ 공무원 임용 전의 견습직원은 아직 공무원이 아니므로 제외됨

정답 ③

정답 및 해설

아래의 조항 참고

> **공무원 연금법 제3조【정의】** ① 이 법에서 사용하는 용어의 뜻은 다음과 같다.
> 1. "공무원"이란 공무에 종사하는 다음 각 목의 어느 하나에 해당하는 사람을 말한다.
>   가. 「국가공무원법」, 「지방공무원법」, 그 밖의 법률에 따른 공무원. 다만, 군인과 선거에 의하여 취임하는 공무원은 제외한다.
>   나. 그 밖에 국가기관이나 지방자치단체에 근무하는 직원 중 대통령령으로 정하는 사람 → 청원경찰 등

① 국가공무원은 국가공무원법, 지방공무원은 지방공무원의 적용을 받음

② 고위공무원단은 국가직임

④ 특별지방행정기관은 중앙행정기관의 소속기관이므로, 특별지방행정기관에 소속된 공무원은 국가직임

정답 ③

CHAPTER **06** 공무원의 의무와 권리, 그리고 통제

Section 01 공무원의 의무에 대하여

01 회독 ☐☐☐ 2017. 국가 9

다음 (㉠)과 (㉡)에 들어갈 내용으로 옳은 것은?

> 공직자윤리법에서는 퇴직공직자의 취업제한 및 행위 제한 등을 규정하고 있는데, 취업심사대상자는 퇴직일부터 (㉠)간 퇴직 전 (㉡)동안 소속하였던 부서 또는 기관의 업무와 밀접한 관련성이 있는 취업제한기관에 취업할 수 없다.

	㉠	㉡
①	3년	5년
②	5년	3년
③	2년	3년
④	2년	5년

정답 및 해설

아래의 조항 참고

> **공직자윤리법 제17조【퇴직공직자의 취업제한】** ① 제3조 제1항제1호부터 제12호까지의 어느 하나에 해당하는 공직자와 부당한 영향력 행사 가능성 및 공정한 직무수행을 저해할 가능성 등을 고려하여 국회규칙, 대법원규칙, 헌법재판소규칙, 중앙선거관리위원회규칙 또는 대통령령으로 정하는 공무원과 공직유관단체의 직원(이하 이 장에서 "취업심사대상자"라 한다)은 퇴직일부터 3년간 다음 각 호의 어느 하나에 해당하는 기관(이하 "취업심사대상기관"이라 한다)에 취업할 수 없다. 다만, 관할 공직자윤리위원회로부터 취업심사대상자가 퇴직 전 5년 동안 소속하였던 부서 또는 기관의 업무와 취업심사대상기관 간에 밀접한 관련성이 없다는 확인을 받거나 취업승인을 받은 때에는 취업할 수 있다.

정답 ①

02 회독 ☐☐☐

다음 중 공직자윤리법에 근거하여 재산공개 의무가 있는 공직자에 해당하지 않는 것은?

① 소방감 이상의 소방공무원
② 중장 이상의 장관급 장교
③ 치안감 이상의 경찰공무원
④ 고등법원 부장판사급 이상의 법관

정답 및 해설

소방감이 아니라 소방정감 이상의 소방공무원임

공직자윤리법 제10조 【등록재산의 공개】 ① 공직자윤리위원회는 관할 등록의무자 중 다음 각 호의 어느 하나에 해당하는 공직자 본인과 배우자 및 본인의 직계존속·직계비속의 재산에 관한 등록사항과 제6조에 따른 변동사항 신고내용을 등록기간 또는 신고기간 만료 후 1개월 이내에 관보 또는 공보에 게재하여 공개하여야 한다.

1. 대통령, 국무총리, 국무위원, 국회의원, 국가정보원의 원장 및 차장 등 국가의 정무직공무원
2. 지방자치단체의 장, 지방의회의원 등 지방자치단체의 정무직공무원
3. 일반직 1급 국가공무원(「국가공무원법」 제23조에 따라 배정된 직무등급이 가장 높은 등급의 직위에 임용된 고위공무원단에 속하는 일반직공무원을 포함한다) 및 지방공무원과 이에 상응하는 보수를 받는 별정직공무원(고위공무원단에 속하는 별정직공무원을 포함한다)
4. 대통령령으로 정하는 외무공무원
5. 고등법원 부장판사급 이상의 법관과 대검찰청 검사급 이상의 검사
6. 중장 이상의 장성급(將星級) 장교
7. 교육공무원 중 총장·부총장·학장(대학교의 학장은 제외한다) 및 전문대학의 장과 대학에 준하는 각종 학교의 장, 특별시·광역시·특별자치시·도·특별자치도의 교육감
8. 치안감 이상의 경찰공무원 및 특별시·광역시·특별자치시·도·특별자치도의 시·도경찰청장
8의2. 소방정감 이상의 소방공무원
9. 지방 국세청장 및 3급 공무원 또는 고위공무원단에 속하는 공무원인 세관장
11. 공기업의 장·부기관장 및 상임감사, 한국은행의 총재·부총재·감사 및 금융통화위원회의 추천직 위원, 금융감독원의 원장·부원장·부원장보 및 감사, 농업협동조합중앙회·수산업협동조합중앙회의 회장 및 상임감사

정답 ①

03 회독 ☐☐☐   2017. 국가 7

「공직자윤리법」의 내용으로 옳지 않은 것은?

① 공무원의 가족이 외국 혹은 외국인으로부터 받은 선물은 신고 절차를 거친 후 지체없이 당사자에게 반환하여야 한다.

② 취업심사대상자는 관할 공직자윤리위원회의 승인을 받지 않고는 취업제한기관에 퇴직일로부터 3년간 취업할 수 없다.

③ 한국은행과 공기업은 정부 공직자윤리위원회에 의해서 공직유관단체로 지정될 수 있다.

④ 공개대상자등 및 그 이해관계인이 보유하고 있는 주식의 직무관련성을 심사·결정하기 위하여 인사혁신처에 주식백지신탁 심사위원회를 둔다.

정답 및 해설

아래의 조항 참고

공직자 윤리법 제15조【외국 정부 등으로부터 받은 선물의 신고】 ① 공무원(지방의회의원을 포함한다. 이하 제22조에서 같다) 또는 공직유관단체의 임직원은 외국으로부터 선물(대가 없이 제공되는 물품 및 그 밖에 이에 준하는 것을 말하되, 현금은 제외한다. 이하 같다)을 받거나 그 직무와 관련하여 외국인(외국단체를 포함한다. 이하 같다)에게 선물을 받으면 지체 없이 소속 기관·단체의 장에게 신고하고 그 선물을 인도하여야 한다. 이들의 가족이 외국으로부터 선물을 받거나 그 공무원이나 공직유관단체 임직원의 직무와 관련하여 외국인에게 선물을 받은 경우에도 또한 같다.

---

② 취업심사대상자는 관할 공직자윤리위원회의 승인을 받지 않고는 취업제한기관에 퇴직일로부터 3년간 취업할 수 없음

공직자윤리법 제17조【퇴직공직자의 취업제한】 ① 제3조제1항제1호부터 제12호까지의 어느 하나에 해당하는 공직자와 부당한 영향력 행사 가능성 및 공정한 직무수행을 저해할 가능성 등을 고려하여 국회규칙, 대법원규칙, 헌법재판소규칙, 중앙선거관리위원회규칙 또는 대통령령으로 정하는 공무원과 공직유관단체의 직원(이하 이 장에서 "취업심사대상자"라 한다)은 퇴직일부터 3년간 다음 각 호의 어느 하나에 해당하는 기관(이하 "취업심사대상기관"이라 한다)에 취업할 수 없다. 다만, 관할 공직자윤리위원회로부터 취업심사 대상자가 퇴직 전 5년 동안 소속하였던 부서 또는 기관의 업무와 취업심사대상기관 간에 밀접한 관련성이 없다는 확인을 받거나 취업승인을 받은 때에는 취업할 수 있다.

---

③ 한국은행과 공기업은 정부 공직자윤리위원회에 의해서 공직유관단체로 지정될 수 있음

공직자 윤리법 제3조의2【공직유관단체】 ① 제9조제2항제8호에 따른 정부 공직자윤리위원회는 정부 또는 지방자치단체의 재정지원 규모, 임원선임 방법 등을 고려하여 다음 각 호에 해당하는 기관·단체를 공직유관단체로 지정할 수 있다. 〈개정 2014. 12. 30.〉
　1. 한국은행
　2. 공기업

---

④ 공개대상자등 및 그 이해관계인이 보유하고 있는 주식의 직무관련성을 심사·결정하기 위하여 인사혁신처에 주식백지신탁 심사위원회를 두고 있음

공직자 윤리법 제14조의5【주식백지신탁 심사위원회의 직무관련성 심사】 ① 공개대상자등 및 그 이해관계인이 보유하고 있는 주식의 직무관련성을 심사·결정하기 위하여 인사혁신처에 주식백지신탁 심사위원회를 둔다.

정답 ①

Section 02 공무원에 대한 통제: 공직(공무원) 부패와 징계에 대하여

01 회독 □□□
2014. 사복 9

행정체제 내에서 조직의 임무수행에 필요한 행동규범이 예외적인 것으로 전락되고, 부패가 일상적으로 만연화되어 있는 상황을 지칭하는 부패의 유형은?

① 일탈형 부패
② 제도화된 부패
③ 백색부패
④ 생계형 부패

02 회독 □□□
2006. 광주 9

정부가 경제정책을 세우는 데 있어서 국민의 동요와 기업활동의 위축을 막기 위하여 '금융위기는 없다, 기름값 인상은 없다'라고 국민에게 거짓말을 하고 안정적인 경제정책을 펴나가겠다고 발표한 뒤 바로 다음 날부터 유가가 오르고 결국 외환금융위기가 오는 등 발표한 내용과 반대의 현상이 실제 일어났을 때 이러한 현상을 무엇이라고 할 수 있겠는가?

① 백색부패
② 제도화된 부패
③ 조직부패
④ 부패가 아니다.

정답 및 해설

부패가 일상화되어 있는 상황을 설명하는 부패는 제도화된 부패임

①②③④

제도적 부패	① '제도적 부패(institutional corruption)'는 '구조화된 부패' 또는 '체제적 부패'라고 부르기도 함 ② 부패가 일상(생활)이 되면서 부패가 곧 제도가 된 상태 → 부패가 조직을 규율하는 실질적인 규범이 된 것 ③ 공식적 행동규칙을 준수하면 이상한 사람으로 취급받게 됨
우발적 부패 (일탈형 부패)	① 구조화되지 않은 일시적 부패 ② 공금횡령 등 개인의 일탈로 인해 발생하는 부패로서 개인부패에서 많이 발생함 ③ 예 무허가 업소를 단속하던 공무원이 정상적인 단속활동을 수행하다가 금품을 제공하는 특정 업소에 대해서는 단속을 하지 않음
백색부패	① 사회에 심각한 해가 없거나 사익추구가 없는 선의의 부패 → 선의의 목적성을 띠는바 구성원들이 어느 정도 용인하는 관례화된 부패 ② 예 금융위기가 심각해도 국민의 불안이나 기업활동의 위축을 막기 위해 위기가 없는 것처럼 거짓말을 했다면 엄밀한 의미에서는 부패행위가 됨 ③ 그러나 이를 공익(경제안정)을 위한 선의의 부패로 보고 일반적인 부패와 구분하여 '백색부패(white corruption)'라고 함
생계형 부패	하위직 행정관료들이 부족한 급여로 인해 생계를 유지하려는 차원에서 저지르는 부패로서 '작은 부패(petty corruption)'라고 부르기도 함

정답 ②

정답 및 해설

지문은 선의의 거짓말을 내포하고 있으므로 국민이 용인할 수 있는 백색부패에 해당함

①②③

제도적 부패	① '제도적 부패(institutional corruption)'는 '구조화된 부패' 또는 '체제적 부패'라고 부르기도 함 ② 부패가 일상(생활)이 되면서 부패가 곧 제도가 된 상태 → 부패가 조직을 규율하는 실질적인 규범이 된 것 ③ 공식적 행동규칙을 준수하면 이상한 사람으로 취급받게 됨
백색부패	① 사회에 심각한 해가 없거나 사익추구가 없는 선의의 부패 → 선의의 목적성을 띠는바 구성원들이 어느 정도 용인하는 관례화된 부패 ② 예 금융위기가 심각해도 국민의 불안이나 기업활동의 위축을 막기 위해 위기가 없는 것처럼 거짓말을 했다면 엄밀한 의미에서는 부패행위가 됨 ③ 그러나 이를 공익(경제안정)을 위한 선의의 부패로 보고 일반적인 부패와 구분하여 '백색부패(white corruption)'라고 함
조직부패	① 하나의 부패에 여러 사람이 조직적 혹은 집단적으로 관련된 경우임 ② 조직적으로 부패를 범하면 외부에 잘 드러나지 않음

정답 ①

03 회독 ☐☐☐　　　　　　　　　2014. 국회 9 수정

다음 국가공무원법상 공무원의 징계에 대한 설명 중 가장 옳지 않은 것은?

① 감봉은 보수의 불이익을 받는 것으로, 감봉기간 동안 보수액의 3분의 1이 감해진다.

② 해임은 공무원 신분을 완전히 잃는 것으로 5년간 공무원 임용의 결격사유가 된다.

③ 정직은 공무원의 신분은 보유하나 직무에 종사할 수 없게 하는 징계의 한 종류이다.

④ 견책은 공무원의 잘못된 행동에 대하여 훈계하고 회개토록 하는 징계의 한 종류이다.

정답 및 해설

해임은 공무원 신분을 완전히 잃는 것으로 3년간 공무원 임용의 결격사유가 됨

①③④

구분	의미	승급 제한	직무 정지	신분 보유	보수
견책	훈계 및 회개 유도	6개월	×	○	
감봉	보수의 불이익	12개월	×	○	• 1~3개월 • 보수 1/3 삭감
정직	직무정지 포함	18개월	1~3개월 정지	○	• 1~3개월 • 보수 전액 삭감

정답 ②

04 회독 ☐☐☐　　　　　　　　　2014. 국가 7

임용에 대한 설명으로 옳지 않은 것은?

① 징계로 해임 처분을 받은 때부터 5년이 지나지 아니한 자는 공무원으로 임용될 수 없다.

② 승진의 기준으로 공무원 근무경력만을 중시하는 경우 행정의 능률성을 저하시킬 수 있다.

③ 전직과 전보는 부처 간 할거주의의 폐단을 타파하고 부처 간 협력 조성을 위한 기반을 마련해 줄 수 있다.

④ 임용권자는 직제 또는 정원이 변경되거나 예산의 감소 등으로 직위가 폐직되었을 경우 또는 본인이 동의한 경우에는 소속 공무원을 강임할 수 있다.

정답 및 해설

징계로 해임처분을 받은 때부터 3년이 지나지 아니한 자는 공무원으로 임용될 수 없음 → 파면 처분을 받은 자는 5년간 공무원으로 임용될 수 없음

② 승진의 기준으로 실적으로 반영하지 않고 연공만을 중시하는 경우 행정의 능률성을 저하시킬 수 있음

③ 전직과 전보 등 배치전환제도는 부처 간 할거주의의 폐단을 타파하고 부처 간 협력 조성을 위한 기반을 마련해 줄 수 있음

④

국가공무원법 제73조의4 【강임】 ① 임용권자는 직제 또는 정원의 변경이나 예산의 감소 등으로 직위가 폐직되거나 하위의 직위로 변경되어 과원이 된 경우 또는 본인이 동의한 경우에는 소속 공무원을 강임할 수 있다.

정답 ①

Section 03 공무원의 권리에 대하여

01 회독 ☐☐☐
2018. 지방 7

국가공무원법상 소청심사위원회를 둘 수 없는 기관은?

① 행정안전부
② 국회사무처
③ 중앙선거관리위원회 사무처
④ 법원행정처

02 회독 ☐☐☐
2013. 국가 9

공무원 단체활동 제한론의 근거로 옳지 않은 것은?

① 실적주의 원칙을 침해할 우려가 있다.
② 공무원의 정치적 중립성이 훼손될 수 있다.
③ 공직 내 의사소통을 약화시킨다.
④ 보수 인상 등 복지요구 확대는 국민 부담으로 이어진다.

(정답 및 해설)

행정부 공무원에 대한 소청심사위원회는 인사를 총괄하는 인사혁신처에 설치함

②③④

> **국가공무원법 제9조 【소청심사위원회의 설치】** ① 행정기관 소속 공무원의 징계처분, 그 밖에 그 의사에 반하는 불리한 처분이나 부작위에 대한 소청을 심사·결정하게 하기 위하여 인사혁신처에 소청심사위원회를 둔다.
> ※ 부작위 : 해야할 의무를 다하지 않음
> ② 국회, 법원, 헌법재판소 및 선거관리위원회 소속 공무원의 소청에 관한 사항을 심사·결정하게 하기 위하여 국회사무처, 법원행정처, 헌법재판소사무처 및 중앙선거관리위원회사무처에 각각 해당 소청심사위원회를 둔다.
> ③ 국회사무처, 법원행정처, 헌법재판소사무처 및 중앙선거관리위원회사무처에 설치된 소청심사위원회는 위원장 1명을 포함한 위원 5명 이상 7명 이하의 비상임위원으로 구성하고, 인사혁신처에 설치된 소청심사위원회는 위원장 1명을 포함한 5명 이상 7명 이하의 상임위원과 상임위원 수의 2분의 1 이상인 비상임위원으로 구성하되, 위원장은 정무직으로 보한다.
> ④ 제1항에 따라 설치된 소청심사위원회는 다른 법률로 정하는 바에 따라 특정직공무원의 소청을 심사·결정할 수 있다. → 단, 검사는 예외

정답 ①

(정답 및 해설)

공무원 노동조합과 같은 단체활동은 공무원의 사기를 앙양하고, 공직 내 의사소통을 촉진할 수 있음

①②④

■ **공무원 단체활동에 대한 찬성론과 반대론**

찬성론	① 의사소통의 통로 ② 기본적인 권리보장으로 사기진작에 긍정적 영향을 미침 ③ 행정관리개선에 공헌
반대론	① 실적주의 원칙을 침해할 우려가 있음 : 조직의 목표달성보다 권익보호를 우선하게 되면 외부에서의 개방형 충원을 반대하고, 연공서열에 의한 안전한 승진보장을 선호할 수 있음 ② 공무원의 정치적 중립성이 훼손될 수 있음 ③ 보수인상 등 복지요구 확대는 국민의 부담으로 이어짐

정답 ③

재무행정

CHAPTER **01** 예산제도의 발달 과정

Section **01** 전통적 예산제도

01 회독 ☐☐☐ 2010. 지방 9

다음은 여러 예산제도의 장단점을 서술한 것이다. 옳지 않은 것은?

① 영기준 예산제도는 점증주의적 예산편성의 폐단을 시정하고자 개발되었다.

② 계획 예산제도는 목표·계획·사업의 연계성을 높일 수 있으나 과도한 정보를 필요로 한다는 단점이 있다.

③ 성과주의 예산제도는 산출을 확인할 수 있는 장점이 있지만 업무단위 선정 및 단위원가 계산이 어렵다.

④ 품목별 예산제도는 지출항목을 엄격히 분류하므로 사업성과와 정부의 생산성을 정확하게 평가할 수 있다.

02 회독 ☐☐☐ 2015. 지방 7

예산제도에 대한 설명으로 옳지 않은 것은?

① 계획예산제도(PPBS)는 계획(plan)－사업(program)－예산(budget)의 체계적 연계를 강조한다.

② 영기준예산제도(ZBB)는 원칙적으로 정부사업과 예산항목을 원점(zero base)에서 재검토하는 예산제도이다.

③ 목표관리예산제도(MBO)는 참여를 통해 설정한 세부사업의 목표를 예산편성과 연계하는 제도이다.

④ 품목별 예산제도(line-item budgeting)는 주어진 재원수준에서 달성한 산출물 수준을 성과지표에 표시한다.

정답 및 해설

품목별 예산제도는 지출항목을 엄격히 분류하여 예산을 편성하므로 의회가 행정부를 통제하기에 용이하지만, 예산의 목적이나 의도를 알 수 없는바 사업의 성과 및 생산성을 평가하기 어려움

① 영기준 예산제도는 정부의 예산을 증가시키는 점증주의적 예산편성의 폐단을 시정하고자 개발되었음

② 계획예산제도는 목표·계획·사업의 연계성을 높일 수 있으나 장기적인 계획을 수립하는 과정에서 과도한 정보를 필요로 한다는 단점이 있음

③ 성과주의 예산제도는 산출을 확인할 수 있는 장점이 있으나 계량화, 즉 업무측정단위 선정 및 단위원가 계산이 어려움

정답 ④

정답 및 해설

품목별 예산제도(line-item budgeting)는 가장 작은 지출단위, 즉 투입을 중심으로 예산을 편성하므로 산출물 수준을 성과지표에 표시할 수 없음

① 계획예산제도(PPBS)는 장기적인 계획성을 요구하는 대규모 사업을 기준으로 예산을 편성하기 때문에 계획(plan)－사업(program)－예산(budget)의 체계적 연계를 강조함

② 영기준예산제도(ZBB)는 원칙적으로 정부사업과 예산항목을 매년 근본적으로, 즉 원점(zero base)에서 재검토하는 예산제도임

③ 목표관리예산제도(MBO)는 부하의 참여를 통해 설정한 단기적·구체적 사업의 목표를 예산편성과 연계하는 제도임

정답 ④

03 회독 ☐☐☐

행정의 민주성 확보방안과 관계가 없는 것은?

① 행정정보 공개
② 행정과정의 민주화
③ 행정통제 강화를 통한 책임성 확보
④ PPBS의 도입

04 회독 ☐☐☐

계획예산제도(PPBS)에 대한 설명으로 옳지 않은 것은?

① 품목별 예산은 하향식 예산 과정을 수반하나, PPBS는 상향식 접근이 원칙이다.
② 품목별 예산과는 달리 부서별로 예산을 배정하지 않고 정책별로 예산을 배분한다.
③ PPBS는 집권화를 강화시킨다.
④ 계량적인 기법인 체제분석, 비용편익분석 등을 사용한다.

정답 및 해설

PPBS는 정책의 목표를 정부의 엘리트가 규정하는바 집권적인 예산편성 제도임 → 따라서 조직구성원이나 국민의 견해를 수렴하는 민주성을 약화시킬 수 있음

①②③
국민이 요청한 정부의 정보를 공개하는 것, 행정에 대한 민원 등을 해결하는 것(행정과정의 민주화 등), 정부의 권력남용을 방지하고자 행정부를 통제(예 감사원의 직무감찰 등)하는 것 등은 민주성 확보방안임

정답 ④

정답 및 해설

품목별 예산은 상향식 예산과정을 수반하지만, PPBS는 하향식 과정을 거침

②③
■ 계획예산제도 : 조직의 상층부에서 대규모 정책의 목표를 설정(집권적)하고 이를 달성하기 위한 구조화 과정(Programmimg)을 거친 후 장기적인 계획(Planning)을 반영하여 대규모 사업을 중심으로 예산을 배분하는 제도 → 계획예산제도는 정책의 목표를 달성하기 위한 대안을 선정하는 과정에서 체제분석(비용편익 분석 등)을 실시함

정답 ①

05 회독 ☐☐☐ 2008. 지방 7

예산제도에 대한 설명으로 옳지 않은 것은?

① 성과주의예산제도는 미국의 후버(Hoover)위원회가 미국 대통령에게 건의한 제도이다.

② 품목별예산제도에서 정책당국자는 정책 및 사업의 우선순위를 등한시할 수 있다.

③ 영기준예산제도의 경우 예산의 운영단위를 어떻게 정하느냐에 따라 예산운영의 능률성과 효과성이 좌우된다.

④ 계획예산제도의 핵심은 목표와 계획에 따른 사업의 효율적 수행에 있으며, 정치적 협상을 중시한다.

[정답 및 해설]

계획예산제도는 목표와 계획에 따른 사업의 효율적 수행에 치중한 나머지 정치적인 협상(예 국민견해 수렴 등)은 경시함

① 성과주의 예산제도는 제2차 세계대전 이후 미국의 제1차 후버위원회에서 권고한 제도 중의 하나임

② 품목별예산제도는 투입을 중심으로 예산을 편성하므로 정책 및 사업의 우선순위를 등한시할 수 있음

③ 영기준예산제도의 경우 의사결정단위를 어떻게 정하느냐에 따라 예산운영의 능률성과 효과성이 좌우됨 → 일반적으로 조직 내 모든 부서를 의사결정단위를 선정함

정답 ④

06 회독 ☐☐☐ 2018. 지방 7 수정

예산제도의 유형에 대한 설명으로 옳지 않은 것은?

① 품목별 예산제도(LIBS)는 예산 집행에 대한 회계책임을 명백히 하고 경비 사용을 엄격하게 통제한다.

② 계획예산제도(PPBS)의 주요한 관심 대상은 사업의 목표이나, 투입과 산출에도 관심을 둔다.

③ 목표관리 예산제도(MBO)의 도입 취지는 불요불급한 지출을 억제하고 감축관리를 지향하는 데 있다.

④ 성과주의 예산제도(PBS)에서는 국민과 의회가 정부의 사업을 이해하는 데 편리하다.

[정답 및 해설]

목표관리예산제도(MBO)가 아니라 영기준예산(ZBB)에 해당하는 설명임

① 품목별 예산제도(LIBS)는 투입을 상세하게 기술하기 때문에 예산 집행에 대한 회계책임을 명백히 하고 경비 사용을 엄격하게 통제할 수 있음

② 계획예산제도(PPBS)의 주요한 관심 대상은 대규모 사업의 목표이나, 투입과 산출(사업)에도 관심을 둠

④ 성과주의 예산제도(PBS)는 정부가 하는 일을 중심으로 예산을 편성하므로 국민과 의회가 정부의 사업을 이해하는 데 편리함

정답 ③

07 회독 ☐☐☐   2018. 지방 9

다음 설명에 해당하는 예산제도는?

> • 합리적 선택을 강조하는 총체주의 방식의 예산제도이다.
> • 조직구성원의 참여가 상대적으로 높은 분권화된 관리 체계를 갖는다.
> • 예산편성에 비용·노력의 과다한 투입을 요구한다는 비판을 받는다.

① 성과주의예산제도
② 계획예산제도
③ 영기준예산제도
④ 품목별예산제도

08 회독 ☐☐☐   2012. 국가 9

미국의 예산개혁과 결부시켜 쉬크(A. Schick)가 도출한 예산제도의 주된 지향점으로 볼 수 없는 것은?

① 성과지향
② 통제지향
③ 기획지향
④ 관리지향

정답 및 해설

영기준 예산제도는 합리모형의 결정방식을 취하며, 편성과정에서 의사결정단위의 참여가 있으므로 분권적인 예산편성제도임 → 다만, 영기준 예산제도는 전년도 예산을 근본적으로 재검토하는바 예산편성과정에서 과다한 시간(비용)과 노력이 요구됨

① 성과주의예산제도 : 소규모 사업을 중심으로 예산을 편성하는 제도
② 계획예산제도 : 대규모 사업을 중심으로 예산을 편성하는 제도
④ 품목별예산제도 : 항목을 중심으로 예산을 편성하는 제도

정답 ③

정답 및 해설

쉬크가 도출한 예산제도의 주된 지향점의 변화는 통제 → 관리 → 기획의 순서임
※ 쉬크는 품목별 예산제도(통제기능) → 성과주의 예산제도(관리기능) → 계획예산제도(계획기능)의 순서로 합리적인 예산배분을 개선한 것으로 파악하고 있음

정답 ①

09 회독 ☐☐☐

영기준 예산제도(ZBB)의 장점으로 옳지 않은 것은?

① 국방비, 공무원의 보수, 교육비와 같은 경직성 경비가 많으면 영기준 예산제도의 효용이 커진다.
② 최고관리자는 각 기관의 업무수행에 대한 보다 상세한 자료를 입수할 수 있다.
③ 예산과정에 대한 관리자 및 실무자의 참여를 촉진한다.
④ 전년도 답습주의로 인한 재정의 경직성을 완화할 수 있다.

정답 및 해설

국방비, 공무원의 보수, 교육비와 같은 경직성 경비가 많으면 근본적인 재검토가 필요한 사업이 별로 없으므로 영기준예산제도의 효용이 감소함

② 최고관리자는 의사결정단위가 제출한 정책결정패키지를 바탕으로 각 기관의 업무수행에 대한 보다 상세한 자료를 입수할 수 있음
③ 모든 의사결정단위는 예산을 편성하고 관리자는 이를 우선순위에 따라 판단하므로 예산과정에 대한 관리자 및 실무자의 참여를 촉진함
④ 영기준 예산제도는 과거의 관행을 전혀 참조하지 않고 목적, 방법, 자원에 대한 근본적인 재평가를 바탕으로 하여 감축지향적(불요불급한 지출 억제)으로 예산을 편성하는 제도임 → 따라서 전년도 답습주의로 인한 재정의 경직성을 완화할 수 있음

정답 ①

10 회독 ☐☐☐

다음 특징에 해당하는 예산관리제도는?

- 사업 시행 후 기존 사업과 지출에 대해 입법기관이 재검토한다.
- 정부의 불필요한 행위나 활동을 폐지하고 효율적인 정부를 추구하려는 노력이다.
- 특정 조직이나 사업에 대해 존속시킬 타당성이 없다고 판명되면 자동적으로 폐지하는 제도이다.
- 매 회계연도마다 반복되는 예산과정에서 비교적 독립적으로 진행할 수 있다.

① 영기준 예산제
② 일몰제
③ 계획예산제
④ 성과주의 예산제

정답 및 해설

보기는 일몰법에 대한 내용임
◾ **일몰법**

① 미국의 Colorado 주에서 1976년에 채택된 방법으로서 일종의 시한입법
② 정책의 종결을 가져오게 하는 일몰기준(sun-set criteria)과 새로운 정책의 형성으로 이끄는 일출기준(sun-rise criteria)을 체계화한 것 → 당초 규정한 시점에 사업이나 행정기관의 존속 여부를 검토 후 필요성이 없는 경우에는 자동으로 사업을 중지시키고 기관을 폐지하는 제도

① 영기준 예산제 : 과거의 관행을 전혀 참조하지 않고 목적, 방법, 자원에 대한 근본적인 재평가를 바탕으로 하여 감축지향적(불요불급한 지출 억제)으로 예산을 편성하는 제도
③ 계획예산제 : 대규모 사업을 중심으로 예산을 편성하는 제도
④ 성과주의 예산제 : 소규모 사업을 중심으로 예산을 편성하는 제도

정답 ②

11 회독 □□□ 2008. 지방 7

예산관리모형의 특징에 대한 설명으로 옳지 않은 것은?

① 통제지향적 예산관리를 위해 품목별 예산제도가 도입되었다.

② 관리지향적 예산관리를 위해 성과주의 예산제도를 제안하였다.

③ 통제지향적 예산관리로서 총액배분 자율편성 예산제도는 상향식 예산제도의 효용이 한계에 도달했다는 문제인식에서 비롯됐다.

④ 감축지향적 예산관리로서 일몰법에 의한 심사는 행정부의 예산편성 과정에서 행해진다.

12 회독 □□□ 2010. 국가 9

성과주의 예산제도에 관한 설명으로 옳은 것을 모두 고른 것은?

> ㄱ. 예산서에는 사업의 목적과 목표에 대한 기술서가 포함되며, 재원은 활동 단위를 중심으로 배분된다.
> ㄴ. 사업의 대안들을 제시하도록 하고 가장 효과적인 프로그램에 대해 재원 배분을 선택하도록 한다.
> ㄷ. 예산의 배정과정에서 필요한 사업량이 제시되므로 예산과 사업을 연계시킬 수 있다.
> ㄹ. 장기적인 계획과의 연계보다는 단위사업만을 중시하기 때문에 전략적인 목표 의식이 결여될 수 있다.

① ㄱ, ㄴ

② ㄱ, ㄷ, ㄹ

③ ㄱ, ㄴ, ㄷ

④ ㄴ, ㄷ, ㄹ

[정답 및 해설]

감축지향적 예산관리로서 일몰법에 의한 심사는 의회에서 함

①②

구분	입법국가	시장실패	행정국가		정부실패	탈행정국가	
예산제도	LIBS		PBS	PPBS		ZBB	NPBS
추구하는 가치	통제	① 원인 ② 정부 대응	관리	계획	① 원인 ② 정부 대응	감축	–
예산결정 모형	점증		점증	합리		합리	–
예산원칙	전통적 (통제)		현대적(통제+신축성)				

③ 통제지향적 예산관리로서 총액배분 자율편성 예산제도는 상향식 예산제도(예 품목별 예산제도 혹은 성과주의 예산제도 등)의 효용이 한계에 도달했다는 문제 인식에서 비롯됐음

※ 품목별 예산제도 및 성과주의 예산제도는 점증주의적 예산편성을 지향하기 때문에 예산의 규모를 증가시킬 우려가 있음

[정답 및 해설]

ㄱ. (○) 성과주의 예산제도는 소규모 활동을 기준으로 예산을 편성하기 때문에 활동 단위를 중심으로 재원을 배분함 → 또한, 예산서에는 사업의 능률적 수행을 위한 방법(사업의 목적)과 이에 대한 기술서가 포함됨

ㄷ. (○) 성과주의 예산제도에서 '예산 = 사업량(업무측정단위 × 수량) × 단위원가'임

ㄹ. (○) 성과주의 예산제도는 소규모 사업만을 중시하기 때문에 장기적인 목표 의식을 간과하는 면이 있음

ㄴ. (×) PPBS에 대한 내용임 → 계획 예산제도는 정책의 목표를 달성하기 위한 최선의 대안을 선정할 때 계량분석을 활용함

정답 ④

정답 ②

Section 02 신성과주의 예산제도(NPB)

01 회독 ☐☐☐   2017. 국가 7 수정

결과지향적 예산제도에 대한 설명으로 옳지 않은 것은?

① 미국 클린턴 행정부는 결과 지향적 예산제도의 일환으로 PART(Program Assessment Rating Tool)를 도입했다.

② 각 부처 재정사업 담당자들에 대한 동기부여를 강조하고 이들에게 더 많은 권한을 부여하고자 한다.

③ 재정사업의 산출, 결과, 재원을 연계하여 예산은 '성과에 대한 계약'의 개념으로 활용한다.

④ 20세기 후반부터 주요 국가들이 재정사업의 운영과정이나 기능에 초점을 두고 새로운 성과주의 예산 체계를 도입하기 시작했다.

02 회독 ☐☐☐   2006. 충남 9

예산제도에 대한 설명으로 틀린 것은?

① 최근의 예산은 대체로 새롭게 성과주의를 지향하고 있다.

② 최근의 신성과주의는 성과를 중시하므로 관료의 재량권을 줄이면서 책임을 강화한다.

③ 미국에서 합리주의를 지향하던 예산개혁은 성공하지 못한 것으로 평가되고 있다.

④ 최근의 예산은 거시적, 하향적 예산을 지향하고 있다.

〔정답 및 해설〕

미국의 클린턴 행정부는 1993년 GPRA(Government Performance and Result Act)를 제정함으로써 결과 지향적 예산제도를 도입하였음 → 한편, 부시 행정부는 재정사업의 성과관리 체제를 강화하기 위해 PART(Program Assessment Rating Tool)를 도입해 GPRA를 보완하였음(2002)

② 신성과주의 예산제도는 NPM의 영향으로 등장했음 → 따라서 각 부처 재정사업 담당자들에 대한 예산감축을 위한 동기부여를 강조하고 이들에게 더 많은 자율성을 부여하고자 함

③ 신성과주의 예산제도에서 각 사업의 담당자는 성과계획서 및 성과보고서 등을 작성함 → 즉, 체계적인 성과평가에 따라 성과책임을 져야 함

④ 20세기 후반부터 NPM의 영향으로 인해 주요 국가들이 재정사업의 운영과정이나 기능에 초점을 두고 새로운 성과주의 예산 체계를 도입하기 시작했음

〔정답〕 ①

〔정답 및 해설〕

최근의 신성과주의는 성과를 중시하므로 관료의 재량권을 인정하면서 성과책임을 강화함

① 최근의 예산은 대체로 신성과주의 예산제도를 지향하고 있음

③ 미국에서 합리주의를 지향하던 예산개혁, 즉 PPBS와 ZBB는 성공하지 못한 것으로 평가되고 있음

④ 최근의 예산은 총액배분예산편성제도와 같이 거시적(대규모 사업중심), 하향적 예산(예산총액 지정 등)을 지향하고 있음

〔정답〕 ②

03 회독 ☐☐☐ 2011. 서울 9

결과기준 예산제도의 단점에 해당되지 않는 것은?

① 억울한 책임
② 성과책임의 애로
③ 성과비교의 애로
④ 정보부족

04 회독 ☐☐☐ 2006. 선관위 9

결과지향적 예산개혁의 일환으로 대두된 최근의 성과주의 예산제도에 대한 설명으로 가장 옳지 않은 것은?

① 사업성과와 예산을 연결하며, 투입요소인 예산이 아니라 산출요소인 사업성과를 중심으로 예산을 운영한다.
② 결과중심의 성과를 강조하기 때문에 국민의 요구에 대한 대응성은 무시한 채 행정의 효율성만을 강조하기 쉽다.
③ 성과계획 수립, 예산편성 및 집행, 성과측정 평가의 기본구조를 가지고 있다.
④ 예산집행의 자율권을 부여함으로써 사업집행이나 서비스 전달의 구체적인 수단을 탄력적으로 동원할 수 있다.

PART
―
05

〔정답 및 해설〕

신성과주의 예산제도는 NPM과 관련 있는 제도이므로 고객주의를 지향하는바 국민의 요구에 대한 대응성(고객만족)을 중시함

①③④

■ 신성과주의 예산제도

중·장기계획	장기적인 계획을 반영함으로서 사업추진의 안정성과 일관성을 유지하고, 재정건전성 등 중장기적 거시 재정목표의 효과적인 추구를 위해 도입 → 우리나라의 국가재정운용계획
집·분권의 조화	우리나라의 총액배분자율편성예산제도(거시적·하향적)는 기획재정부가 부문별·부처별로 예산 상한을 할당하는 집권화된 예산편성 방식임 → 단, 집권과 분권의 특징을 모두 지니고 있기 때문에 세밀한 통제를 지향하지는 않음(총액을 한정한다는 면에서 큰 틀에서의 통제는 허용한다는 것)
결과 혹은 산출 중심	투입이 아닌 산출 혹은 결과를 강조
체계적인 성과평가	자율성을 부여하기 때문에 성과관리를 중시함 → 성과계획서 및 성과보고서 작성 등
NPM의 영향	신성과주의 예산제도는 신공공관리론의 영향으로 등장

참고 협소한 예산개혁의 내용 및 범위: 당시에 이미 회계제도로서 발생주의와 복식부기, 예산형식은 프로그램 예산제도를 사용하고 있었음 → 따라서 신성과주의 예산제도는 발생주의 및 복식부기, 프로그램 예산제도 등을 활용

〔정답 및 해설〕

최근의 예산제도로 올수록 예산편성을 위한 정보는 많아짐 →
신성과주의 예산제도는 성과평가 등을 위해 다양한 정보를 필요로 함

①②③

신성과주의 예산제도는 성과지표의 적절성 문제 등으로 인해 ①②③의 문제가 발생할 수 있음

정답 ④

정답 ②

CHAPTER **02** 우리나라의 재정개혁

Section 01 신성과주의와 관련된 예산개혁

01 회독 □□□ 2008. 국가 7

총액배분 자율편성 예산제도에 대한 설명으로 옳지 않은 것은?

① 주어진 지출한도 내에서 각 부처는 자율적으로 정책과 사업을 구상한다.
② 재원 운용의 분권화를 강조하는 상향식 의사결정구조를 지닌다.
③ 국가 재원의 전략적 배분을 강조하고 그에 필요한 중앙 통제를 인정한다.
④ 영국, 스웨덴, 네덜란드 등의 예산편성방식을 그 예로 들 수 있다.

02 회독 □□□ 2018. 지방 9

총액배분 · 자율편성제도에 대한 설명으로 옳지 않은 것은?

① 전략 기획과 분권 확대를 예산편성 방식에 도입하기 위해 실시하고 있다.
② 각 중앙부처는 소관 정책과 우선순위에 입각해 연도별 재정규모, 분야별 · 부문별 지출한도를 제시한다.
③ 지출한도가 사전에 제시되기 때문에 부처의 재정사업에 대한 책임과 권한을 강화할 수 있다.
④ 부처의 재량을 확대하였지만 기획재정부는 사업별 예산통제 기능을 유지하고 있다.

정답 및 해설

총액배분 자율편성 예산제도는 재원 운용의 분권화를 인정하며, 하향식 의사결정구조를 지님
※ 우리나라의 총액배분 자율편성 예산제도는 기획재정부가 부문별 · 부처별로 예산 상한을 할당하는 집권화된 예산편성 방식임 → 단, 집권과 분권의 특징을 모두 지니고 있기 때문에 세밀한 통제를 지향하지는 않음(총액을 한정한다는 면에서 큰 틀에서의 통제는 허용한다는 것)

① 총액배분 자율편성 제도는 집권과 분권을 모두 인정하기 때문에 정해진 지출의 한도 내에서 각 부처는 자율적으로 사업을 구상할 수 있음
③ 총액배분 자율편성 예산제도는 장기적인 사업을 고려하는바 국가 재원의 전략적 배분을 강조하고 그에 필요한 중앙통제를 인정함
④ 총액배분 자율편성제도는 선진국에서 신성과주의 예산제도의 영향으로 활용한 총괄배정예산 혹은 지출통제예산제도를 우리나라에 적용한 것임

정답 ②

정답 및 해설

각 중앙부처가 지출 한도를 제시하는 게 아니라 기획재정부가 지출 한도를 통보하면 중앙부처는 그 한도 내에서 예산요구서를 제출함

①④ 총액배분자율편성예산제도 : 국가재정운용계획에 기초(전략적인 자원배분 : 중장기적 관점)하여 기획재정부가 지출 한도를 제시하고, 그 한도 내에서 각 중앙부처가 소관정책과 우선순위에 입각하여 자율적으로 예산을 편성하는 제도
③ 재정당국에서 지출 한도를 사전에 제시하고 지출 한도 내에서 자율성을 부여하기 때문에 부처의 재정사업에 대한 책임과 권한을 강화할 수 있음

정답 ②

Section 02 기타 재정개혁

01 회독 □□□   2014. 국가 7

예비타당성 조사제도에 대한 설명으로 옳지 않은 것은?

① 경제적 타당성뿐만 아니라 정책적 타당성도 분석의 대상이 된다.

② 사업 주무 부처(기관)에서 수행하며, 기술적인 검토와 예비설계 등에 초점을 맞춘다.

③ 경제적 타당성의 분석을 위해 수요, 편익, 비용을 추정하고 재무성 평가와 민감도 분석을 시행한다.

④ 대형 신규 사업에서 발생할 수 있는 예산낭비를 방지하고 재정운용의 효율성을 제고하기 위해 도입되었다.

정답 및 해설

②는 타당성 조사에 대한 내용임

①④
■ **예비타당성 조사**

```
                            경제성 분석 통과
        예비타당성 조사  ───────────────────→  타당성 조사

┌─────────────────────────────────────────┐   ┌─────────────────────────────────────┐
│ 1. 주관 : 기획재정부 장관                    │   │ 1. 주관 : 사업 주무 부처              │
│ 2. 대상사업 : 총사업비 500억↑·정부지원 300억↑ │   │ 2. 방법 : 경제성 분석(세밀하게)·기술성 분석 │
│ 3. 예타조사 면제사업 : 공공성↑               │   │    (단, 정책성 분석 X)                │
│ 4. 목적 : 예산낭비 방지 및 재정운영의 효율성 제고 │   │ 3. 기간 : 약 1년                     │
│ 5. 기간 : 약 6개월                         │   └─────────────────────────────────────┘
│ 6. 방법 : 경제성 분석·정책성 분석·지역균형발전 분석 │
│    등                                      │
└─────────────────────────────────────────┘
```

③ 경제적 타당성의 분석, 즉 비용편익분석을 위해 수요, 편익, 비용을 추정한 후 비용과 편익의 비교(재무성 평가) 및 민감도 분석을 시행함

정답 ②

02 [회독] ○○○

2000년대 초반 도입된 한국의 프로그램 예산제도에 대한 설명으로 옳지 않은 것은?

① 프로그램 예산제도는 현재 운영되지 않는 제도이다.
② 프로그램 예산분류(과목) 체계는 분야−부문−프로그램−단위사업−세부사업 등으로 구성된다.
③ 프로그램 예산제도 도입 시 비목(품목)의 개수를 대폭 축소함으로써 비목 간 칸막이를 최대한 줄였다.
④ 프로그램 예산제도는 정책과 성과중심의 예산운영을 위해 설계·도입된 제도이다.

정답 및 해설

프로그램 예산제도란 전통적인 품목별 분류 대신 프로그램(대규모 사업) 중심으로 예산을 분류하는 방식이며, 우리나라는 참여정부 시기에 이를 도입·활용하고 있음

②④
■ **프로그램 예산제도**

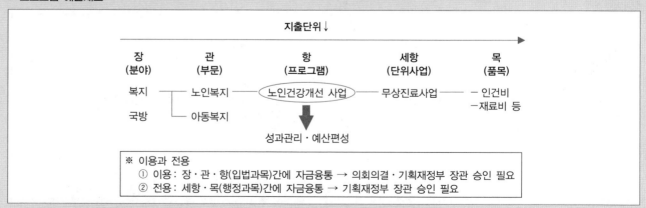

③ 프로그램 예산제도는 성과관리 및 국민의 예산에 대한 높은 이해도를 위해 품목의 수를 줄여서 품목별 분류를 사용하고 있음

정답 ①

03 회독 ☐☐☐

2010. 국가 7

선진국의 최근 예산제도 개혁에 대한 설명으로 옳지 않은 것은?

① 지출 총액에 대한 통제를 강화하는 추세에 있으며, 이를 위하여 품목별 예산과 단년도 예산제도를 도입하였다.

② 예산집행의 자율성과 재량권을 확대하는 대신 절약에 대한 통제도 강화하기 위하여 매년 일정 비율로 국고에 반납토록 하는 효율성 배당제도를 도입하고 있다.

③ 권한의 위임과 융통성을 부여하기 위하여 운영예산제도를 도입하고 총액으로 예산을 결정하며 항목간 전용을 인정하고 있다.

④ 기존의 현금주의를 보완하기 위하여 발생주의를 도입하고 있다.

Section 03 | **국민의 예산 참여 : 재정민주주의**

01 회독 ☐☐☐

2016. 사복 9

우리나라의 예산제도와 그 목적을 연결한 것으로 옳지 않은 것은?

① 주민참여 예산제도 : 재정사업의 성과관리
② 예산의 이용과 전용 : 예산집행의 신축성 확보
③ 준예산제도 : 국가 재정활동의 단절 방지
④ 특별회계제도 : 재정 운영 주체의 자율성 확보

정답 및 해설

최근 선진국은 지출 총액에 대한 통제를 강화하는 추세에 있으며, 이를 위하여 신성과주의 예산과 중장기적 예산제도(우리나라의 예 : 국가재정운용계획 등)를 도입하였음

②③
■ **신성과주의 예산제도를 활용한 선진국의 개혁사례**

효율성 배당제도	각 부서의 재량권을 통해 절약한 예산의 일부 혹은 전부를 다음 해 해당 부서의 예산으로 이월시켜주는 제도 → 혹은 절약한 예산 중 일부를 국고에 반납하기도 함
운영예산제도 (총괄경상비제도)	운영경비의 상한선 내에서 관리자 재량으로 사용할 수 있도록 한 제도 → 효율성 배당제도 적용

④ 원래 공공부문에는 현금주의·단식부기가 적용되어 왔으나, 최근 성과중심의 행정관리체제를 강조하면서 공공부문에 발생주의·복식부기를 도입하고 있음

정답 ①

정답 및 해설

주민참여 예산제도는 예산과정에 국민의 참여를 제고할 수 있는 제도임(성과관리✕) → 즉 납세자 주권을 의미하는 재정민주주의를 실현하는 제도 중 하나임

② 예산의 이용과 전용 : 이용과 전용은 자금의 융통을 의미하므로 예산집행의 신축성 확보수단임

③ 준예산제도 : 국회에서 예산안이 의결될 때까지 전 회계연도의 예산에 준하여 집행하는 예산으로서 우리나라는 국가재정활동의 단절 방지를 위해 1960년도 이후부터 준예산제도를 채택하고 있음

④ 특별회계제도 : 정부가 특별한 용도로 자금을 운영할 때 설치하는 예산으로써 재정운영주체의 자율성을 어느 정도 확보하여 재정운영의 효율성을 높일 수 있음

정답 ①

CHAPTER **03** 예산결정모형

Section 01 전통적 접근 : 합리모형과 점증모형

01 회독 ☐☐☐

2017. 지방 9 수정

점증주의적 예산결정에 대한 설명으로 옳지 않은 것은?

① 현상유지(status quo)적 결정에 치우칠 수 있다.

② 자원이 부족한 경우 소수기득권층의 이해를 먼저 반영하게 되어 사회적 불평등을 야기할 우려가 있다.

③ 다수의 참여자 간 상호작용을 통한 합의를 중시하는 합리주의와는 달리 선형적 과정을 중시한다.

④ 긴축재정 시의 예산 행태를 잘 설명해주지 못한다.

정답 및 해설

다수의 참여자 간 상호작용을 통한 합의를 중시하는 건 합리주의가 아니라 점증모형임

참고 합리모형과 점증모형 모두 '선형적'이라는 표현을 사용할 수 있음

> ① 합리모형은 목표에 대한 수단이 단 한 개라는 점을 강조힘 → 즉, 합리모형은 답이 하나인 일차함수와 같아서 선형적이라고 표현 가능함(선형적 인과관계)
> ② 점증모형은 기존 정책에 조금씩 가감하면서 의사결정을 하는 까닭에 급진적인 변화가 없고, 연속적이고 안정적인 변화양태를 보이기 때문에 문제에서 선형성을 띤다고 표현할 수 있음
> ③ 요컨대, 둘 다 선형적이라는 표현을 사용할 수 있으나 그 이유는 다르기 때문에 문맥에 따라 보아야 함

①④ 점증모형은 보수적 결정에 치우칠 수 있기 때문에 긴축재정 시의 예산 행태를 잘 설명해주지 못함

② 자원이 부족한 경우 토론의 과정 중 소수 기득권층의 이해를 먼저 반영하게 되어 사회적 불평등을 야기할 우려가 있음

정답 ③

Section 02 기타 예산결정모형

01 회독 ☐☐☐

2011. 국가 7

윌다브스키(A. Wildavsky)가 부(wealth)와 재정의 예측성(predictability)을 기준으로 분류한 예산과정 형태 중에서, 경제력은 낮으나 재원의 예측가능성이 높은 경우로서 미국의 지방정부에서 많이 발견되는 형태는?

① 점증예산(incrementalism)

② 대체점증예산(alternating incrementalism)

③ 반복예산(repetitive budgeting)

④ 세입예산(revenue budgeting)

정답 및 해설

아래의 표 참고

■ 윌다브스키의 예산문화론

구분		경제력	
		높음	낮음
재정의 예측 가능성	높음	• 점증적 예산문화 - 선진국	• 세입 중심 예산문화 - 선진국 도시정부
	낮음	• 보충적 예산문화 : 대체점증 예산문화 - 행정능력이 낮은 후진국 - 돈이 언제 들어올지 잘 모르는 바 땜빵식 해결	• 회피적·반복적 예산문화 - 후진국

정답 ④

CHAPTER **04** 예산의 기초

Section **01** 예산의 의의, 특성, 기능 및 형식

01 회독 ☐☐☐ 2003. 국회 8

다음 중 예산의 경제적 기능이 아닌 것은?

① 경제안정화 기능
② 경제성장 촉진기능
③ 소득재분배 기능
④ 자원배분 기능
⑤ 예산공개 기능

정답 및 해설

예산공개 기능은 예산의 경제적 기능이 아님

①②③④
■ **예산의 경제적 기능(일반적인 경제적 기능)**

효율적 자원배분	① 시장이 효율적으로 공급할 수 없는 재화를 제공하기 위해 자원을 배분하는 것 ② 이를 통해 시장실패를 보정하고 사회적인 최적생산과 소비를 달성할 수 있음
소득재분배	세입 면에서는 차별 과세를 하고, 세출 면에서는 사회보장적 지출을 통해 소외계층을 지원해야 함
경제성장	정부의 예산은 경제성장과 부의 창출을 유도할 수 있음
경제안정	경제안정에 기여하도록 공공자금의 지출을 유도하는 기능 → 예컨대, 불경기로 실업이 증가하면 실업률이 감소하도록 정부의 총지출을 증가시키는 행위

머스그레이브(Musgrave)는 재정의 경제적 기능으로 경제안정, 소득재분배, 자원배분을 제시 → 일반적인 경제적 기능과는 다르게 경제성장 촉진기능 제외

정답 ⑤

---

02 회독 ☐☐☐ 2015. 서울 7

다음 중 머스그레이브(Musgrave)가 주장한 재정의 3개 기능 중 공공재의 비경합성과 비배재성에 기인한 시장실패를 교정하고 사회적 최적 생산과 소비 수준이 이루어지도록 한다는 내용과 관련성이 가장 높은 재정의 기능은?

① 소득재분배 기능
② 경제안정화 기능
③ 자원배분 기능
④ 행정적 기능

정답 및 해설

문제는 예산의 효율적 자원배분에 대한 내용임

①②
■ **예산의 경제적 기능(일반적인 경제적 기능)**

효율적 자원배분	① 시장이 효율적으로 공급할 수 없는 재화를 제공하기 위해 자원을 배분하는 것 ② 이를 통해 시장실패를 보정하고 사회적인 최적생산과 소비를 달성할 수 있음
소득재분배	세입 면에서는 차별 과세를 하고, 세출 면에서는 사회보장적 지출을 통해 소외계층을 지원해야 함
경제성장	정부의 예산은 경제성장과 부의 창출을 유도할 수 있음
경제안정	경제안정에 기여하도록 공공자금의 지출을 유도하는 기능 → 예컨대, 불경기로 실업이 증가하면 실업률이 감소하도록 정부의 총지출을 증가시키는 행위

머스그레이브(Musgrave)는 재정의 경제적 기능으로 경제안정, 소득재분배, 자원배분을 제시 → 일반적인 경제적 기능과는 다르게 경제성장 촉진기능 제외

④ 행정적 기능은 머스그레이브의 경제적 기능에 해당하지 않음

정답 ③

Section 02 예산의 원칙

01 회독 □□□

예산 통일성 원칙에 대한 예외가 아닌 것은?

① 특별회계
② 목적세
③ 계속비
④ 수입대체경비

<blockquote>
정답 및 해설

통일성의 원칙은 특정한 세입과 특정한 세출을 직접 연계하면 안 된다는 원칙으로서 '특정한 목적성'을 띠는 돈의 활용은 예외로 하고 있음 → 두문자 : 통목수특기

① 특별회계 : 정부가 특별한 용도로 자금을 운영할 때 설치하는 예산으로써 재정운영주체의 자율성을 어느 정도 확보하여 재정운영의 효율성을 높일 수 있음
② 목적세 : 특정 세출을 충당하기 위해 별도로 징수한 조세로서 교육세(교육사업을 위해 징수하는 세입), 농어촌특별세, 교통환경에너지세 등이 있음
④ 수입대체경비 : 수입을 발생시키는 지출

정답 ③
</blockquote>

02 회독 □□□

예산원칙에 대한 설명으로 옳지 않은 것은?

① 입법부가 사전에 의결한 사항만 집행이 가능하다는 사전의결의 원칙의 예외로는 긴급명령과 준예산 등이 있다.
② 예산총계주의는 모든 세입과 세출이 예산에 계상되어야 한다는 것을 의미한다.
③ 정부가 특정 수입과 특정 지출을 직접 연계해서는 안 된다는 한계성 원칙의 예외로는 예비비, 계속비 등이 있다.
④ 예산은 결산과 일치해야 한다는 예산 엄밀성의 원칙은 정확성의 원칙이라고도 불린다.

<blockquote>
정답 및 해설

정부가 특정 수입과 특정 지출을 직접 연계해서는 안 된다는 통일성 원칙의 예외로는 특별회계, 수입대체경비, 목적세, 기금이 있음 → 예비비와 계속비는 예산은 주어진 목적, 규모, 그리고 시간에 따라 집행되어야 한다는 한정성 원칙의 예외에 해당함

①②④
■ **전통적 예산원칙**
노이마르크가 제시한 입법부 우위의 통제지향적인 원칙

구분	개념	예외
엄밀성 (정확성) 원칙	예산과 결산의 일치	적자 혹은 불용액
완전성 (포괄성) 원칙	예산총계주의: 수입·지출 모두 예산에 기록	① 두문자 : 완전 차갑고 순수해서 현기증 나 ② 순계예산, 기금, 수입대체경비, 현물출자, 전대차관, 차관물자대 등
통일성 원칙	세입은 국고를 거쳐 세출	① 두문자 : 통목수특기 ② 특별회계, 목적세, 기금, 수입대체경비
사전승인 원칙	국회의 사전 심의·의결을 거쳐야 함	사고이월, 전용, 준예산, 긴급재정명령, 선결처분 등

정답 ③
</blockquote>

03 회독 ☐☐☐　　　2012. 지방 9

현대적 예산원칙과 거리가 먼 것은?

① 사전승인의 원칙
② 보고와 수단 구비의 원칙
③ 다원과 신축의 원칙
④ 계획과 책임의 원칙

정답 및 해설

사전승인의 원칙은 예산을 집행하기 전에 의회의 의결을 거쳐야 한다는 것으로서 전통적 예산원칙에 해당함

②③④
■ 현대적 예산원칙 : 스미스가 제시한 행정부 우위의 원칙 → 통제+신축성(강조)

구분	내용
사업계획의 원칙 : 관리지향적 예산원칙	사업계획과 예산의 편성을 연계해야 한다는 것
책임의 원칙 : 행정부에 의한 책임부담의 원칙	예산을 집행할 때, 합법성·효과성·경제성 등을 추구하여 행정의 책임성을 확보하자는 것
보고의 원칙	① 예산과정을 관리할 수 있는 관리 및 보고체계를 갖추어야 함 ② 예산의 운영과정이 점차 복잡·다양해지고 있기 때문
적절한 수단구비의 원칙 : 예산관리수단 확보의 원칙	재정의 통제와 신축성 유지를 위한 적절한 수단이 조화를 이루어야 함
예산기구 상호협력의 원칙	중앙의 예산기관과 각 부처 예산기관 간의 협력체계를 구축해야 함
다원적 절차의 원칙	재정운영의 탄력성을 위해 사업의 성격별로 예산절차의 다양성을 추구해야 함
시기 신축성의 원칙	계획한 사업의 시점을 행정부가 신축적으로 조정할 수 있어야 함 예 계속비, 이월 등
재량의 원칙	효율적인 예산집행을 위해 재량권을 주어야 한다는 것 예 총괄예산 등

정답 ①

Section 03　우리나라의 예산원칙 : 국가재정법을 중심으로

01 회독 ☐☐☐　　　2011. 국가 9

예산에 대한 설명으로 옳지 않은 것은?

① 추가경정예산은 국회에서 확정되기 전에 정부가 미리 배정하거나 집행할 수 있는 예산을 의미한다.
② 본예산은 매 회계연도 개시 전에 국회의 심의 및 의결을 거쳐 성립되는 예산을 의미한다.
③ 수정예산은 예산안 편성이 끝나고 정부가 예산안을 국회에 제출한 이후 국회 의결 전에 기존 예산안 내용의 일부를 수정하여 다시 제출한 예산안을 의미한다.
④ 준예산은 새로운 회계연도 개시 전까지 국회에서 예산안이 의결되지 못할 때 정부가 일정한 범위 내에서 전 회계연도의 예산에 준해 집행하는 잠정적 예산을 의미한다.

정답 및 해설

추가경정예산은 국회에서 확정되기 전에 정부가 미리 배정하거나 집행할 수 없음

국가재정법 제89조 【추가경정예산안의 편성】 ② 정부는 국회에서 추가경정예산안이 확정되기 전에 이를 미리 배정하거나 집행할 수 없다.

② 본예산은 매 회계연도 개시 전에 국회의 심의 및 의결을 거쳐 확정된 예산을 의미하며, 당초예산으로 불리기도 함
③ 수정예산은 국회 의결 전에 기존 예산안 내용의 일부를 수정해서 다시 제출한 예산안을 의미함
④ 준예산은 현재 우리나라가 정부가 활용하고 있는 예산불성립시 집행장치임(특정 영역에만 적용)

정답 ①

CHAPTER **05** 예산의 종류 및 분류

Section 01 　예산의 종류

01 　회독 □□□ 　　　　　　　　2017. 국가 7

「국가재정법」상 특별회계를 설치할 수 있는 근거 법률이 아닌 것은?

① 지방분권균형발전법
② 정부기업예산법
③ 군인연금특별회계법
④ 책임운영기관의 설치·운영에 관한 법률

정답 및 해설

군인연금, 공무원연금, 국민연금은 특별회계가 아니라 기금으로 운영됨

■ **기금설치 근거법률(국가재정법 제5조제1항 관련)**

1. 고용보험법
2. 공공자금관리기금법
3. 공무원연금법
4. 공적자금상환기금법
5. 과학기술기본법
6. 관광진흥개발기금법
7. 국민건강증진법
8. 국민연금법
9. 국민체육진흥법
10. 군인복지기금법
11. 군인연금법
12. 근로복지기본법
13. 금강수계 물관리 및 주민지원 등에 관한 법률
14. 금융회사부실자산 등의 효율적 처리 및 한국자산관리공사의 설립에 관한 법률
15. 기술보증기금법
16. 낙동강수계 물관리 및 주민지원 등에 관한 법률
17. 남북협력기금법 등

정답 ③

02 　회독 □□□ 　　　　　　　　2018. 국가 9

예산과 재정관리에 대한 설명으로 옳지 않은 것은?

① 우리나라의 예산은 행정부가 제출하고 국회가 심의·확정하지만, 미국과 같은 세출예산 법률의 형식은 아니다.
② 조세는 현세대의 의사결정에 대한 재정부담을 미래세대로 전가하지 않는다는 장점이 있다.
③ 성과주의 예산제도의 도입에도 불구하고 품목별 예산제도는 우리나라에서 여전히 활용되고 있다.
④ 추가경정예산은 예산의 신축성 확보를 위한 제도로써, 최소 1회의 추가경정예산을 편성하도록 「국가재정법」에 규정되어 있다.

정답 및 해설

추가경정예산은 예산의 신축성 확보를 위한 제도로서 편성 횟수에 대한 제한이 없음

① 우리나라의 예산은 행정부가 제출하고 국회가 심의·확정하지만, 미국과 같은 세출예산 법률의 형식은 아님 → 즉, 예산의 형식에 있어서 예산주의를 채택하고 있음
② 조세는 채무로 인한 재원조달이 아니기 때문에 현세대의 의사결정에 대한 재정부담이 미래세대로 전가되지 않음
③ 품목별 예산제도는 모든 예산제도의 기본적인 토대이므로 우리나라에서도 여전히 활용하고 있음

정답 ④

03 회독 ☐☐☐

우리나라의 성인지 예산제도에 대한 설명으로 옳지 않은 것은?

① 정부는 예산이 여성과 남성에게 미치는 효과를 평가하고, 그 결과를 정부의 예산편성에 반영하기 위해 노력하여야 한다.

② 성인지예산서는 기획재정부장관이 각 중앙관서의 장과 협의하여 제시한 작성기준 및 방식 등에 따라 여성가족부 장관이 작성한다.

③ 성인지 예산서에는 성인지예산의 개요, 규모, 성평등 기대효과, 성과목표 및 성별 수혜분석 등의 내용이 포함되어야 한다.

④ 성인지 결산서에는 집행실적, 성평등 효과분석 및 평가 등이 포함되어야 한다.

정답 및 해설

성인지예산서는 기획재정부장관이 여성가족부 장관과 협의하여 제시한 작성기준 및 방식 등에 따라 각 중앙관서의 장이 작성함 → 성인지 예산서는 중앙관서의 장이 제출하는 예산요구서에 포함되어 있기 때문임

②③

> **국가재정법 시행령 제9조【성인지 예산서의 내용 및 작성기준 등】** ① 법 제26조에 따른 성인지 예산서(이하 "성인지 예산서"라 한다)에는 다음 각 호의 내용이 포함되어야 한다.
>   1. 성인지 예산의 개요
>   2. 성인지 예산의 규모
>   2의2. 성인지 예산의 성평등 기대효과, 성과목표 및 성별 수혜분석
> ② 성인지 예산서는 기획재정부장관이 여성가족부장관과 협의하여 제시한 작성기준(성인지 예산서 작성 대상사업 선정 기준을 포함한다) 및 방식 등에 따라 각 중앙관서의 장이 작성한다.

①

> **국가재정법 제16조【예산의 원칙】** 정부는 예산의 편성 및 집행에 있어서 다음 각 호의 원칙을 준수하여야 한다.
>   5. 정부는 예산이 여성과 남성에게 미치는 효과를 평가하고, 그 결과를 정부의 예산편성에 반영하기 위하여 노력하여야 한다.

④

> **국가재정법 제57조【성인지 결산서의 작성】** ① 정부는 여성과 남성이 동등하게 예산의 수혜를 받고 예산이 성차별을 개선하는 방향으로 집행되었는지를 평가하는 보고서(이하 "성인지 결산서"라 한다)를 작성하여야 한다.
> ② 성인지 결산서에는 집행실적, 성평등 효과분석 및 평가 등을 포함하여야 한다.

정답 ②

CHAPTER **06** 예산과정

Section **01** 예산의 편성

01 회독 ☐☐☐   2014. 국회 9 수정

우리나라 예산과정과 담당 주체 간 연결이 바르게 짝지어진 것은?

구분	편성	심의	집행	결산검사
①	행정부	국회	행정부	국회
②	행정부	행정부	행정부	국회
③	행정부	국회	행정부	행정부
④	국회	행정부	국회	행정부

정답 및 해설

결산검사는 행정부 소속인 감사원이 담당함
■ 예산과정 : 3년의 주기, 4개의 과정

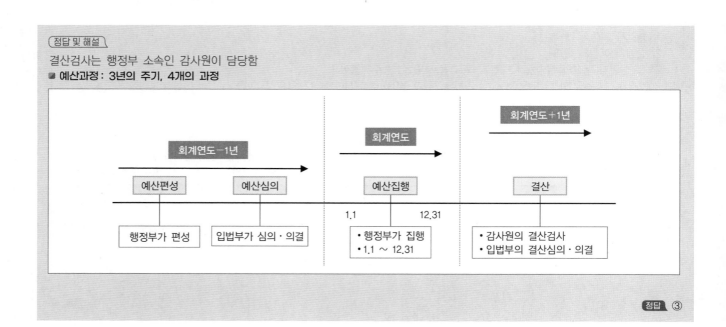

정답 ③

02 회독 ☐☐☐

우리나라 정부의 예산편성 절차를 올바르게 나열한 것은?

> ㄱ. 예산편성지침 통보
> ㄴ. 예산의 사정
> ㄷ. 국무회의 심의와 대통령 승인
> ㄹ. 중기사업계획서 제출
> ㅁ. 예산요구서 작성 및 제출

① ㄱ→ㄹ→ㅁ→ㄴ→ㄷ
② ㄹ→ㄱ→ㅁ→ㄴ→ㄷ
③ ㄱ→ㅁ→ㄹ→ㄷ→ㄴ
④ ㄹ→ㄴ→ㄱ→ㅁ→ㄷ

정답 및 해설

아래의 그림 참고

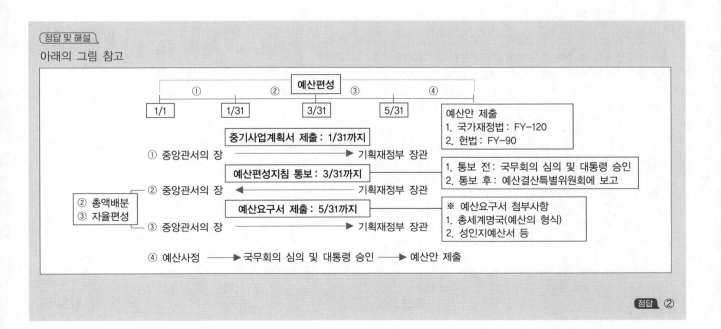

정답 ②

03 회독 ☐☐☐ 2017. 교행 9

「국가재정법」상의 예산안 편성과정에 관한 설명으로 옳지 않은 것은?

① 기획재정부 장관은 국가재정운용계획과 예산편성을 연계하기 위하여 예산안편성지침에 중앙관서별 지출한도를 포함하여 통보할 수 있다.

② 기획재정부 장관은 제출된 예산요구서가 예산안편성지침에 부합하지 아니하는 때에는 기한을 정하여 이를 수정 또는 보완하도록 요구할 수 있다.

③ 기획재정부 장관은 대통령의 승인을 얻은 다음 각 중앙관서의 장에게 예산안편성지침을 통보하고 이 지침을 국회의 상임위원회에 보고하여야 한다.

④ 각 중앙관서의 장이 기획재정부 장관에게 제출하는 예산요구서에는 대통령령이 정하는 바에 따라 예산의 편성 및 예산관리기법의 적용에 필요한 서류를 첨부하여야 한다.

〔정답 및 해설〕

기획재정부 장관은 각 중앙관서의 장에게 통보한 예산안편성지침을 국회 예산결산특별위원회에 보고해야 함

①

> **국가재정법 제29조【예산안편성지침의 통보】** ② 기획재정부장관은 제7조의 규정에 따른 국가재정운용계획과 예산편성을 연계하기 위하여 제1항의 규정에 따른 예산안편성지침에 중앙관서별 지출한도를 포함하여 통보할 수 있다.

②④

> **국가재정법 제31조【예산요구서의 제출】** ② 예산요구서에는 대통령령으로 정하는 바에 따라 예산의 편성 및 예산관리기법의 적용에 필요한 서류를 첨부하여야 한다.
> ③ 기획재정부장관은 제1항의 규정에 따라 제출된 예산요구서가 제29조의 규정에 따른 예산안편성지침에 부합하지 아니하는 때에는 기한을 정하여 이를 수정 또는 보완하도록 요구할 수 있다.

정답 ③

04 회독 ☐☐☐ 2017. 국가 7

우리나라의 예산과정에 대한 설명으로 옳지 않은 것은?

① 기획재정부는 매년 당해연도부터 5회계연도 이상의 기간에 대한 재정운용계획을 수립하여 회계연도 개시 120일 전까지 국회에 제출하여야 한다.

② 예산안편성지침에 중앙관서별 지출한도를 포함하여 통보할 수 있는 총액배분·자율편성제도가 도입되어서, 기획재정부의 사업별 예산통제 기능이 상실되었다.

③ 국회 본회의 중심이 아니라 국회 상임위원회와 예산결산특별위원회 중심으로 예산이 심의된다.

④ 예산의 이용(移用)과 전용, 예산의 이체(移替), 예비비, 계속비는 예산집행의 신축성을 보장하기 위한 것이다.

〔정답 및 해설〕

예산안편성지침에 중앙관서별 지출한도를 포함하여 통보할 수 있는 총액배분·자율편성제도가 도입되어서, 기획재정부의 사업별 예산통제 기능이 강화되었음

①

> **국가재정법 제7조【국가재정운용계획의 수립 등】** ① 정부는 재정운용의 효율화와 건전화를 위하여 매년 당해 회계연도부터 5회계연도 이상의 기간에 대한 재정운용계획(이하 "국가재정운용계획"이라 한다)을 수립하여 회계연도 개시 120일 전까지 국회에 제출하여야 한다.

③ 우리나라 예산심의·의결과정에서 본회의 의결은 형식적·상징적인 경향이 있음 → 즉, 예산심의·의결과정에서 상임위원회나 예산결산특별위원회의 영향력이 큼

④ 예산의 이용(移用)과 전용, 예산의 이체(移替), 예비비, 계속비, 이월, 추가경정예산 등은 예산집행의 신축성을 보장하기 위한 제도임

정답 ②

Section 02 예산의 심의·의결 : 입법부의 역할

01 회독 □□□ 2015. 국회 9 수정

다음 〈보기〉 중 국회 예산심의에 대한 설명으로 옳은 것을 모두 고르면?

┤보기├
ㄱ. 상임위원회의 예비심사를 거친 예산안은 예산결산 특별위원회에 회부된다.
ㄴ. 예산결산특별위원회의 심사를 거친 예산안은 본회 의에 부의된다.
ㄷ. 예산결산특별위원회를 구성할 때는 그 활동 기한을 정하여야 한다. 다만, 본회의의 의결로 그 기간을 연장할 수 있다.
ㄹ. 예산결산특별위원회는 소관 상임위원회에서 삭감한 세출예산 각 항의 금액을 증가하게 하거나 새 비목(費目)을 설치할 경우에는 소관 상임위원회의 동의를 받아야 한다.

① ㄱ, ㄴ
② ㄱ, ㄷ
③ ㄱ, ㄴ, ㄷ
④ ㄱ, ㄴ, ㄹ

┤정답 및 해설├

ㄱ. ㄴ. (○) 예산안 심의·의결과정 : 대통령 시정연설 → 상임위원회 예비심사 → 예산결산특별위원회 종합심사 → 본회의 의결

ㄹ. (○)

국회법 제84조【예산안·결산의 회부 및 심사】⑤ 예산결산특별위원회는 소관 상임위원회의 예비심사 내용을 존중하여야 하며, 소관 상임위원회에서 삭감한 세출예산 각 항의 금액을 증가하게 하거나 새 비목(費目)을 설치할 경우에는 소관 상임위원회의 동의를 받아야 한다.

ㄷ. (×) 예산결산특별위원회는 상설위원회임

국회법 제44조【특별위원회】② 제1항에 따른 특별위원회를 구성할 때에는 그 활동기간을 정하여야 한다. 다만, 본회의 의결로 그 기간을 연장할 수 있다.
국회법 제45조【예산결산특별위원회】⑤ 예산결산특별위원회에 대해서는 제44조제2항 및 제3항을 적용하지 아니한다.

정답 ④

Section 03 예산의 집행

01 회독 □□□ 2012. 지방 7

예산의 신축성 유지방법 중 '정부조직 개편'과 가장 관련이 있는 것은?

① 전용(轉用)
② 이용(移用)
③ 이체(移替)
④ 이월(移越)

┤정답 및 해설├

■ 예산의 이체

정의	정부조직 등에 관한 법령의 제정·개정 또는 폐지로 인하여 중앙관서의 직무와 권한에 변동이 있을 때 예산의 책임소관을 변경하는 것 → 국회의 승인이 필요 없음
법령	제47조【예산의 이용·이체】② 기획재정부장관은 정부조직 등에 관한 법령의 제정·개정 또는 폐지로 인하여 중앙관서의 직무와 권한에 변동이 있는 때에는 그 중앙관서의 장의 요구에 따라 그 예산을 상호 이용하거나 이체(移替)할 수 있다. 참고 ① 47조에 따르면 정부조직을 개편할 때도 이용을 할 수는 있으나, 이용을 하려면 기재부장관의 승인과 의회의 의결을 얻어야 함 → 시험에서는 일반적으로 정부조직 개편과 관련된 신축성 관련 제도를 '이체'라고 표현함 ② 예산의 이체는 사업내용이나 규모 등에 변경을 가하지 않고 해당 예산의 귀속만 변경하는 것으로써 (예) 현재는 없어진 A부처의 사업을 새로 생긴 B부처가 그대로 수행), 어떤 과목의 예산부족을 다른 과목의 금액으로 보전하기 위하여 당초 예산의 내용을 변경(목적변경)시키는 예산의 이용 및 전용과는 구분됨 (예) 현재는 없어진 A부처의 사업에 사용될 돈을 새로 생긴 B부처가 받아서 다른 사업에 활용)

① 전용(轉用) : 행정과목 간의 융통 → 세항·목 간에 융통
② 이용(移用) : 입법과목 간의 융통 → 일반적으로 장·관·항 간에 융통
④ 이월(移越) : 회계연도 내에 사용하지 못한 예산을 다음 회계연도로 넘겨서 다음 연도의 예산으로 활용하는 것

정답 ③

02 회독 □□□ 2015. 국가 7

예산집행의 신축성을 보장하기 위한 장치가 아닌 것은?

① 예산총계주의
② 예산의 이체와 이월
③ 예비비
④ 수입대체경비

03 회독 □□□ 2016. 국가 9

다음 보기에서 (㉠)과 (㉡)에 해당하는 내용을 바르게 연결한 것은?

> (㉠)은(는) 국가가 특별한 용역 또는 시설을 제공하고 그 제공을 받은 자로부터 비용을 징수하는 경우의 당해 경비로서 기획재정부 장관이 정하는 경비를 의미하며, 국가재정법 상 (㉡)의 예외로 규정되어 있다.

	㉠	㉡
①	수입대체경비	예산총계주의 원칙
②	전대차관	예산총계주의 원칙
③	전대차관	예산공개의 원칙
④	수입대체경비	예산공개의 원칙

(정답 및 해설)

㉠은 수입대체경비이며, 이는 ㉡예산총계주의(완전성의 원칙 혹은 포괄성의 원칙)의 예외임

수입 대체 경비	정의	① 수입을 발생시키는 지출 ② 국가가 특별한 용역 또는 시설을 제공하여 발생하는 수입과 관련된 경비
	법령	**국가재정법 제53조 【예산총계주의 원칙의 예외】** ① 각 중앙관서의 장은 용역 또는 시설을 제공하여 발생하는 수입과 관련되는 경비로서 대통령령이 정하는 경비(이하 "수입대체경비"라 한다)에 있어 수입이 예산을 초과하거나 초과할 것이 예상되는 때에는 그 초과수입을 대통령령이 정하는 바에 따라 그 초과수입에 직접 관련되는 경비 및 이에 수반되는 경비에 초과지출할 수 있다.

②③④

구분	개념	예외
완전성 (포괄성) 원칙	예산총계주의: 수입·지출 모두 예산에 기록	① 두문자: 완전 차갑고 순수해서 현기증 나 ② 순계예산, 기금, 수입대체경비, 현물출자, 전대차관, 차관물자대 등
공개성 원칙	예산편성·심의·집행·결산과정의 공개	신임예산, 국방비, 정보비 등

(참고) 전대차관 : 국내 거주자에게 전대할 것을 조건으로 외국의 금융기관으로부터 외화자금을 차입하는 것 → 예를 들어, 정부가(기획재정부) IMF에서 차관하여 전대(돈을 정부가 사용하지 않고 민간이나 공공기관에 빌려주는 것)하는 것

(정답) ①

(정답 및 해설)

예산총계주의, 즉 완전성(포괄성)의 원칙은 전통적인 예산원칙이므로 통제지향적인 성격을 지니고 있음

구분	개념	예외
완전성 (포괄성) 원칙	예산총계주의 (수입·지출 모두 예산에 기록)	① 두문자: 완전 차갑고 순수해서 현기증 나 ② 순계예산, 기금, 수입대체경비, 현물출자, 전대차관, 차관물자대 등

② 예산의 이체와 이월
  ㉠ 이체 : 정부조직 등에 관한 법령의 제정·개정 또는 폐지로 인하여 중앙관서의 직무와 권한에 변동이 있을 때 예산의 책임소관을 변경하는 것
  ㉡ 이월 : 회계연도 내에 사용하지 못한 예산을 다음 회계연도로 넘겨서 다음 연도의 예산으로 활용하는 것
③ 예비비 : 예측할 수 없는 예산 외의 지출 또는 예산 초과 지출을 충당하기 위하여 세입세출예산에 계상한 금액
④ 수입대체경비 : 국가가 특별한 용역 또는 시설을 제공하여 발생하는 수입과 관련된 경비

(정답) ①

04 회독 ☐☐☐

2017. 교행 9

예산집행의 신축성 유지 방안에 관한 설명으로 옳은 것은?

① 추가경정예산은 예산의 성립 이후 사업을 변경하거나 새로운 사업을 추진해야 하는 경우, 예산을 우선 집행하고 사후에 국회의 승인을 받도록 하는 것이다.

② 예비비는 예측할 수 없는 예산 외의 지출 또는 예산초과지출에 충당하기 위하여 특별회계 예산총액의 100분의 1 이내의 금액을 세입세출예산에 계상한 것이다.

③ 예산의 전용은 장·관·항 간의 융통을 의미하며, 중앙관서의 장은 예산의 효율적인 활용을 위하여 대통령령이 정하는 바에 따라 기획재정부장관의 승인을 얻어 재원을 사용할 수 있다.

④ 계속비는 완성에 수년도를 요하는 공사나 제조 및 연구개발사업에 대해 그 경비의 총액과 연부액을 정하여 미리 국회의 의결을 얻은 범위 안에서 수년도에 걸쳐서 지출할 수 있는 것이다.

정답 및 해설

아래의 조항 참고

> **국가재정법 제23조【계속비】** ① 완성에 수년도를 요하는 공사나 제조 및 연구개발사업은 그 경비의 총액과 연부액(年賦額)을 정하여 미리 국회의 의결을 얻은 범위 안에서 수년도에 걸쳐서 지출할 수 있다.

① 정부는 국회에서 추가경정예산안이 확정되기 전에 이를 미리 배정하거나 집행할 수 없음

② 정부는 예측할 수 없는 예산 외의 지출 또는 예산초과지출에 충당하기 위하여 일반회계 예산총액의 100분의 1 이내의 금액을 예비비로 세입세출예산에 계상할 수 있음

③ 예산의 전용은 세항·목 간의 융통을 의미하며, 중앙관서의 장은 예산의 효율적인 활용을 위하여 대통령령이 정하는 바에 따라 기획재정부장관의 승인을 얻어 재원을 사용할 수 있음

정답 ④

05 회독 ☐☐☐

2009. 지방 9

예산집행의 신축성을 보장하기 위한 제도에 대한 설명 중 가장 옳은 것은?

① 예산의 이용은 입법과목 간 융통을 의미하는 것으로, 예산집행상 필요에 따라 미리 예산으로써 국회의 의결을 얻은 때에는 기획재정부장관의 승인을 얻어 이용할 수 있다.

② 예산의 이체는 정부조직 등에 관한 법령의 제정·개정 또는 폐지로 인하여 중앙관서의 직무와 권한에 변동이 있을 때 이루어지는 것으로 국회의 승인이 있어야 한다.

③ 예산의 이월은 당해 회계연도에 집행되지 않은 예산을 다음 연도의 예산으로 사용하는 것으로 각 중앙관서의 장이 자유롭게 이월 및 재이월할 수 있다.

④ 계속비는 원칙상 5년 이내로 국한하지만 필요하다고 인정하는 때에는 기획재정부 장관의 승인을 통해 연장할 수 있다.

정답 및 해설

예산의 이용은 입법과목 간 융통을 의미하는 것으로서 자금의 융통을 위해서는 국회와 기재부장관의 승인을 모두 필요로 함

> **국가재정법 제47조【예산의 이용·이체】** ① 각 중앙관서의 장은 예산이 정한 각 기관 간 또는 각 장·관·항 간에 상호 이용(移用)할 수 없다. 다만, 다음 각 호의 어느 하나에 해당하는 경우에 한정하여 미리 예산으로써 국회의 의결을 얻은 때에는 기획재정부장관의 승인을 얻어 이용하거나 기획재정부장관이 위임하는 범위 안에서 자체적으로 이용할 수 있다.

② 예산의 이체는 국회의 승인이 필요 없으나, 기획재정부 장관의 승인은 필요함

③ 명시이월비(재이월 가능)는 국회의 사전 의결이 필요하지만, 사고이월비(재이월 불가능)는 사전 의결의 예외에 해당함

④ 계속비는 원칙상 5년 이내로 국한하지만 필요하다고 인정하는 때에는 국회의 승인을 통해 연장할 수 있음

정답 ①

06 회독 ☐☐☐

예산집행의 신축성을 보장하기 위한 제도적 장치와 그것에 대한 설명으로 옳지 않은 것은?

① 총괄예산제도 - 구체적 용도를 제한하지 아니하고 포괄적인 지출을 허용하는 것

② 예산의 이용과 전용 - 예산의 목적 외 사용을 금지하는 한정성 원칙의 예외적 장치

③ 추가경정예산 - 국회의 의결에 의해 예산이 성립된 이후 상황변화로 인해 사업을 변경하거나 새로운 사업을 추진해야 하는 경우 국회의결을 받아 예기치 못한 상태에 대처하는 예산

④ 예비비 제도 - 완공에 수년이 소요되는 대규모 공사, 제조 및 연구개발 사업의 경우에 총액과 연부금을 정해 인정하는 제도

정답 및 해설

④ 계속비에 대한 내용임 → 예비비는 정부가 사용할 비상금임

①

> **국가재정법 제37조 【총액계상】** ① 기획재정부장관은 대통령령이 정하는 사업으로서 세부내용을 미리 확정하기 곤란한 사업의 경우에는 이를 총액으로 예산에 계상할 수 있다.

② 예산의 이용과 전용 - 자금의 융통이므로 예산의 목적 외 사용을 금지하는 한정성 원칙의 예외적 장치에 해당함

③

> **국가재정법 제89조 【추가경정예산안의 편성】** ① 정부는 다음 각 호의 어느 하나에 해당하게 되어 이미 확정된 예산에 변경을 가할 필요가 있는 경우에는 추가경정예산안을 편성할 수 있다.
> 1. 전쟁이나 대규모 재해(「재난 및 안전관리 기본법」 제3조에서 정의한 자연재난과 사회재난의 발생에 따른 피해를 말한다)가 발생한 경우
> 2. 경기침체, 대량실업, 남북관계의 변화, 경제협력과 같은 대내·외 여건에 중대한 변화가 발생하였거나 발생할 우려가 있는 경우
> 3. 법령에 따라 국가가 지급하여야 하는 지출이 발생하거나 증가하는 경우

정답 ④

07 회독 ☐☐☐

「국가재정법」상 예산집행에 있어서 신축성을 보장하는 규정으로 옳지 않은 것은?

① 각 중앙관서의 장은 예산이 정한 각 기관 간 또는 각 장·관·항 간에 상호 이용(移用)할 수 없다. 다만, 예산집행상 필요에 따라 미리 예산으로써 국회의 의결을 얻은 때에는 기획재정부장관의 승인을 얻어 이용하거나 기획재정부장관이 위임하는 범위 안에서 자체적으로 이용할 수 있다.

② 각 중앙관서의 장은 예산의 목적범위 안에서 재원의 효율적 활용을 위하여 대통령령이 정하는 바에 따라 기획재정부장관의 승인을 얻어 각 세항 또는 목의 금액을 전용(轉用)할 수 있다.

③ 행정안전부장관은 정부조직 등에 관한 법령의 제정·개정 또는 폐지로 인하여 중앙관서의 직무와 권한에 변동이 있는 때에는 기획재정부장관의 요구에 따라 그 예산을 상호 이용하거나 이체(移替)할 수 있다.

④ 세출예산 중 경비의 성질상 연도 내에 지출을 끝내지 못할 것이 예측되는 때에는 그 취지를 세입세출예산에 명시하여 미리 국회의 승인을 얻은 후 다음 연도에 이월하여 사용할 수 있다.

정답 및 해설

행정안전부장관을 기획재정부장관으로, 기획재정부장관의 요구를 그 중앙관서의 장의 요구로 수정해야 함

①

> **국가재정법 제47조 【예산의 이용·이체】** ① 각 중앙관서의 장은 예산이 정한 각 기관 간 또는 각 장·관·항 간에 상호 이용(移用)할 수 없다. 다만, 다음 각 호의 어느 하나에 해당하는 경우에 한정하여 미리 예산으로써 국회의 의결을 얻은 때에는 기획재정부장관의 승인을 얻어 이용하거나 기획재정부장관이 위임하는 범위 안에서 자체적으로 이용할 수 있다.

②

> **국가재정법 제46조 【예산의 전용】** ① 각 중앙관서의 장은 예산의 목적범위 안에서 재원의 효율적 활용을 위하여 대통령령이 정하는 바에 따라 기획재정부장관의 승인을 얻어 각 세항 또는 목의 금액을 전용할 수 있다.

④ 선지는 명시이월비(예측한 이월)에 대한 내용임

정답 ③

Section 04 결산

01 회독 ☐☐☐　　　　　2018. 국가 9

우리나라의 결산에 대한 설명으로 옳지 않은 것은?

① 각 중앙관서의 장은 회계연도마다 소관 기금의 결산보고서를 중앙관서결산보고서에 통합하여 작성하여야 한다.

② 결산은 국회의 심의를 거쳐 국무회의의 의결과 대통령의 승인으로 종료된다.

③ 정부는 감사원의 검사를 거친 국가결산보고서를 국회에 제출하여야 한다.

④ 결산은 한 회계연도의 수입과 지출 실적을 확정적 계수로 표시하는 행위이다.

[정답 및 해설]

결산은 국회의 심의를 거쳐 본회의 의결로 종료됨

①

> **국가재정법 동법 제73조【기금결산】** 각 중앙관서의 장은 「국가회계법」에서 정하는 바에 따라 회계연도마다 소관 기금의 결산보고서를 중앙관서결산보고서에 통합하여 작성한 후 제58조 제1항에 따라 기획재정부장관에게 제출하여야 한다.

③ 정부는 감사원의 검사를 거친 국가결산보고서를 5월 말까지 국회에 제출해야 함

④ 결산은 한 회계연도의 수입과 지출 실적을 확정적 계수로 표시하는 행위임 → 즉, 결산은 사후적인 특성을 지니는 까닭에 결산심의에서 위법하거나 부당한 지출이 발견되어도 이미 집행한 정부활동은 무효 혹은 취소될 수 없음

정답 ②

CHAPTER 07 정부회계

Public Administration

Section 01 회계검사

01 회독 □□□ 2001 행정고시 수정

우리나라 감사원에 대한 설명으로 옳지 않은 것은?

① 주요 기능은 결산승인, 회계검사 및 직무감찰 등이다.
② 대통령에 소속된 헌법기관으로서 직무상 독립적 지위를 가진다.
③ 감사원장을 포함한 7인의 감사위원으로 구성된 합의제 기관이다.
④ 지방자치단체가 자본금의 2분의 1 이상을 출자한 법인의 회계는 감사원의 필요적 검사사항에 속한다.

정답 및 해설

결산검사, 즉 결산확인은 감사원의 기능이며, 결산승인은 국회의 권한임

헌법 제97조 국가의 세입·세출의 결산, 국가 및 법률이 정한 단체의 회계검사와 행정기관 및 공무원의 직무에 관한 감찰을 하기 위하여 대통령 소속하에 감사원을 둔다.
감사원법 제2조【지위】 ① 감사원은 대통령에 소속하되, 직무에 관하여는 독립의 지위를 가진다.
② 감사원 소속 공무원의 임면(任免), 조직 및 예산의 편성에 있어서는 감사원의 독립성이 최대한 존중되어야 한다.

③ 감사원장을 포함한 7인의 감사위원으로 구성된 합의제 기관임

감사원법 제3조【구성】 감사원은 감사원장(이하 "원장"이라 한다)을 포함한 7명의 감사위원으로 구성한다.

④ 지방자치단체가 자본금의 2분의 1 이상을 출자한 법인의 회계는 감사원의 필요적 검사사항에 속함

감사원법 제22조【필요적 검사사항】 ① 감사원은 다음 각 호의 사항을 검사한다.
1. 국가의 회계
2. 지방자치단체의 회계
3. 한국은행의 회계와 국가 또는 지방자치단체가 자본금의 2분의 1 이상을 출자한 법인의 회계

정답 ①

Section 02 정부의 회계제도

01 회독 □□□ 2018. 국가 9

정부회계의 기장 방식에 대한 설명으로 옳지 않은 것은?

① 단식부기는 발생주의 회계와, 복식부기는 현금주의 회계와 서로 밀접한 연계성을 갖는다.
② 단식부기는 현금의 수지와 같이 단일 항목의 증감을 중심으로 기록하는 방식이다.
③ 복식부기에서는 계정 과목 간에 유기적 관련성이 있기 때문에 상호 검증을 통한 부정이나 오류의 발견이 쉽다.
④ 복식부기는 하나의 거래를 대차 평균의 원리에 따라 차변과 대변에 동시에 기록하는 방식이다.

정답 및 해설

단식부기는 현금주의 회계와, 복식부기는 일반적으로 발생주의 회계와 서로 밀접한 연계성을 가짐

■ 회계제도의 유형

구분		기록 시점(현금 혹은 거래)	
		현금주의	발생주의
기록 방법 (한 번 혹은 두 번)	단식부기	○	×
	복식부기	○	○ : 우리나라

② 단식부기는 거래의 한쪽 면에 현금의 수입이나 지출(수지)을 기재하는 방식임
③ 복식부기에서는 대변과 차변에 모두 기록하는바(계정 과목 간 유기적인 관련성을 표현), 상호 검증을 통한 부정이나 오류의 발견이 쉬움
④ 복식부기는 거래가 발생할 때 거래금액을 장부에 두 번 기록(차변과 대변)하는 방식임

정답 ①

02 회독 □□□ 2014. 지방 9

다음 괄호 안에 들어갈 내용으로 바르게 짝지어진 것은?

> 정부회계의 '발생주의'는 정부의 수입을 (㉠) 시점으로, 정부의 지출을 (㉡) 시점으로 계산하는 방식을 의미한다.

	㉠	㉡
①	현금수취	현금지불
②	현금수취	지출원인행위
③	납세고지	현금지불
④	납세고지	지출원인행위

> 정답 및 해설
>
> 발생주의는 거래가 성립하는 시점에 기록하는 회계제도임 → 따라서 정부회계의 발생주의는 정부의 수입을 납세고지 시점으로, 정부의 지출을 지출원인행위(계약행위) 시점으로 계산하는 방식을 의미함
>
> 정답 ④

03 회독 □□□ 2017. 국가 7

우리나라의 국가재무제표에 대한 설명으로 옳지 않은 것은?

① 재무제표는 국가결산보고서에 포함되어 국회에 제출하도록 하고 있다.

② 국가회계법에 따르면 재무제표는 재정상태표, 재정운영표, 순자산변동표로 구성된다.

③ 재정상태표는 재정상태표일 현재 국가 재정상태를 보여 주는 것이다.

④ 재정상태표에는 현금주의와 단식부기가, 재정운영표에는 발생주의와 복식부기가 각각 적용되고 있다.

> 정답 및 해설
>
> 재정상태표와 재정운영표 모두 발생주의·복식부기를 적용하고 있음
>
> ① 재무제표는 국가결산보고서에 포함되어 국회에 제출하도록 하고 있음
>
> > **국가회계법 제14조【결산보고서의 구성】** 결산보고서는 다음 각 호의 서류로 구성된다.
> > 　3. 재무제표
> > 　　가. 재정상태표
> > 　　나. 재정운영표
> > 　　다. 순자산변동표
>
> ②③
> ■ **국가회계기준에 관한 규칙**
>
> > **국가회계기준에 관한 규칙 제5조【재무제표와 부속서류】**
> > ① 재무제표는 「국가회계법」 제14조제3호에 따라 재정상태표, 재정운영표, 순자산변동표로 구성하되, 재무제표에 대한 주석을 포함한다.
> > **제7조【재정상태표】** ① 재정상태표는 재정상태표일 현재의 자산과 부채의 명세 및 상호관계 등 재정상태를 나타내는 재무제표로서 자산, 부채 및 순자산으로 구성된다.
> >
> > > **국가회계법 제11조【국가회계기준】** ① 국가의 재정활동에서 발생하는 경제적 거래 등을 발생 사실에 따라 복식부기 방식으로 회계처리하는 데에 필요한 기준(이하 "국가회계기준"이라 한다)은 기획재정부령으로 정한다.
> >
> > **제27조【재정운영표의 작성기준】** 재정운영표의 모든 수익과 비용은 발생주의 원칙에 따라 거래나 사실이 발생한 기간에 표시한다.
>
> 정답 ④

CHAPTER **08** 재무행정기관, 그리고 정부기관의 구매

Section 01 재무행정기관

01 회독 ☐☐☐ 2010. 경정승진

다음 중 재무행정 조직의 삼원체제(三元體制)가 지니는 장점이 아닌 것은?

① 세입·세출의 유기적 관련성
② 행정관리능력 제고
③ 분파주의 방지
④ 강력한 행정

정답 및 해설

세입·세출의 유기적 관련성이 높은 것은 이원체제임

■ **재무행정기관의 체제**

삼원체제	정의	중앙예산기관, 국고수지총괄기관을 분리해서 운영
	장점	① 중앙예산기관이 대통령 직속이므로 대통령의 영향력을 바탕으로 강력한 행정을 수행할 수 있으며, 대통령의 행정관리능력을 제고할 수 있음 ② 분파주의(부처할거주의)를 방지함
	단점	세입과 세출기관을 분리하는 바 양자의 연계성이 떨어짐
이원체제	정의	중앙예산기관과 국고수지총괄기관을 통합해서 운영
	장점	세입과 세출을 하나의 기관에서 담당하므로 세입·세출의 연계성이 높음
	단점	분파주의 등
	• 우리나라는 2018년 기준으로 이원체제임 • 중앙예산기관과 국고수지총괄기관을 통합하여 '기획재정부'를 운영하고 있음 • 우리나라의 이원체제 : 기획재정부(중앙예산기관+국고수지총괄기관), 한국은행	

정답 ①

Section 02 정부기관의 구매 : 구매행정 (조달행정)

01 회독 ☐☐☐   2007. 울산 9 수정

다음 중 집중조달(집중구매)의 장점으로 틀린 것은?

① 중앙구매기관만 잘 감시하면 되므로 재정적 통제체계를 향상시킬 수 있다.

② 공급자에게 편리한 조달방법이다.

③ 지역에 관계없이 활용하는 재화 및 용역을 표준화하므로 능률적인 구매관리가 가능하다.

④ 특수품목 구입과 구매업무의 전문화를 가능하게 해준다.

정답 및 해설

집중구매 방식은 구매업무의 전문화를 가능하게 해주지만, 각 기관의 특수품목을 파악하기 어려운 문제점이 있음

■ 집중구매 제도

정의	중앙구매기관에서 일괄적으로 재화 및 용역을 구입 후 수요기관에 공급하는 방식
장점	① 중앙구매기관만 잘 감시하면 되므로 재정적 통제체계를 향상시킬 수 있음 ② 긴급수요나 예상외의 수요에 신속한 대처 가능 → 집권적인 의사결정구조의 장점 ③ 예산절약 : 대량구매하면 가격이 저렴함 ④ 조달업무에 대한 전문적인 기관을 지정하여 분업화하므로 전문적인 조달이 가능함 ⑤ 지역에 관계없이 활용하는 재화 및 용역을 표준화하므로 능률적인 구매관리가 가능함
단점	① 기관의 특수성 및 개별성 반영의 어려움 : 수요기관의 선호를 반영하지 못할 우려가 있음 ② 구매의 적시성 문제 : 수요기관이 필요할 때 물건이나 용역을 공급하지 못할 수 있음 ③ 구매절차의 복잡성 우려 : 수요기관이 바로 공급자에게 받는 게 아니라 중앙조달기관이 공급자와의 계약을 거쳐야 함 → 공급자에게 편리한 조달방법 ④ 중앙구매기관이 일괄적으로 구매하는 과정에서 중소기업보다 대기업에 편중한 구입의 가능성이 있음

정답 ④

최욱진 행정학

행정환류

CHAPTER **01** 행정책임과 통제

Section **01** 행정책임

01 회독 ☐☐☐   2008. 지방

행정책임과 행정통제에 대한 설명으로 옳지 않은 것은?

① 행정책임에는 시민의 요구에 대한 대응(responsiveness)이 포함된다.
② 행정행위의 절차에 대한 책임은 결과책임을 의미한다.
③ 행정통제는 행정체제의 일탈에 대한 감시를 통해 행정성과를 달성하려는 활동이다.
④ 행정의 책임성을 확보하기 위한 구체적인 수단이 행정통제라고 볼 수 있다.

(정답 및 해설)

행정행위의 절차에 대한 책임은 일반적으로 과정책임을 의미함
참고 결과적 책임은 국민의 만족 여부이고, 과정적 책임은 행정행위의 절차에 대한 책임 및 합법성 준수 여부를 의미함

① 행정책임은 국민에 대한 의무를 뜻하므로 시민의 요구에 대한 대응(responsiveness)이 포함됨
③ 행정통제는 행정체제의 일탈에 대한 감시를 통해 행정성과를 달성하려는 활동임 → 따라서 통제시기의 적시성이 있어야 하며, 통제내용은 효율성이 있어야 함
④ 행정통제는 행정책임을 보장하기 위한 수단이기 때문에 행정책임은 행정통제의 목적에 해당함

정답 ②

Section **02** 행정통제

01 회독 ☐☐☐   2017. 지방 7

옴부즈만(ombudsman)제도의 일반적 특징에 대한 설명으로 옳지 않은 것은?

① 옴부즈만은 비교적 임기가 짧고 임기보장이 엄격하게 적용되지 않는다.
② 옴부즈만에게 민원을 신청할 수 있는 사안은 행정관료의 불법행위와 부당행위를 포함한다.
③ 옴부즈만은 행정기관의 결정에 대해 직접 취소·변경할 수 있는 권한을 갖지 않는다.
④ 업무처리에 있어 절차상의 제약이 크지 않아 옴부즈만에 대한 시민들의 접근이 용이하다.

(정답 및 해설)

옴부즈만은 임기가 짧다고 볼 수 있으나 해당 임기 동안 신분보장은 엄격함 → 이는 일반적인 옴부즈만과 국민권익위원회에 모두 적용되는 특징임

> **부패방지권익위법 제16조【직무상 독립과 신분보장】**① 위원회는 그 권한에 속하는 업무를 독립적으로 수행한다.
> ② 위원장과 위원의 임기는 각각 3년으로 하되 1차에 한하여 연임할 수 있다.
> ※ 옴부즈만은 비교적 임기가 짧지만 임기보장을 받음 (일반적인 옴부즈만도 포함)

② 옴부즈만은 행정행위의 합법성뿐만 아니라 합목적성, 공직에서 이탈된 모든 행위를 다룰 수 있음 → 광범위한 업무관할
③ 옴부즈만은 위법·부당한 행정행위에 대해 직접 취소하거나 무효로 하지는 못하고 시정을 요구할 수 있음 → 즉, 권고, 의견표명, 감사 의뢰 등을 할 수 있음
④ 옴부즈만은 사법부에 비해 업무 처리 절차상의 제약이 크지 않아 시민의 접근이 용이함

정답 ①

02 회독 ☐☐☐

다음과 같은 행정현실에서 가장 적합한 행정통제 방안은?

> 현재 지방관서에서 하루속히 척결해야 할 것은 관급공사와 관련한 비리이다. 드물지만 간판도 없는 유령회사가 관급 공사를 따내는 경우도 있다. 전관예우라고나 할까? 전직 기관장이 공사를 따내는 경우인데, 그들은 공사를 맡고 난 다음에 회사를 설립하기도 한다. 관급공사를 시의원이나 구의원이 맡는 것도 큰 문제이다. 행정을 감시해야 할 사람에게 시정을 맡기는 것은 어불성설이다. 이런 실태는 행정 경험과 해당 분야에 대한 전문성을 갖고 합법성과 합목적성을 구별할 수 있는 전문가만이 발견해 낼 수 있다.

① 시민에 의한 통제 　② 입법부에 의한 통제
③ 사법부에 의한 통제 　④ 감사원에 의한 통제

정답 및 해설

시험에서는 일반적으로 공무원이 정책에 대한 전문성을 갖추었다고 보고 있음 → 따라서 감사원에 의한 통제가 정답임

■ **행정통제 수단**

> ㉠ 입법부 : 행정통제 방안 중에서 가장 역사가 오래 되었으며(전통적인 통제), 실질적으로 가장 효과가 큼 → 입법부는 입법심의, 공공정책의 결정, 예산심의, 각종 상임위원회의 활동, 국정조사, 국정감사, 임명 동의 및 해임 건의 또는 탄핵권, 기구 개혁, 청원제도 등 행정통제를 위한 여러 제도적 장치를 가지고 있음; 단, 최근에는 행정의 복잡성과 전문성 증대로 입법통제의 실효성이 약화되고 있음
> ㉡ 감사원 : 행정경험과 전문성을 바탕으로 합법성과 합목적성을 구별할 수 있는 전문가로 구성된 내부 통제기관 (대통령 소속·헌법기관)
> ㉢ 사법부 : 행정처분에 대한 행정재판권을 통하여 부당하게 권리를 침해받은 국민을 구제하는 역할을 함 → 통제에 있어서 합법성을 강조하므로 위법행정보다 부당행정이 많은 현대행정에서는 효율적인 통제가 어려운 경향이 있음
> ㉣ 시민에 의한 통제 : 민주주의 정치체제에서 정부에 대한 영향력은 증대되고 있으나, 전문성이 부족하다는 문제점이 있음

정답 ④

03 회독 ☐☐☐

행정통제를 향상시키기 위한 방안에 대한 설명으로 옳지 않은 것은?

① 행정정보공개제도는 행정책임의 확보와 통제비용 절감에 기여할 수 있다.
② 행정절차의 명확화는 열린 행정과 투명행정을 통해 행정기관과 시민 간의 분쟁을 방지할 수 있다.
③ 정책과정에서 시민 참여 확대 및 자체감사 기능의 활성화는 투명하고 열린 행정을 가능하게 할 수 있다.
④ 옴부즈만 제도의 권한으로 독립적인 조사권, 시찰권, 소추권 등은 대부분의 나라에서 인정하고 있다.

정답 및 해설

독립적 조사권, 시찰권, 소추권 중 독립적 조사권과 시찰권은 대부분의 나라에서 인정하고 있지만, 소추권은 인정하지 않는 것이 보통임 → 즉, 소추권은 일부 나라에서만 인정하고 있음

① 행정정보를 투명하게 공개하는 것은 행정책임의 확보와 통제비용 절감에 기여할 수 있음
② 밀실행정의 지양 및 행정절차의 명확화는 투명성을 제고함으로써 행정기관과 시민 간의 분쟁을 방지할 수 있음
③ 시민 참여 확대 및 자체 감사 활성화 등을 활용한 행정통제는 투명하고 열린 행정을 가능하게 할 수 있음

정답 ④

04 회독 ☐☐☐   2010. 국회 8 수정

국민권익위원회에 대한 설명으로 옳지 않은 것은?

① 국민권익위원회는 행정체제 내의 독립통제기관으로 옴부즈만의 일종이라고 할 수 있다.

② 국민권익위원회는 국무총리 소속이며, 상임위원은 국무총리가 제청하고 대통령이 임명한다.

③ 국민권익위원회에 중앙행정심판위원회를 두도록 하고, 국민권익위원회의 부위원장 중 1명이 중앙행정심판위원회의 위원장이 된다.

④ 국민권익위원회는 고충민원을 처리하고 그에 관련된 불합리한 행정제도 개선을 권고할 수 있다.

정답 및 해설

국민권익위원회는 국무총리 소속이며, 상임위원은 위원장의 제청으로 대통령이 임명함

부패방지권익위법 제13조 【위원회의 구성】 ③ 위원장 및 부위원장은 국무총리의 제청으로 대통령이 임명하고, 상임위원은 위원장의 제청으로 대통령이 임명하며, 상임이 아닌 위원은 대통령이 임명 또는 위촉한다.

① 국민권익위원회는 행정체제 내의 독립통제기관으로 옴부즈만의 유형 중 행정부 소속형에 해당함

③ 국민권익위원회에 중앙행정심판위원회를 두도록 하고, 국민권익위원회의 부위원장 중 1명이 중앙행정심판위원회의 위원장이 됨

부패방지권익위법 제13조 【위원회의 구성】 ① 위원회는 위원장 1명을 포함한 15명의 위원(부위원장 3명과 상임위원 3명을 포함한다)으로 구성한다. 이 경우 부위원장은 각각 고충민원, 부패방지 업무 및 중앙행정심판위원회의 운영업무로 분장하여 위원장을 보좌한다. 다만, 중앙행정심판위원회의 구성에 관한 사항은 「행정심판법」에서 정하는 바에 따른다.

④

부패방지권익위법 제11조 【국민권익위원회의 설치】 ① 고충민원의 처리와 이에 관련된 불합리한 행정제도를 개선하고, 부패의 발생을 예방하며 부패행위를 효율적으로 규제하도록 하기 위하여 국무총리 소속으로 국민권익위원회(이하 "위원회"라 한다)를 둔다.
② 위원회는 「정부조직법」 제2조에 따른 중앙행정기관으로서 그 권한에 속하는 사무를 독립적으로 수행한다. → 독립통제기관

정답 ②

05 회독 ☐☐☐   2013. 국가 9 수정

행정통제의 유형과 사례를 연결한 것으로 옳지 않은 것은?

① 외부·공식적 통제 : 국회의 국정감사

② 내부·비공식적 통제 : 국무조정실의 사회위험·갈등 관리

③ 외부·비공식적 통제 : 시민단체의 정보공개 요구 및 비판

④ 내부·공식적 통제 : 감사원의 직무감찰

정답 및 해설

국무조정실은 국무총리 소속이므로 내부·공식적 통제에 해당함

정부조직법 제20조 【국무조정실】 ① 각 중앙행정기관의 행정의 지휘·감독, 정책 조정 및 사회위험·갈등의 관리, 정부업무평가 및 규제개혁에 관하여 국무총리를 보좌하기 위하여 국무조정실을 둔다.

■ **Gilbert의 행정통제 유형**

구분		외부	내부
공식적		1. 입법부 : 국정감사 등 2. 사법부 : 행정명령 위법 여부 심사 등 3. 옴부즈만 4. 헌법재판소 : 위헌법률심판, 권한쟁의 심판 등 5. 국가인권위원회 (행정부 소속×)	1. 계층제(명령체계) 및 인사제도 2. 감사원 : 직무감찰 등 3. 국민권익위원회 4. 국무총리실, 국무조정실 5. 중앙행정부처 6. 교차기능조직 및 독립통제기관 7. 기타 제도 ① 예산통제(예 총액배분 자율편성) ② 인력의 정원통제 (예 총액인건비) ③ 정부업무평가 등
비공식적		※ 민중통제 1. 시민(국민) : 시민의 선거권·국민투표권 등 2. 시민단체 및 이익집단의 요구 3. 여론, 매스컴(언론), 정당 등	1. 동료집단 2. 직업윤리(소명심, 공익가치, 윤리적 책임의식 등) 3. 대표관료제 : 공무원 간 견제와 균형 4. 공무원노동조합

정답 ②

06 [회독] ○○○

우리나라의 통치체제에 대한 설명으로 옳지 않은 것은?

① 위임입법의 확대는 행정국가화 경향과 밀접한 관련이 있다.

② 사법부는 행정처분에 대한 행정재판권을 통하여 부당하게 권리를 침해받은 국민을 구제하는 역할을 한다.

③ 행정부는 감사원의 국정감사권을 통하여 행정행위에 대한 내부통제를 행한다.

④ 입법부는 국정에 관한 다양한 법률제정권을 활용하여 행정부를 견제한다.

[정답 및 해설]

입법부는 국정감사권을 통하여 행정행위에 대한 외부통제를 수행함

[참고] 감사원은 회계검사, 결산검사, 직무감찰 등의 역할을 수행함

②③④
■ **각 통제수단에 대한 설명**

┌───┐
│ ㉠ 사법부
│   (a) 행정처분에 대한 행정재판권을 통하여 부당하게 권리
│   를 침해받은 국민을 구제하는 역할을 함 → 통제에
│   있어서 합법성을 강조하므로 위법행정보다 부당행정
│   이 많은 현대행정에서는 효율적인 통제가 어려운 경
│   향이 있음
│   (b) 소송에 의한 통제를 하는바 사후적 · 합법적 · 소극적
│   통제라 불림; 따라서 사전적 · 정치적 · 정책적 통제
│   (합목적적 통제) 불가능
│ ㉡ 입법부 : 행정통제 방안 중에서 가장 역사가 오래 되었으
│   며(전통적인 통제), 실질적으로 가장 효과가 큼 → 입법부
│   는 입법심의, 공공정책의 결정, 예산심의, 각종 상임위원
│   회의 활동, 국정조사, 국정감사, 임명 동의 및 해임 건의
│   또는 탄핵권, 기구 개혁, 청원제도 등 행정통제를 위한
│   여러 제도적 장치를 가지고 있음; 단, 최근에는 행정의
│   복잡성과 전문성 증대로 입법통제의 실효성이 약화되고
│   있음
└───┘

① 위임입법의 확대는 정부활동이 증대되는 행정국가화 경향과 밀접한 관련이 있음

[정답] ③

CHAPTER **02** 행정개혁

01 회독 ☐☐☐

정부혁신의 일반적 특징으로 옳지 않은 것은?

① 행정을 인위적·의식적·계획적으로 변화시키려는 것이므로, 개혁주도자들에 의해 계획적이고 전략적으로 추진되어야 한다.

② 조직관리의 기술적인 속성과 함께 권력투쟁, 타협, 설득이 병행되는 정치적·사회심리적 과정으로, 행정 내부에서만 이루어지는 것이 아니라 행정 외부의 정치세력들과 상호 연결되어 있다.

③ 반드시 의도한 결과만을 초래하는 것이 아니라 의도하지 않는 결과를 초래할 수도 있으며, 부작용과 저항, 나아가 개혁의 실패까지도 나타날 수 있다.

④ 생태적 속성을 지닌 비연속적 과정으로, 새로운 개혁 조치들이 개혁집단에 의해 주도되어 집행되는 제도로서 정착되기 위해서는 단기 집약적인 노력이 필요하다.

정답 및 해설

행정개혁은 생태적 속성을 지닌 연속적 과정으로, 새로운 개혁 조치들이 개혁집단에 의해 주도되어 집행되는 제도로서 정착되기 위해서는 지속적인 노력이 필요함

①②③④

◼ 행정개혁의 특징

① 정치적·사회심리적 성격: 권력 투쟁, 타협, 설득이 병행되는 경향이 있음
② 목표지향성·계획적 변화
③ 개혁의 불확실성: 개혁을 추진하는 과정에서 예측하지 못한 일이 발생할 수 있음
④ 계속적·지속적 과정: 개혁의 목표를 달성하기 위해 꾸준하게 추진되어야 함
⑤ 생태적 속성: 행정환경은 다양한 주체와 제도가 얽혀있는 생태계와 유사함
⑥ 저항의 수반: 개혁을 단행하는 과정에서 공무원 등의 저항이 나타날 수 있음
⑦ 포괄적 연관성: 행정개혁은 조직 전반적인 개혁으로써 조직구조, 조직문화 등 다양한 분야를 고려해야 함
⑧ 개혁은 사적인 상황이 아니라 공공적 상황에서 발생
⑨ 동태성: 환경의 변화에 따라 다양한 측면에서 행정개혁이 발생함

정답 ④

지방자치론

CHAPTER 01

지방자치론의 기초

01 회독 ○○○ 2018. 교행 9

지방분권의 장점에 관한 설명으로 옳은 것을 〈보기〉에서 고른 것은?

┤보기├
ㄱ. 지역의 특성을 살려 지역 실정에 맞는 행정을 수행할 수 있을 것이다.
ㄴ. 중앙정부의 조정에 의해서 지역 간의 격차를 해소하는 데 도움이 될 것이다.
ㄷ. 노사 간의 대립, 사회의 복잡화, 실업 등의 사회문제 해결에 도움이 될 것이다.
ㄹ. 정치 훈련을 가능하게 하고 주민의 정치의식 수준이 향상될 것이다.

① ㄱ, ㄴ
② ㄱ, ㄹ
③ ㄴ, ㄷ
④ ㄷ, ㄹ

정답 및 해설
아래의 표 참고

■ 중앙집권과 지방분권의 장점

중앙집권의 장점	지방분권의 장점
행정의 통일성(격차 완화·균질화) 확보 → 행정관리의 능률성 제고	지역주민의 견해반영 : 행정에 대한 민중통제
국가적 위기 시 신속한 대응	지방정부 간 경쟁유도를 통한 효율성 확보
소득재분배 정책의 수행 : 국민 전체의 복지향상	지방공무원과 주민의 사기 및 창의성 증진
노사 간의 대립, 사회의 복잡화, 실업 등의 사회문제 해결	정치훈련을 가능하게 하고 주민의 정치의식 수준이 향상

정답 ②

02 회독 ○○○ 2012. 국가 7

신중앙집권화 촉진 요인으로 적절하지 않은 것은?

① 유엔의 '리우선언'(1992)에 따른 환경보존행동계획
② 정보통신 기술 및 교통의 발달로 인한 생활권역의 확대
③ 경제력 및 세원의 편재로 인한 지방자치단체 간 재정력 격차의 확대
④ 환경문제, 보건문제 등 전국적인 문제의 발생

정답 및 해설
유엔의 '리우선언'(1992)에 따른 환경보존행동계획은 신지방분권의 촉진 요인에 해당함
■ 유엔의 '리우선언'(1992)에 따른 환경보존행동계획 : 환경보존을 위해 정부 간 협력을 강조한 계획

②③④
■ 신중앙집권화의 정의 및 촉진 요인

정의	근대 입헌국가의 불완전한 면을 보정하기 위해 등장한 개념으로서 과거 중앙집권에 비해 권력은 분산하나 지식과 기술은 중앙에 집중하여 지방자치의 민주화와 능률화를 추구; 관료적·권력적 집권이 아니라 비권력적·지식적·기술적 집권
촉진 요인	① 국가 및 지방의 공동사무의 증대, 중앙의 정책계획의 증가 등 ② 광역행정 및 국제정세의 불안정(시장실패) ③ 국민생활권의 확대(광역행정)와 행정의 국민 전체의 최저수준유지(형평성)의 필요성 ④ 과학기술 및 교통통신의 발달 ⑤ 지방재정의 만성적인 부족 ⑥ 환경문제, 보건문제 등 전국적인 문제의 발생

정답 ①

03 회독 ☐☐☐

2018. 서울 9

지방자치의 두 요소인 주민자치와 단체자치에 대한 설명으로 가장 옳은 것은?

① 주민자치의 원리는 주로 영국과 미국에서 발달하였으며, 단체자치의 원리는 주로 독일과 프랑스에서 발달하였다.

② 주민자치가 지방자치의 형식적·법제적 요소라고 한다면, 단체자치는 지방자치를 실현하기 위한 내용적·본질적 요소라고 할 수 있다.

③ 단체자치에서는 법률에 의해 권한이 명시적·한시적으로 규정되어 사무를 자주적으로 처리할 수 있는 재량의 범위가 크다.

④ 단체자치에서는 입법통제와 사법통제가 주된 통제 방식이다.

정답 및 해설

주민자치와 단체자치의 내용이 바뀌었음

② 주민자치가 지방자치의 내용적·본질적 요소라고 한다면, 단체자치는 지방자치를 실현하기 위한 형식적·법제적 요소라고 할 수 있음

③④ 주민자치에 대한 내용임

정답 ①

04 회독 ☐☐☐

2016. 국회 8

다음 중 조례와 규칙에 대한 설명으로 옳지 않은 것은?

① 지방자치단체의 장은 법령의 범위 안에서 그 사무에 관하여 조례를 정할 수 있다.

② 조례를 정할 때, 주민의 권리제한에 관한 사항은 법률의 위임이 있어야 한다.

③ 시·군 및 자치구의 조례나 규칙은 시·도의 조례나 규칙을 위반하여서는 안 된다.

④ 지방자치단체 조례를 위반한 행위에 대하여 조례로써 과태료를 정할 수 있다.

⑤ 과태료는 해당 지방자치단체의 장이 부과·징수한다.

정답 및 해설

지방자치단체의 장은 법령과 조례의 범위 안에서 그 사무에 관하여 규칙을 정할 수 있음

② 조례를 정할 때, 주민의 권리제한에 관한 사항은 법률의 위임이 있어야 함

> **지방자치법 제28조 【조례】** ① 지방자치단체는 법령의 범위에서 그 사무에 관하여 조례를 제정할 수 있다. 다만, 주민의 권리 제한 또는 의무 부과에 관한 사항이나 벌칙을 정할 때에는 법률의 위임이 있어야 한다.

③ 시·군 및 자치구의 조례나 규칙은 시·도의 조례나 규칙을 위반하여서는 안 됨

> **지방자치법 제30조 【조례와 규칙의 입법한계】** 시·군 및 자치구의 조례나 규칙은 시·도의 조례나 규칙을 위반해서는 아니 된다.

④⑤

> **지방자치법 제34조 【조례 위반에 대한 과태료】** ① 지방자치단체는 조례를 위반한 행위에 대하여 조례로써 1천만원 이하의 과태료를 정할 수 있다.
> ② 제1항에 따른 과태료는 해당 지방자치단체의 장이나 그 관할 구역의 지방자치단체의 장이 부과·징수한다.

정답 ①

05 회독 ☐☐☐

우리나라 지방자치단체의 자치권에 대한 설명으로 옳지 않은 것은?

① 헌법과 지방자치법은 법령의 범위 안에서 자치에 관한 조례를 제정할 수 있다고 규정하고 있다.

② 지방자치단체는 행정기구의 설치에 대해 대통령령의 범위 안에서 당해 지방자치단체의 조례로써 정할 수 있다.

③ 조세법률주의에 따라 지방세의 세목과 세율에 대해서는 법률로써 정해야 하며, 조례에 의한 세목의 설치를 허용하지 않는다.

④ 자치권을 구성하는 핵심적인 사항은 자치입법권, 자치사법권, 자치행정권, 자치재정권이라 할 수 있다.

정답 및 해설

자치권을 구성하는 핵심적인 사항은 자치입법권, 자치조직권, 자치재정권임; 우리나라에서 자치사법권은 아직 인정되지 않고 있음

① 헌법과 지방자치법은 법령의 범위 안에서 자치에 관한 조례를 제정할 수 있다고 규정하고 있음

> **지방자치법 제28조 【조례】** ① 지방자치단체는 법령의 범위에서 그 사무에 관하여 조례를 제정할 수 있다. 다만, 주민의 권리 제한 또는 의무 부과에 관한 사항이나 벌칙을 정할 때에는 법률의 위임이 있어야 한다.
> **헌법 제117조** ① 지방자치단체는 주민의 복리에 관한 사무를 처리하고 재산을 관리하며, 법령의 범위안에서 자치에 관한 규정을 제정할 수 있다.
> ② 지방자치단체의 종류는 법률로 정한다.

②

> **지방자치법 제125조 【행정기구와 공무원】** ① 지방자치단체는 그 사무를 분장하기 위하여 필요한 행정기구와 지방공무원을 둔다.
> ② 제1항에 따른 행정기구의 설치와 지방공무원의 정원은 인건비 등 대통령령으로 정하는 기준에 따라 그 지방자치단체의 조례로 정한다.

③ 우리나라는 조세법률주의에 기초하고 있음

정답 ④

Section 02 지방자치단체의 종류

01 회독 ☐☐☐

지방자치단체의 기관 구성에 대한 설명으로 옳지 않은 것은?

① 기관대립형은 이원적 구성으로 인한 비효율성을 야기할 수 있다.

② 기관통합형은 기관대립형과는 달리 지방의회만을 주민 직선으로 구성한다.

③ 기관대립형을 채택하고 있는 대표적인 나라는 일본, 독일이다.

④ 우리나라는 기관대립형을 채택하면서도 단체장의 지위를 강화하였다는 특징을 가진다.

정답 및 해설

지방의회와 집행기관을 각각 주민 직선으로 구성하느냐(기관대립형) 아니면 지방의회만 주민 직선으로 하느냐(기관통합형)에 따라 기관대립형과 기관통합형으로 나눌 수 있음; 기관통합형은 영국·미국·독일·프랑스 등 대부분의 나라에서 채택하고 있고, 기관대립형은 한국·일본·이탈리아 등 일부 국가에서 채택하고 있음

①③④
■ **기관대립형의 단점과 기타 사항**

단점	① 의결기관과 집행기관이 대립·갈등시 지방행정운영이 불안해짐 → 이는 집행부와 의회가 병존하는 이원적 구성으로 인해 비효율성을 야기할 수 있음을 의미함 ② 지방자치단체의 장에게 많은 권한을 부여할 경우 지방행정의 책임성과 공정성을 확보하기 어려움
기타	① 우리나라 지방자치단체의 기관구성 형태는 지방자치법에 기관대립형으로 명시되어 있음 ② 지방의회와 지방자치단체장이 갈등하는 경우 지방자치단체장이 취할 수 있는 비상적 해결수단으로 재의 요구, 준예산 집행, 선결처분 등이 있음; 이러한 제도로 인해 우리나라는 기관대립형을 채택하면서도 단체장의 지위를 강화하였다는 특징을 가지고 있음 ③ 기관통합형은 영국·미국·독일·프랑스 등 대부분의 나라에서 채택하고 있고, 기관대립형은 한국·일본·이탈리아 등 일부 국가에서 채택하고 있음

정답 ③

02 회독 □□□   2011. 국가 9

지방자치단체의 계층구조에 대한 설명으로 옳지 않은 것은?

① 계층구조는 각 국가의 정치 형태, 면적, 인구 등에 따라 다양한 형태를 갖는다.

② 중층제에서는 단층제에서보다 기초자치단체와 중앙정부의 의사소통이 원활하지 못할 수 있다.

③ 단층제는 중층제보다 중복행정으로 인한 행정 지연의 낭비를 줄일 수 있다.

④ 중층제는 단층제보다 행정책임을 보다 명확하게 할 수 있다.

정답 및 해설

중층제는 단층제에 비해 자치계층이 많으므로 행정책임이 모호해질 수 있음

① 계층구조는 각 국가의 정치 형태, 면적, 인구 등에 따라 단층제, 중층제 등으로 구분됨

② 중층제에서는 광역지방자치단체가 중간관리자 역할을 수행하므로 단층제에서보다 기초자치단체와 중앙정부의 의사소통이 원활하지 못할 수 있음

③ 단층제는 지방정부가 중앙정부와 직접 소통하는바 중복행정으로 인한 행정 지연의 낭비를 줄일 수 있음

정답 ④

03 회독 □□□   2010. 경정승진

지방자치단체의 계층구조에 관한 설명 중 옳지 않은 것은?

① 단층제는 중앙집권화의 우려가 크다.

② 단층제는 국토가 넓거나 인구가 많은 국가에서 채택하기 곤란하다.

③ 중층제는 기능배분의 불명확성과 행정책임의 모호성이 단점으로 지적된다.

④ 중층제는 국가의 감독 기능 유지를 어렵게 한다.

정답 및 해설

중층제에서는 광역지방자치단체가 중간관리자 역할을 수행하므로 국가의 감독 기능이 유지될 수 있음

① 단층제는 중앙정부와 지방정부가 직접 소통할 수 있는 체계이므로 중앙집권화의 우려가 있음

② 인구가 많거나 국토가 넓으면 해야 할 일이 많아짐; 이에 따라 지방정부 간 협업이 긴요해지는바 단층제는 인구가 많거나 국토가 넓은 국가에서 채택하기 곤란함

③ 중층제는 단층제에 비해 자치계층이 많으므로 기능배분의 불명확성과 행정책임의 모호성이 단점으로 지적되고 있음

정답 ④

04 회독 ☐☐☐ 2013. 국가 9

우리나라 지방행정 체제와 관련된 내용으로 옳지 않은 것은?

① 자치구의 자치권 범위는 시·군의 경우와 같다.

② 특별시·광역시·도는 같은 수준의 자치행정계층이다.

③ 광역시가 아닌 시라도 인구 50만 이상의 경우에는 자치구가 아닌 구를 둘 수 있다.

④ 군은 광역시나 도의 관할 구역 안에 둔다.

---

05 회독 ☐☐☐ 2016. 교행 9

우리나라 지방자치단체에 대한 설명으로 옳지 않은 것은?

① 특별자치시와 특별자치도에는 자치구를 두고 있다.

② 특별시·광역시 및 특별자치시가 아닌 인구 50만 이상의 시에는 행정구를 둘 수 있다.

③ 도농복합 형태의 시에서 도시의 형태를 갖춘 지역에는 동을, 그 밖의 지역에는 읍·면을 둔다.

④ 보통지방자치단체 외에 특정한 목적을 수행하기 위해 필요하면 따로 특별지방자치단체를 설치할 수 있다.

정답 및 해설

지방자치단체인 구(자치구)는 특별시와 광역시의 관할 구역 안의 구만을 말하며, 자치구의 자치권의 범위는 법령으로 정하는 바에 따라 시·군과 다르게 할 수 있음

② 특별시·광역시·도는 모두 광역지방자치단체임

③④

> **지방자치법 제3조【지방자치단체의 법인격과 관할】** ① 지방자치단체는 법인으로 한다.
> ② 특별시, 광역시, 특별자치시, 도, 특별자치도(이하 "시·도"라 한다)는 정부의 직할(直轄)로 두고, 시는 도 또는 특별자치도의 관할 구역 안에, 군은 광역시·도 또는 특별자치도의 관할 구역 안에 두며, 자치구는 특별시와 광역시의 관할 구역 안에 둔다. 다만, 특별자치도의 경우에는 법률이 정하는 바에 따라 관할 구역 안에 시 또는 군을 두지 아니할 수 있다.
> ③ 특별시·광역시 또는 특별자치시가 아닌 인구 50만 이상의 시에는 자치구가 아닌 구(예: 경기도 수원시 팔달구)를 둘 수 있고, 군에는 읍·면을 두며, 시와 구(자치구를 포함한다)에는 동을, 읍·면에는 리를 둔다.

정답 ①

정답 및 해설

특별자치시와 특별자치도는 관할구역에 기초지방자치단체인 구를 둘 수 없음

②③

> **제3조【지방자치단체의 법인격과 관할】** ③ 특별시·광역시 또는 특별자치시가 아닌 인구 50만 이상의 시에는 자치구가 아닌 구(예: 경기도 수원시 팔달구)를 둘 수 있고, 군에는 읍·면을 두며, 시와 구(자치구를 포함한다)에는 동을, 읍·면에는 리를 둔다.
> ④ 제10조 제2항에 따라 설치된 시(도농복합형태의 시: 읍·면·동이 모두 있는 시)에는 도시의 형태를 갖춘 지역에는 동을, 그 밖의 지역에는 읍·면을 두되, 자치구가 아닌 구를 둘 경우에는 그 구에 읍·면·동을 둘 수 있다.

④

> **지방자치법 제2조【지방자치단체의 종류】** ③ 제1항의 지방자치단체 외에 특정한 목적을 수행하기 위하여 필요하면 따로 특별지방자치단체를 설치할 수 있다. 이 경우 특별지방자치단체의 설치 등에 관하여는 제12장에서 정하는 바에 따른다(대통령령 ×).

정답 ①

---

06 회독 ○○○   2009. 국회 8 수정

'○○광역시'의 명칭을 '△△광역시'로 바꾸려고 한다. 이를 위한 현행 법령의 절차로서 옳은 것은?

① ○○광역시 의회의 의결을 거쳐 조례로 정한다.
② ○○광역시 의회의 의견을 들어 법률로 정한다.
③ ○○광역시장의 신청에 의해 행정법원에서 재결한다.
④ ○○광역시 주민투표로 확정하여 대통령령으로 정한다.

PART — 07

정답 및 해설

지방자치단체의 명칭과 구역을 바꾸거나 지방자치단체를 폐지하거나 설치하거나 나누거나 합칠 때에는 법률로 정하고, 관계 지방자치단체 의회의 의견을 들어야 함; 단, 「주민투표법」에 의하여 주민투표를 실시한 경우에는 지방의회의 의견을 듣지 않아도 됨

■ 지방자치단체의 명칭과 구역

구분		지방자치단체 및 행정구역	폐치 및 분합	명칭 및 구역변경	한자명칭 변경	경계변경
보통 지방자치 단체		광역지방자치단체	1. 지방의회의견 혹은 주민투표 + 2. 법률	1. 지방의회의견 혹은 주민투표 + 2. 법률	1. 지방의회의견 혹은 주민투표 + 2. 대통령령	대통령령
		기초지방자치단체	1. 지방의회의견 혹은 주민투표 + 2. 법률	1. 지방의회의견 혹은 주민투표 + 2. 법률	1. 지방의회의견 혹은 주민투표 + 2. 대통령령	대통령령
행정구역		읍·면·동 (자치구가 아닌 구 포함)	1. 행정안전부 장관 승인 후 2. 조례로 정함	1. 조례로 정한 후 2. 광역단체장에게 보고	−	−
		리	조례로 정함	조례로 정함	−	−

정답 ②

07 회독 ☐☐☐

특별지방자치단체에 대한 설명으로 옳지 않은 것은?

① 특정한 목적을 수행하기 위하여 필요한 경우에 설치되는 지방자치단체이다.

② 특정한 지방공공사무를 보다 편리하면서도 효율적으로 수행하기 위하여 별도의 관할구역과 행정조직이 필요하다는 것이 설립의 일반적 이유이다.

③ 특별지방자치단체의 설립을 통해 지방자치단체의 난립과 구역·조직·재무 등 지방제도의 복잡성과 혼란을 완화할 수 있다.

④ 특별지방자치단체는 행정사무처리 이외에 공기업의 경영을 위해 설립되기도 한다.

Section 03 지방자치단체의 사무

01 회독 ☐☐☐

기관위임사무에 대한 설명으로 옳지 않은 것은?

① 법령에 의하여 국가 또는 상급 지방자치단체로부터 지방자치단체의 장에게 위임된 사무를 말한다.

② 국가와 지방자치단체 사이의 행정적 책임의 소재를 명확하게 해준다.

③ 지방자치단체를 국가의 하급기관으로 전락시키는 요인으로 작용할 수 있다.

④ 전국적으로 획일적인 행정을 강조함으로써 지방적 특수성이 희생되기도 한다.

[정답 및 해설]

우리나라의 지방자치단체는 보통지자체와 특별지자체로 나눌 수 있음 → 특별지방자치단체는 특정한 목적을 수행하기 위하여 필요한 경우에 설치되는 지방자치단체임; 단, 특별지방자치단체를 무분별하게 설립할 경우 지방제도의 복잡성과 혼란을 가중할 수 있음

①②④

> **지방자치법 제199조【설치】** ① 2개 이상의 지방자치단체가 공동으로 특정한 목적을 위하여 광역적으로 사무를 처리할 필요가 있을 때에는 특별지방자치단체를 설치할 수 있다. 이 경우 특별지방자치단체를 구성하는 지방자치단체(이하 "구성 지방자치단체"라 한다)는 상호 협의에 따른 규약을 정하여 구성 지방자치단체의 지방의회 의결을 거쳐 행정안전부장관의 승인을 받아야 한다.

■ 특별지방자치단체

> ① 개념 : 특정한 목적을 위해 광역적으로 사무를 처리할 필요가 있을 때 설치하는 지방자치단체
> ② 특징
> ㉠ 특별지방자치단체는 행정사무처리 이외에 지방공기업(지방직영기업)의 경영을 위해 설립되기도 함
> ㉡ 특별지방자치단체의 설립을 통해 지방자치단체의 난립과 구역·조직·재무 등 지방제도의 복잡성과 혼란을 가중시킬 수 있음

[정답] ③

[정답 및 해설]

지자체의 사무 중에서 위임사무에는 단체위임사무와 기관위임사무가 있음; 이 중에서 기관위임사무는 국가 또는 상급 지방자치단체로부터 지방자치단체의 장에게 위임된 사무임 → 기관위임사무는 권한을 분산(위임)하는 과정에서 행정책임을 모호하게 만들 수 있음

③ 기관위임사무는 국가사무를 뜻하는 바 지방자치단체를 국가의 하급기관으로 전락시키는 요인으로 작용할 수 있음
④ 기관위임사무는 국가사무를 뜻하는 바 전국적으로 획일적인 행정을 강조함으로써 지방적 특수성이 희생될 수 있음

[정답] ②

Section 04 지방자치단체장과 지방의회의 권한

01 회독 □□□
2008. 국회 8 수정

우리나라 지방의회의 기능 또는 권한이 아닌 것은?

① 예산안 의결
② 집행부 견제 및 감시
③ 조례 제정
④ 선결처분

정답 및 해설

선결처분은 지방자치단체장의 권한임

> **지방자치법 제122조【지방자치단체의 장의 선결처분】**① 지방자치단체의 장은 지방의회가 지방의회의원이 구속되는 등의 사유로 제73조에 따른 의결정족수에 미달될 때와 지방의회의 의결사항 중 주민의 생명과 재산 보호를 위하여 긴급하게 필요한 사항으로서 지방의회를 소집할 시간적 여유가 없거나 지방의회에서 의결이 지체되어 의결되지 아니할 때에는 선결처분(先決處分)을 할 수 있다.

① 예산안 의결

> **지방자치법 제142조【예산의 편성 및 의결】**② 시·도의회는 제1항의 예산안을 회계연도 시작 15일 전까지, 시·군 및 자치구의회는 회계연도 시작 10일 전까지 의결하여야 한다.

② 집행부 견제 및 감시

> **지방자치법 제49조【행정사무 감사권 및 조사권】**① 지방의회는 매년 1회 그 지방자치단체의 사무에 대하여 시·도에서는 14일의 범위에서, 시·군 및 자치구에서는 9일의 범위에서 감사를 실시하고, 지방자치단체의 사무 중 특정 사안에 관하여 본회의 의결로 본회의나 위원회에서 조사하게 할 수 있다.

③ 조례 제정

> **지방자치법 제47조【지방의회의 의결사항】**① 지방의회는 다음 각 호의 사항을 의결한다.
> 1. 조례의 제정·개정 및 폐지

정답 ④

02 회독 □□□
2008. 국가 7

우리나라 지방자치단체장의 권한으로 볼 수 없는 것은?

① 지방의회의 의결이 월권이거나 법령에 위반되는 경우 재의요구권
② 총선거 후 최초로 집결되는 지방의회 임시회 소집권
③ 지방의회의 의결 사항 중 주민의 생명과 재산 보호를 위하여 긴급하게 필요한 사항으로서 지방의회를 소집할 시간적 여유가 없거나 지방의회에서 의결이 지체되어 의결되지 아니할 때의 선결처분권
④ 지방채 발행권

정답 및 해설

총선거 후 최초로 집회되는 임시회는 지방의회 사무처장·사무국장·사무과장이 지방의회 의원 임기 개시일부터 25일 이내에 소집함

> **지방자치법 제54조【임시회】**① 지방의회의원 총선거 후 최초로 집회되는 임시회는 지방의회 사무처장·사무국장·사무과장이 지방의회의원 임기 개시일부터 25일 이내에 소집한다. → 총선거 후 최초로 집회되는 임시회는 지자체장의 권한으로 소집할 수 없음

①

> **지방자치법 제120조【지방의회의 의결에 대한 재의 요구와 제소】**① 지방자치단체의 장은 지방의회의 의결이 월권이거나 법령에 위반되거나 공익을 현저히 해친다고 인정되면 그 의결사항을 이송받은 날부터 20일 이내에 이유를 붙여 재의를 요구할 수 있다.

③

> **지방자치법 제122조【지방자치단체의 장의 선결처분】**① 지방자치단체의 장은 지방의회가 지방의회의원이 구속되는 등의 사유로 제73조에 따른 의결정족수에 미달될 때와 지방의회의 의결사항 중 주민의 생명과 재산 보호를 위하여 긴급하게 필요한 사항으로서 지방의회를 소집할 시간적 여유가 없거나 지방의회에서 의결이 지체되어 의결되지 아니할 때에는 선결처분(先決處分)을 할 수 있다.

④

> **지방자치법 제139조【지방채무 및 지방채권의 관리】**① 지방자치단체의 장이나 지방자치단체조합은 따로 법률로 정하는 바에 따라 지방채를 발행할 수 있다.

정답 ②

CHAPTER **02** 정부 간 관계

Section 01 정부 간 관계모형

01 회독 ☐☐☐ 　　　　　2013. 서울 7 수정

라이트의 정부 간 관계모형에 대한 설명 중 틀린 것은?

① 분리형의 경우 지방정부는 중앙정부로부터 높은 자율성을 누리지만, 재정과 인사 등의 기능 영역을 독립적으로 가지고 있는 것은 아니다.

② 포괄형의 경우 중앙정부와 지방정부 사이에 엄격한 명령·복종관계가 존재한다.

③ 중첩형의 경우 공공 기능의 적지 않은 부분이 중앙정부와 지방정부에 의해 공유된다.

④ 중첩형을 정부 간 관계의 가장 이상적인 실천모형으로 본다.

정답 및 해설

분리형의 경우 지방정부는 중앙정부로부터 높은 자율성을 누리기 때문에, 재정과 인사 등의 기능 영역을 독립적으로 가지고 있음

② 포괄형은 중앙정부가 지방정부를 통제하는 형태임

③ 중첩형은 중앙정부와 지방정부가 상호 협력해서 국가를 관리하는 형태임

④ 라이트는 중첩형을 정부 간 관계의 가장 이상적인 형태로 간주함

정답 ①

Section 02 기능 배분 원칙과 방식

01 회독 ☐☐☐ 　　　　　2014. 국회 9 수정

지방자치에 대한 설명 중 가장 옳지 않은 것은?

① 단체자치는 중앙정부가 지역단위의 지방행정기관을 설치하고 자치정부로서의 법인격과 일정한 사무에 대한 자치권을 부여하는 지방자치의 방식이다.

② 지방자치는 구역, 주민, 지방정부, 자치권을 그 구성요소로 한다.

③ 지방정부의 자치권은 자치입법권, 자치행정권, 자치조직권, 자치재정권으로 구성된다.

④ 보충성의 원칙은 모든 공공사무는 기본적으로 중앙정부가 담당하고 지방정부는 이를 보충해야 한다는 원칙이다.

정답 및 해설

보충성의 원칙은 모든 공공사무는 기본적으로 지방정부가 담당하고 중앙정부는 이를 보충해야 한다는 원칙임

① 단체자치는 중앙정부가 지역단위의 지방행정기관을 설치하고 자치정부로서의 법인격과 일정한 사무에 대한 자치권을 부여하는, 즉 전래권설의 지방자치의 방식임

② 지방자치는 구역, 주민, 지방정부, 자치권 등을 구성요소로 함

지방자치의 5대 구성요소	주민	참정권을 행사하고 자치비용을 부담하는 인적 구성요소
	구역	지방정부의 자치권이 일반적으로 미치는 지역적·공간적 범위
	자치기구	집행기관인 자치단체의 장과 의결기관인 지방의회
	자치권	지역사무를 자주적으로 처리하기 위한 자주적 통치권을 말한다.
	사무	고유사무와 위임사무 등

③ 지방정부의 자치권은 자치입법권, 자치행정권(자치조직권, 자치재정권)으로 구성됨

정답 ④

Section 03　우리나라의 정부 간 관계

01　회독 □□□　　　　　2010. 지방 7급 지방자치론 수정

지방자치단체에 대한 중앙정부의 관여와 관련된 설명으로 옳지 않은 것은?

① 능률과 효과의 면에서 사전적 통제가, 민주와 자율의 면에서 사후적 통제가 더 바람직하다.

② 우리나라는 1991년 지방자치 부활 이후 중앙권한의 지방이양 등 지방분권화를 위해 노력해오고 있다.

③ 주무부장관은 시·도지사가 국가위임사무를 태만하게 할 경우 즉시 국가의 비용부담으로 대집행한다.

④ 우리나라는 입법적 통제나 사법적 통제에 비하여 행정적 통제가 보다 일반적으로 활용되고 있다.

〔정답 및 해설〕

주무부장관은 일단 기간을 정하여 서면으로 이행할 사항을 명령할 수 있음 → 만약 해당 지방자치단체의 장이 정해진 기간에 이행명령을 이행하지 아니하면 주무부장관은 그 지방자치단체의 비용부담으로 대집행 또는 행정상·재정상 필요한 조치를 할 수 있음

> **지방자치법 제189조【지방자치단체의 장에 대한 직무이행명령】** ① 지방자치단체의 장이 법령에 따라 그 의무에 속하는 국가위임사무나 시·도위임사무의 관리와 집행을 명백히 게을리하고 있다고 인정되면 시·도에 대해서는 주무부장관이, 시·군 및 자치구에 대해서는 시·도지사가 기간을 정하여 서면으로 이행할 사항을 명령할 수 있다. 주무부장관이나 시·도지사는 해당 지방자치단체의 장이 제1항의 기간에 이행명령을 이행하지 아니하면 그 지방자치단체의 비용부담으로 대집행 또는 행정상·재정상 필요한 조치를 할 수 있다. 이 경우 행정대집행에 관하여는 「행정대집행법」을 준용한다.

① 능률과 효과의 면에서 사전적 통제가, 민주와 자율의 면에서 사후적 통제가 더 바람직함

통제의 유형 (통제시점에 따른 분류)	내용	통제를 받는 자의 자율성
사전적 통제	목표실천 행동이 목표에서 이탈될 수 있는 가능성을 미리 예측하고 그러한 가능성을 제거함으로써 바람직하지 못한 행동이 나타나는 것을 방지하는 통제	거의 없음
동시적 통제	목표수행 행동이 진행되는 동안 그것이 통제 기준에 부합되도록 조정해 가는 통제	중간
사후적 통제	목표수행 행동의 결과가 목표 기준에 부합되는가를 평가하여 필요한 시정조치를 취하는 통제	많음

② 우리나라는 1952년 최초로 구성된 지방의회가 1961년 5·16 군사 쿠데타로 중단된 뒤, 30여 년 만인 1991년에 재구성되었음(지방자치 부활) → 이후 정부는 중앙권한의 지방이양 등 지방분권화를 위해 노력해오고 있음

④ 우리나라는 단체자치의 전통을 지니고 있는바 입법적 통제나 사법적 통제에 비하여 행정적 통제가 보다 일반적으로 활용되고 있음

〔정답〕 ③

02 회독 □□□
2013. 국가 7

「지방자치법」상 지방자치단체에 대한 국가의 지도·감독의 내용으로 옳지 않은 것은?

① 중앙행정기관의 장과 지방자치단체의 장이 사무를 처리할 때 의견을 달리하는 경우 이를 협의·조정하기 위하여 국무총리 소속으로 행정협의조정위원회를 둔다.

② 지방자치단체나 그 장이 위임받아 처리하는 국가사무에 관하여 시·도에서는 주무부 장관의, 시·군 및 자치구에서는 1차로 시·도지사의, 2차로 주무부 장관의 지도·감독을 받는다.

③ 행정안전부 장관이나 시·도지사는 지방자치단체의 자치사무가 공익을 현저히 해친다고 판단되면 지방자치단체의 서류·장부 또는 회계를 감사할 수 있다.

④ 지방의회의 의결이 공익을 현저히 해친다고 판단되면 시·도에 대하여는 주무부 장관이, 시·군 및 자치구에 대하여는 시·도지사가 재의를 요구하게 할 수 있다.

(정답 및 해설)
자치사무에 대한 감사는 법령 위반 사항에 대해서만 가능함

지방자치법 제190조【지방자치단체의 자치사무에 대한 감사】 ① 행정안전부장관이나 시·도지사는 지방자치단체의 자치사무에 관하여 보고를 받거나 서류·장부 또는 회계를 감사할 수 있다. 이 경우 감사는 법령 위반사항에 대해서만 한다.

①

지방자치법 제187조【중앙행정기관과 지방자치단체 간 협의·조정】 ① 중앙행정기관의 장과 지방자치단체의 장이 사무를 처리할 때 의견을 달리하는 경우 이를 협의·조정하기 위하여 국무총리 소속으로 행정협의조정위원회를 둔다.

②

지방자치법 제185조【국가사무나 시·도 사무 처리의 지도·감독】 ① 지방자치단체나 그 장이 위임받아 처리하는 국가사무에 관하여 시·도에서는 주무부장관, 시·군 및 자치구에서는 1차로 시·도지사, 2차로 주무부장관의 지도·감독을 받는다.

④ 선지는 재의요구 지시에 대한 내용임

정답 ③

03 회독 □□□
2016. 국회 9 수정

다음 중 특별행정기관에 대한 설명으로 옳지 않은 것은?

① 특별행정기관은 국가사무를 집행하고자 중앙부처가 설치하는 일선집행기관이다.

② 특별행정기관은 국가사무의 효율적 집행과 광역적 추진에 효과적이다.

③ 특별행정기관은 중앙부처의 감독을 용이하게 하는 반면, 부처이기주의를 초래하는 요인이 되기도 한다.

④ 특별행정기관은 지방분권과 지방자치 측면에서 볼 때 자치단체인 일반행정기관의 책임행정 구현에 공헌한다.

(정답 및 해설)
특별행정기관은 중앙일선기관이기 때문에 자칫 지방자치 및 자치단체의 책임행정 구현을 저해할 소지가 있음

①② 특별행정기관은 국가사무를 집행하고자 중앙부처가 설치하는 일선집행기관이므로 국가사무의 효율적 집행과 광역적 추진에 효과적임

③ 특별행정기관은 일선행정기관이므로 중앙부처의 감독을 용이하게 함; 한편, 각 중앙행정기관의 부처이기주의로 인해 특별행정기관이 무분별하게 증대되는 경우도 있음

정답 ④

04 회독 ⬜⬜⬜

2009. 지방 7 수정

특별지방행정기관에 대한 설명으로 옳지 않은 것은?

① 국가업무의 효율적이고 광역적인 추진이라는 긍정적인 목적과 부처이기주의적 목적이 결합되어 설치되었다.

② 지방자치단체와의 관계에서 이중행정, 이중감독의 문제는 보조금의 교부 등에서 현저하게 나타난다.

③ 특별지방행정기관의 수는 IMF 경제위기를 극복하기 위해 1990년대 후반에 급증했다.

④ 지역주민의 의사를 반영시키는 제도적 장치가 결여되어 있다.

05 회독 ⬜⬜⬜

2015. 국가 9 수정

특별지방행정기관에 대한 설명으로 옳지 않은 것은?

① 관할지역 주민들의 직접적인 통제와 참여가 용이하기 때문에 책임행정을 실현할 수 있다.

② 출입국관리, 근로조건 등 국가적 통일성이 요구되는 업무를 수행한다.

③ 현장의 정보를 중앙정부에 전달하거나 중앙정부와 지방자치단체 사이의 매개 역할을 수행하기도 한다.

④ 국가의 사무를 집행하기 위해 중앙정부에서 설치한 일선행정기관으로 자치권을 가지고 있지 않다.

PART ── 07

정답 및 해설

우리나라의 경우, 지방자치제 실시에 대한 논의가 이루어지던 1980년대 말부터 국가의 감독이나 통제 약화를 우려해서 많은 특별지방행정기관이 설치되었음

① ■ **특별지방행정기관의 등장배경**

> ㉠ 국가업무의 효율적이고 광역적인 추진
> ㉡ 부처이기주의적 목적 → 지방자치제가 실시되면 중앙정부의 감독이나 통제권이 약화될 것을 우려하여 설치한 측면이 있음

② 지방자치단체와의 관계에서 이중행정, 이중감독의 문제는 환경관리 등에 대한 보조금의 교부에서 현저하게 나타남

④ 특별지방행정기관은 중앙정부의 소속기관이므로 지방자치단체에 비해 지역주민의 의사를 반영시키는 제도적 장치가 결여되어 있음

정답 ③

정답 및 해설

특별지방행정기관은 일선 행정기관으로서 국가사무를 집행하는 주체임; 따라서 지방자치단체에 비해서 관할지역 주민들의 직접적인 통제와 참여가 어려움

③ 특별지방행정기관은 일선 행정기관이므로 현장의 정보를 중앙정부에 전달하거나 중앙정부와 지방자치단체 사이의 매개 역할을 수행하기도 함

④ 특별지방행정기관은 국가의 사무를 집행하기 위해 중앙정부에서 설치한 일선행정기관으로 고유의 법인격은 물론 자치권도 가지고 있지 않음

정답 ①

06 회독 ☐☐☐

현행 「지방자치법」상 지방자치단체 상호 간 협력방식에 대한 설명으로 가장 적합하지 않은 것은?

① 사무위탁은 사무처리비용의 절감, 공동사무처리에 따른 규모의 경제 등의 장점이 있으나, 위탁처리비용의 산정 문제 등으로 인해 광범위하게 이용되지 못하고 있다.

② 2개 이상의 지방자치단체가 그 사무 중 일부를 공동처리할 필요가 있을 때에는 규약을 정하고 일정한 절차를 거쳐 지방자치단체조합을 설립할 수 있다.

③ 행정협의회를 구성한 관계 지방자치단체는 반드시 협의회의 결정에 따라 사무를 처리할 필요는 없다.

④ 지방자치단체는 다른 지방자치단체로부터 사무의 공동처리에 관한 요청이나 사무 처리에 관한 협의·조정·승인 또는 지원의 요청을 받으면 법령의 범위에서 협력하여야 한다.

정답 및 해설

행정협의회를 구성한 관계 지방자치단체는 협의회가 결정한 사항이 있으면 그 결정에 따라 사무를 처리하여야 함

> **지방자치법 제157조 【협의회의 협의 및 사무처리의 효력】**
> ① 협의회를 구성한 관계 지방자치단체는 협의회가 결정한 사항이 있으면 그 결정에 따라 사무를 처리하여야 한다.

① 사무위탁은 위탁처리에 따른 비용감소 등의 장점이 있으나, 위탁처리비용의 산정이 어려운 까닭에 광범위하게 이용되지 못하고 있음

②

> **지방자치법 제176조 【지방자치단체조합의 설립】** ① 2개 이상의 지방자치단체가 하나 또는 둘 이상의 사무를 공동으로 처리할 필요가 있을 때에는 규약을 정하여 지방의회의 의결을 거쳐 시·도는 행정안전부장관의 승인, 시·군 및 자치구는 시·도지사의 승인을 받아 지방자치단체조합을 설립할 수 있다.

④

> **지방자치법 제164조 【지방자치단체 상호 간의 협력】** ① 지방자치단체는 다른 지방자치단체로부터 사무의 공동처리에 관한 요청이나 사무처리에 관한 협의·조정·승인 또는 지원의 요청을 받으면 법령의 범위에서 협력하여야 한다.

정답 ③

---

07 회독 ☐☐☐

중앙행정기관의 장과 지방자치단체의 장이 사무를 처리할 때 의견을 달리하는 경우 이를 협의·조정하기 위하여 설치하는 기구는?

① 중앙분쟁조정위원회
② 지방분쟁조정위원회
③ 갈등관리심의위원회
④ 행정협의조정위원회

정답 및 해설

우리나라는 중앙행정기관의 장과 지방자치단체의 장이 사무를 처리할 때 의견을 달리하는 경우 이를 협의·조정하기 위하여 국무총리 소속으로 행정협의조정위원회를 두고 있음

①② 중앙분쟁조정위원회 및 지방분쟁조정위원회는 지방자치단체와 지방자치단체 간 분쟁조정 방식에 해당함

③ 갈등관리심의위원회: 공공정책을 수립·추진하는 과정에서 발생하는 갈등의 예방과 원만한 해결을 위한 위원회 조직 → 관세청 등에 설치되어 있음

정답 ④

08 2015. 교행 9

우리나라 중앙정부와 지방자치단체 간 또는 지방자치단체 상호 간의 관계에 대한 기술로 틀린 것은?

① 행정안전부 장관은 공익상 필요하면 지방자치단체조합의 설립이나 해산을 명할 수 있다.

② 지방자치단체 간 의견이 달라 분쟁이 생길 경우 당사자의 신청 없이는 조정을 할 수 없다.

③ 중앙행정기관의 장과 지방자치단체의 장 간에 의견을 달리 하는 경우 국무총리 소속으로 행정협의조정위원회를 두어 조정한다.

④ 「지방자치법」상 인정되는 지방자치단체 간의 협력 방안으로 지방자치단체조합의 설립, 사무위탁, 행정협의회의 구성 등이 있다.

정답 및 해설

분쟁이 공익을 현저히 저해하여 조속한 조정이 필요하다고 인정되면 당사자의 신청이 없어도 직권으로 조정할 수 있음

> **지방자치법 제165조 【지방자치단체 상호 간의 분쟁조정】** ① 지방자치단체 상호 간 또는 지방자치단체의 장 상호 간에 사무를 처리할 때 의견이 달라 다툼(이하 "분쟁"이라 한다)이 생기면 다른 법률에 특별한 규정이 없으면 행정안전부장관이나 시·도지사가 당사자의 신청을 받아 조정할 수 있다. 다만, 그 분쟁이 공익을 현저히 해쳐 조속한 조정이 필요하다고 인정되면 당사자의 신청이 없어도 직권으로 조정할 수 있다.

①

> **지방자치법 제180조 【지방자치단체조합의 지도·감독】** ② 행정안전부장관은 공익상 필요하면 지방자치단체조합의 설립이나 해산 또는 규약 변경을 명할 수 있다.

③

> **지방자치법 제187조 【중앙행정기관과 지방자치단체 간 협의·조정】** ① 중앙행정기관의 장과 지방자치단체의 장이 사무를 처리할 때 의견을 달리하는 경우 이를 협의·조정하기 위하여 국무총리 소속으로 행정협의조정위원회를 둔다.

④ 「지방자치법」상 인정되는 지방자치단체 간의 협력 방안으로 지방자치단체조합, 사무위탁, 행정협의회, 협의체 등이 있음

정답 ②

CHAPTER **03** 주민참여

01　회독 □□□　　　　　　　　　2016. 국회 8

다음 중 우리나라에서 실시되는 주민참여제도에 대한 설명으로 옳지 않은 것은?

① 주민참여예산제도는 지방자치단체의 예산편성에 주민이 직접 참여하여 재정 운영의 투명성과 책임성을 제고할 수 있도록 하는 것이다.

② 주민소송은 주민감사청구의 결과에 불복하는 경우에 하는 것이다.

③ 조례개폐청구제도는 지방선거의 유권자 중 일정 수 이상의 연서로 지방자치단체의 조례 제정 및 개폐에 대해 주민들이 직접 발안할 수 있도록 하는 것이다.

④ 주민투표제도는 지역주민에게 중대한 영향을 미치는 주요 결정사항들 중 조례로 정하는 사항에 대해 주민들의 직접 투표로 결정할 수 있도록 하는 것이다.

⑤ 주민소환제도는 주민소환투표 청구권자 중 일정한 수 이상의 서명으로 지방자치단체의 장 혹은 지방의회 의원(비례대표 제외) 등을 소환하도록 청구할 수 있는 제도이다.

정답 및 해설

주민투표제도는 주민투표의 대상을 조례로 정하는 사항으로 한정하지 않음

주민투표법 제7조【주민투표의 대상】 주민에게 과도한 부담을 주거나 중대한 영향을 미치는 지방자치단체의 주요결정사항은 주민투표에 부칠 수 있다.

① 주민참여예산제도는 납세자 주권을 위해 우리나라 지방재정법에 명시되어 있음

② 주민소송은 주민감사청구를 전심절차로 함

③ 조례개폐청구제도는 지방선거의 유권자 중 일정 수 이상의 연서로 지방자치단체의 조례 제정 및 개폐에 대해 주민들이 직접 발안할 수 있도록 하는 것임

주민조례발안에 관한 법 제1조【목적】 이 법은 「지방자치법」 제19조에 따른 주민의 조례 제정과 개정·폐지 청구에 필요한 사항을 규정함으로써 주민의 직접참여를 보장하고 지방자치행정의 민주성과 책임성을 제고함을 목적으로 한다.

주민조례발안에 관한 법 제5조【주민조례청구 요건】 ① 청구권자가 주민조례청구를 하려는 경우에는 다음 각 호의 구분에 따른 기준 이내에서 해당 지방자치단체의 조례로 정하는 청구권자 수 이상이 연대 서명하여야 한다.

청구요건완화	연령	주민조례발안 청구권자 연령 19세 → 18세 하향
	필요한 서명의 요건	① 800만 이상(1/200)
		② 800만~100만(1/150)
		③ 100만~50만(1/100)
		④ 50만~10만(1/70)
		⑤ 10만~5만(1/50)
		⑥ 5만 미만(1/20)

⑤

주민소환법 제7조【주민소환투표의 청구】 ① 전년도 12월 31일 현재 주민등록표 및 외국인등록표에 등록된 제3조제1항제1호 및 제2호에 해당하는 자(이하 "주민소환투표청구권자"라 한다)는 해당 지방자치단체의 장 및 지방의회의원(비례대표선거구시·도의회의원 및 비례대표선거구자치구·시·군의회의원은 제외하며, 이하 "선출직 지방공직자"라 한다)에 대하여 다음 각 호에 해당하는 주민의 서명으로 그 소환사유를 서면에 구체적으로 명시하여 관할선거관리위원회에 주민소환투표의 실시를 청구할 수 있다.

정답 ④

02 [회독] ▢▢▢ 2014. 사복 9

주민에게 과도한 부담을 주거나 중대한 영향을 미치는 지방자치단체의 주요 결정사항은 주민투표에 부칠 수 있다. 이에 대한 설명으로 옳지 않은 것은?

① 지방자치단체장은 주민 또는 지방의회의 청구에 의하거나 직권에 의해 주민투표를 실시할 수 있다.

② 「지방자치법」은 주민투표의 대상·발의자·발의 요건, 그 밖의 투표 절차 등에 관한 사항은 따로 법률로 정하도록 규정하고 있다.

③ 지방자치단체장 및 지방의회는 주민투표 결과 확정된 사항에 대해 원칙적으로 2년 이내에는 이를 변경하거나 새로운 결정을 할 수 없다.

④ 주민투표에 부쳐진 사항은 주민투표권자 총 수의 3분의 1 이상의 투표와 유효투표 수 3분의 2 이상의 득표로 확정된다.

(정답 및 해설)

주민투표에 부쳐진 사항은 주민투표권자 총수의 4분의 1 이상의 투표와 유효투표수 '과반수의 득표'로 확정됨

①

주민투표법 제9조【주민투표의 실시요건】 ① 지방자치단체의 장은 주민 또는 지방의회의 청구에 의하거나 직권에 의하여 주민투표를 실시할 수 있다.

②

지방자치법 제18조【주민투표】 ① 지방자치단체의 장은 주민에게 과도한 부담을 주거나 중대한 영향을 미치는 지방자치단체의 주요 결정사항 등에 대하여 주민투표에 부칠 수 있다.
② 주민투표의 대상·발의자·발의요건, 그 밖에 투표절차 등에 관한 사항은 따로 법률로 정한다.

③

주민투표법 제7조【주민투표의 대상】 ② 제1항의 규정에 불구하고 다음 각 호의 사항은 이를 주민투표에 부칠 수 없다.
  6. 동일한 사항(그 사항과 취지가 동일한 경우를 포함한다)에 대하여 주민투표가 실시된 후 2년이 경과되지 아니한 사항

(정답) ④

PART —— 07

CHAPTER **04** 지방자치단체의 재정

01 회독 ☐☐☐　　　　　　　　　　2014. 국회 9 수정

다음 보기 중 조세를 실제로 부담하는 사람과 직접 납부하는 사람이 서로 다른 국세는 모두 몇 가지인가?

ㄱ. 자동차세	ㄴ. 주세
ㄷ. 담배소비세	ㄹ. 부가가치세

① 없음　　　　　　　② 한 가지
③ 두 가지　　　　　　④ 세 가지

(정답 및 해설)

지문은 국세 중 간접세를 묻는 내용임; 부가가치세와 주세가 국세 중 간접세이며, 자동차세와 담배소비세는 지방세에 해당함

■ 국세의 종류

내국세	직접세	소득세(개인소득), 법인세(법인소득), 상속·증여세, 종합부동산세
	간접세	부가가치세, 개별소비세, 주세, 인지세, 증권거래세
목적세		교육세, 농어촌특별세
관세		–

정답 ③

기타 제도 및 법령 등

CHAPTER **01** 행정학총론

Section **01** 총론 관련 제도 및 법령 등

01 회독 ☐☐☐   2011. 지방 7

우리나라 현행 제도상 사회적 기업에 대한 설명으로 옳은 것은?

① 이익을 재투자하거나 그 일부를 연계기업에 배분할 수 있다.
② 재화 및 서비스의 생산·판매 등 영업활동을 하여야 한다.
③ 정부는 매년 사회적 기업의 활동실태를 조사하고 육성계획을 수립·추진하여야 한다.
④ 설립 초기의 일정기간 동안에는 유급근로자를 고용하지 않고 무급근로자만으로 운영할 수 있다.

02 회독 ☐☐☐   2018. 서울 7

행정능력에 대한 설명으로 가장 옳지 않은 것은?

① 행정능력은 지적 능력, 실행적 능력을 포괄하며 정치적 능력과는 구분된다.
② 지적 능력은 바람직한 정책결정을 위한 전문성과 관련되어 있으며, 우리나라 행정학에서 중요한 능력으로 인식되어 왔다.
③ 실행적 능력은 정치 및 민간 지원의 확보능력을 포괄한다.
④ 행정능력을 구성하는 하위 능력요인들 간에 상충관계가 존재한다.

〔정답 및 해설〕
사회적 기업은 영업활동을 통해 이익을 창출할 수 있어야 함

① 사회적 기업은 이익의 일정 비율 이상을 사업에 재투자하여야 하며, 그 일부를 연계기업에 배분할 수 없음
③ 정부는 5년마다 사회적 기업의 활동실태를 조사하고 육성계획을 수립·추진하여야 한다.
④ 사회적 기업은 유급근로자를 고용하고 있어야 함

┌─────────────────────────────────────┐
│ **사회적기업육성법 제8조【사회적기업의 인증 요건 및 인증 절차】** ① 사회적기업으로 인증받으려는 자는 다음 각 호의 요건을 모두 갖추어야 한다. │
│   2. 유급근로자를 고용하여 재화와 서비스의 생산·판매 등 영업활동을 할 것 │
└─────────────────────────────────────┘

정답 ②

〔정답 및 해설〕
행정능력은 지적능력, 실행적 능력, 정치적 능력을 포함하고 있음

■ **행정 능력**

┌─────────────────────────────────────┐
│ ① 행정 능력 : 지적 능력＋실행적 능력＋정치적 능력 │
│   ㉠ 지적 능력 : 전문성 강조 → 효율성 제고 │
│   ㉡ 실행적 능력 : 지지 확보 능력 │
│   ㉢ 정치적 능력 : 민주성 혹은 국민에 대한 책임성 │
│ ② 행정능력을 구성하는 하위 능력요인 간에 상충관계가 존재함 : 예컨대 지적능력은 능률성을 뜻하고, 정치적인 능력은 민주성 혹은 책임성을 의미하기 때문임 │
└─────────────────────────────────────┘

정답 ①

03 회독 ☐☐☐ 2004. 부산 9 수정

책임운영기관에 대한 설명 중 틀린 것은?

① 자율과 성과와 책임을 조화시킨 조직이다.
② 책임운영기관특별회계기관의 사업은 재정운영상 「국가재정법」이 적용된다.
③ 집행기능과 정책기능을 분리시키는 것이다.
④ 기업식의 관리로 인하여 행정의 형평성을 저해할 소지가 있다.

정답 및 해설

책임운영기관법을 우선 적용하고, 해당 법에 규정된 것 외에는 정부기업예산법을 적용함

> **책임운영기관법 제30조 【「정부기업예산법」의 적용 등】**
> ① 책임운영기관특별회계기관의 사업은 「정부기업예산법」 제2조에도 불구하고 정부기업으로 본다.
>
> > **정부기업예산법 제2조 【정부기업】** 이 법에서 "정부기업"이란 기업형태로 운영하는 우편사업, 우체국예금사업, 양곡관리사업 및 조달사업을 말한다.
>
> ② 특별회계의 예산 및 회계에 관하여 이 법에 규정된 것 외에는 「정부기업예산법」을 적용한다.

① 책임운영기관은 NPM의 영향으로 등장한 제도이므로 자율과 성과와 책임을 조화시킨 조직임
③ 책임운영기관은 정부 내에서 특정 업무에 대한 네트워크가 형성되는 것이므로 집행기능과 정책기능을 분리시킨 것임 → 특정 업무를 집행한 뒤 그에 대한 책임을 지는 제도
④ 책임운영기관은 NPM의 영향으로 등장한 제도이므로 기업식의 관리로 인하여 행정의 형평성을 저해할 소지가 있음

정답 ②

CHAPTER **02** 행정학각론

Section **01** 조직론 관련 제도 및 법령 등

01 회독 □□□ 2012. 국가 9

국무총리 소속기관이 아닌 것은?

① 공정거래위원회
② 금융위원회
③ 방송통신위원회
④ 국민권익위원회

정답 및 해설
방송통신위원회는 대통령 직속기관임

■ **중앙행정기관으로서 위원회 조직**

대통령 소속	방송통신위원회
국무총리 소속	공정거래위원회, 국민권익위원회, 금융위원회, 개인정보보호위원회, 원자력안전위원회

정답 ③

02 회독 □□□ 2008. 서울 9

정부업무평가제도의 기본방향이 아닌 것은?

① 자체평가중심의 평가체제이다.
② 각종 평가의 통합 실시이다.
③ 성과관리 강화이다.
④ 정부업무평가 위원회 설치이다.
⑤ 국무총리실의 상위평가 기능 강화이다.

정답 및 해설
정부업무평가제도의 기본방향은 자체평가 중심의 평가체제임 (국무총리실의 상위평가×)

①②③

정부업무평가기본법 제1조【목적】 이 법은 정부업무평가에 관한 기본적인 사항을 정함으로써 중앙행정기관·지방자치단체·공공기관 등의 통합적인 성과관리체제의 구축과 자율적인 평가역량의 강화를 통하여 국정운영의 능률성·효과성 및 책임성을 향상시키는 것을 목적으로 한다.

④

정부업무평가기본법 제9조【정부업무평가위원회의 설치 및 임무】 ① 정부업무평가의 실시와 평가기반의 구축을 체계적·효율적으로 추진하기 위하여 국무총리 소속하에 정부업무평가위원회를 둔다.

정답 ⑤

03 회독 □□□ 2013. 국가 9 수정

다음은 각종 지역사업을 나열한 것이다. 이 중 현행 「지방공기업법」에 규정된 지방공기업 대상사업이 아닌 것만을 모두 고르면?

> ㉠ 수도사업(마을상수도사업은 제외)
> ㉡ 주민복지사업
> ㉢ 공업용수도사업
> ㉣ 공원묘지사업
> ㉤ 주택사업
> ㉥ 토지개발사업

① ㉠, ㉢
② ㉡, ㉣
③ ㉢, ㉤
④ ㉣, ㉥

| Section 02 | 인사행정 관련 제도 및 법령 등 |

01 회독 □□□ 2017. 지방 7

우리나라의 시간선택제 공무원 제도에 대한 설명으로 옳은 것은?

① 2013년에 국가공무원, 2015년에 지방공무원을 대상으로 시간선택제채용공무원 시험이 최초로 실시되었다.
② 시간선택제채용공무원의 주당 근무시간은 40시간으로 한다.
③ 유연근무제도의 일환으로 도입되었으며, 기관의 사정이나 정부의 일자리 나누기 정책구현 등을 위해서는 활용되지 않는다.
④ 시간선택제채용공무원을 통상적인 근무시간 동안 근무하는 공무원으로 임용하는 경우 어떠한 우선권도 인정하지 않는다.

정답 및 해설

아래의 조항 참고

> **공무원임용령 제3조의3 【시간선택제채용공무원의 임용】**
> ① 임용권자 또는 임용제청권자는 법 제26조의2에 따라 통상적인 근무시간보다 짧은 시간을 근무하는 일반직공무원(임기제공무원은 제외한다)을 신규채용할 수 있다.
> ② 제1항에 따라 채용된 공무원(이하 "시간선택제채용공무원"이라 한다)의 주당 근무시간은 「국가공무원 복무규정」 제9조에도 불구하고 15시간 이상 35시간 이하의 범위에서 임용권자 또는 임용제청권자가 정한다. 이 경우 근무시간을 정하는 방법 및 절차 등은 인사혁신처장이 정한다.
> ③ 시간선택제채용공무원을 통상적인 근무시간 동안 근무하는 공무원으로 임용하는 경우에는 어떠한 우선권도 인정하지 아니한다.

① 2014년에 국가·지방공무원을 대상으로 시간선택제채용공무원 시험이 최초로 실시되었음
③ 시간선택제 공무원 제도는 일과 가정생활을 병행할 수 있는 근무여건을 조성하고 양질의 일자리 나누기를 통한 고용 창출을 유도하기 위하여 유연근무제의 일환으로 도입되었음

정답 ④

정답 및 해설

㉡㉣은 지방공기업 대상사업이 아님

> **지방공기업법 제2조 【적용 범위】** ① 이 법은 다음 각 호의 어느 하나에 해당하는 사업(그에 부대되는 사업을 포함한다. 이하 같다) 중 제5조에 따라 지방자치단체가 직접 설치·경영하는 사업으로서 대통령령으로 정하는 기준 이상의 사업(이하 "지방직영기업"이라 한다)과 제3장 및 제4장에 따라 설립된 지방공사와 지방공단이 경영하는 사업에 대하여 각각 적용한다.
> 1. 수도사업(마을상수도사업은 제외한다)
> 2. 공업용수도사업
> 7. 주택사업
> 8. 토지개발사업

정답 ②

02 회독 ☐☐☐　　　　　　　　　2009. 국가 7

우리나라 고위공직자의 인사청문제도에 대한 설명으로 옳지 않은 것은?

① 국무위원 후보자는 국회 인사청문의 대상이다.
② 국회는 임명동의안이 제출된 날로부터 20일 이내에 인사청문을 마쳐야 한다.
③ 국회에 제출하는 임명동의안 첨부서류에는 최근 5년간의 소득세, 재산세, 종합토지세의 납부 및 체납 실적에 관한 사항이 포함되어 있다.
④ 인사청문특별위원회 위원장은 인사청문경과를 국회 본회의에 보고한 후, 대통령에게 인사청문경과보고서를 송부한다.

정답 및 해설

국회의장은 위원장이 인사청문경과를 본회의에 보고하면 지체 없이 인사청문경과보고서를 대통령, 대통령당선인 또는 대법원장에게 송부하여야 함

①

국회법 제65조의2 【인사청문회】② 상임위원회는 다른 법률에 따라 다음 각 호의 어느 하나에 해당하는 공직후보자에 대한 인사청문 요청이 있는 경우 인사청문을 실시하기 위하여 각각 인사청문회를 연다.
　　2. 대통령당선인이 「대통령직 인수에 관한 법률」 제5조 제1항에 따라 지명하는 국무위원 후보자

②

인사청문회법 제6조【임명동의안등의 회부등】② 국회는 임명동의안등이 제출된 날부터 20일 이내에 그 심사 또는 인사청문을 마쳐야 한다.

③

인사청문회법 제5조【임명동의안등의 첨부서류】① 국회에 제출하는 임명동의안등에는 요청사유서 또는 의장의 추천서와 다음 각호의 사항에 관한 증빙서류를 첨부하여야 한다.
　　4. 최근 5년간의 소득세·재산세·종합토지세의 납부 및 체납 실적에 관한 사항

정답 ④

03 회독 ☐☐☐　　　　　　　　　2018. 지방 9 수정

「부정청탁 및 금품 등 수수의 금지에 관련 법률 시행령」의 개정 내용 중 음식물·경조사비 등의 가액 범위로 옳지 않은 것은?

구분	개정 전	개정 후
① 선물	5만 원	5만 원
② 축의금·조의금	5만 원	5만 원
③ 음식물	3만 원	5만 원
④ 선물 중 농수산물 및 농수산 가공품	10만 원	15만 원 (설날·추석 기간 30만 원)

정답 및 해설

음식물은 3만 원임 → 아래의 표 참고

구분	개정 전	개정 후
① 선물	5만 원	5만 원
② 축의금·조의금	5만 원	5만 원
③ 음식물	3만 원	3만 원
④ 선물 중 농수산물 및 농수산 가공품	10만 원	15만 원 (설날·추석 기간 30만 원)

정답 ③

04 회독 ☐☐☐ 2017. 국가 9

'부정청탁 및 금품 등 수수의 금지에 관한 법률'상 금지하는 부정청탁에 해당하지 않는 것은?

① 각급 학교의 입학·성적·수행평가 등의 업무에 관하여 법령을 위반하여 처리·조작하도록 하는 행위
② 공개적으로 공직자 등에게 특정한 행위를 요구하는 행위
③ 공공기관이 주관하는 각종 수상, 포상, 우수기관 선정 또는 우수자 선발에 관하여 법령을 위반하여 특정 개인·단체·법인이 선정 또는 탈락되도록 하는 행위
④ 채용·승진·전보 등 공직자 등의 인사에 관하여 법령을 위반하여 개입하거나 영향을 미치도록 하는 행위

(정답 및 해설)

'공개적으로 공직자 등에게 특정한 행위를 요구하는 행위'는 부정청탁에 해당하지 않음

①②③④

청탁금지법 제5조【부정청탁의 금지】① 누구든지 직접 또는 제3자를 통하여 직무를 수행하는 공직자등에게 다음 각 호의 어느 하나에 해당하는 부정청탁을 해서는 아니 된다.
  3. 채용·승진·전보 등 공직자등의 인사에 관하여 법령을 위반하여 개입하거나 영향을 미치도록 하는 행위
  10. 각급 학교의 입학·성적·수행평가 등의 업무에 관하여 법령을 위반하여 처리·조작하도록 하는 행위
  12. 공공기관이 실시하는 각종 평가·판정 업무에 관하여 법령을 위반하여 평가 또는 판정하게 하거나 결과를 조작하도록 하는 행위
② 제1항에도 불구하고 다음 각 호의 어느 하나에 해당하는 경우에는 이 법을 적용하지 아니한다.
  2. 공개적으로 공직자등에게 특정한 행위를 요구하는 행위

정답 ②

Section 03 재무행정 관련 제도 및 법령 등

01 회독 ☐☐☐ 2016. 국가 7

우리나라 재정사업 성과관리제도에 대한 설명으로 옳지 않은 것은?

① 재정사업 성과관리제도는 재정성과 목표관리제도, 재정사업 자율평가제도, 재정사업 심층평가제도의 세 가지 형태로 운영되고 있다.
② 재정성과 목표관리제도는 기관별 성과계획서 및 성과보고서를 통해 설정된 성과목표의 달성 여부를 모니터링한다.
③ 재정사업 자율평가제도는 기획재정부가 정해준 10개의 평가지표에 근거하여 사업 수행 부처가 소관 재정사업을 매년 모두 평가한다.
④ 부처 간 유사·중복 사업 또는 비효율적인 사업추진으로 예산낭비의 소지가 있는 사업에 대해서는 재정사업 심층평가를 실시할 수 있다.

(정답 및 해설)

재정사업자율평가제도의 평가지표는 사업부처에서 자율적으로 수립함(평가지표의 개수도 자율적으로 정함)

①②④

■ **우리나라의 재정사업 성과관리제도**

재정성과 목표관리 제도	① 성과계획서 및 성과보고서를 작성하여 조직의 목표를 관리하는 제도 ② 전략목표 → 성과목표 → 성과지표를 작성 후 재정의 성과환류

재정사업 자율평가 제도	① 재정사업 자율평가제도의 절차
	 ㉠ 각 사업부처의 자체평가
	  ⓐ 평가대상 : 전체 재정사업
	  ⓑ 주기 : 1년 주기로 평가
	  ⓒ 기타 : 사업 평가지표와 개수는 사업부처에서 자율적으로 수립
	 ㉡ 기획재정부의 핵심사업평가

재정사업 심층평가 제도	① 재정사업 자율평가의 결과 성과가 미흡한 사업 가운데 심층적 분석이 필요한 사업을 대상으로 평가하고, 그 개선방향을 도출하는 제도 ② 부처 간 유사·중복 사업 또는 비효율적인 사업 추진으로 예산낭비의 소지가 있는 사업 등

정답 ③

01 　회독 ☐☐☐ 　　　　　　　　2014. 사복 9

「지방자치법」상 광역자치단체의 사무에 대한 설명으로 옳지 않은 것은?

① 시·도와 시·군 및 자치구의 사무가 서로 경합하면 시·도에서 처리한다.

② 국가와 시·군 및 자치구 사이의 연락·조정 등의 사무는 시·도에서 처리한다.

③ 지역적 특성을 살리면서 시·도 단위로 통일성을 유지할 필요가 있는 사무는 시·도에서 처리한다.

④ 행정처리 결과가 2개 이상의 시·군 및 자치구에 미치는 광역적 사무는 시·도에서 처리한다.

정답 및 해설

시·도와 시·군 및 자치구의 사무가 서로 경합하면 시·군 및 자치구에서 처리함 → 아래의 조항 참고

지방자치법 제14조【지방자치단체의 종류별 사무배분기준】 ① 제13조에 따른 지방자치단체의 사무를 지방자치단체의 종류별로 배분하는 기준은 다음 각 호와 같다. 다만, 제13조제2항제1호의 사무는 각 지방자치단체에 공통된 사무로 한다.
　1. 시·도
　　가. 행정처리 결과가 2개 이상의 시·군 및 자치구에 미치는 광역적 사무
　　다. 지역적 특성을 살리면서 시·도 단위로 통일성을 유지할 필요가 있는 사무
　　라. 국가와 시·군 및 자치구 사이의 연락·조정 등의 사무
③ 시·도와 시·군 및 자치구는 사무를 처리할 때 서로 겹치지 아니하도록 하여야 하며, 사무가 서로 겹치면 시·군 및 자치구에서 먼저 처리한다.

정답 ①

※ 아래의 표에 명시된 섹션의 문제는 〈최욱진 행정학 7 · 9급 기출문제집〉에 정리되어 있음.

최욱진

주요 약력

고려대학교 정경대학 행정학과 졸업
고려대학교 일반대학원 행정학과 행정학 전공
현) 박문각 공무원 행정학 전임교수

주요 저서

- 2025 최욱진 행정학(박문각출판)
- 최욱진 행정학 천지문 OX(더에이스에듀)
- 최욱진 행정학 7·9급 기출문제집(더에이스에듀)

최욱진 행정학 ◇✦ All 단원별 기출문제집 #2

초판 인쇄 | 2024. 7. 10.　**초판 발행** | 2024. 7. 15.　**편저** | 최욱진

발행인 | 박 용　**발행처** | (주)박문각출판　**등록** | 2015년 4월 29일 제2019-000137호

주소 | 06654 서울시 서초구 효령로 283 서경 B/D 4층　**팩스** | (02)584-2927

전화 | 교재 문의 (02)6466-7202

저자와의
협의하에
인지생략

정가 49,000원(1·2권 포함)
ISBN 979-11-7262-115-5
　　　979-11-7262-113-1(세트)